ますが
口腔顔面痛の
診断と治療
ガイドブック

第3版

日本口腔顔面痛学会 編

医歯薬出版株式会社

■執筆者一覧(50音順)

井川　雅子	静岡市立清水病院口腔外科		澁川　義幸	東京歯科大学生理学講座教授
石垣　尚一	大阪大学大学院歯学研究科クラウンブリッジ補綴学・顎口腔機能学講座准教授		島田　明子	大阪歯科大学医療保健学部口腔保健学科教授
上野　尚雄	国立がん研究センター中央病院歯科医長		田代　晃正	防衛医科大学校生理学講座助教
臼田　頌	慶應義塾大学医学部歯科・口腔外科学教室助教		築山　能大	九州大学大学院歯学研究院歯科医学教育学分野教授
大久保昌和	日本大学松戸歯学部有床義歯補綴学講座専任講師		土井　充	広島大学大学院医系科学研究科歯科麻酔学研究室助教
岡田　明子	日本大学歯学部口腔内科学講座教授		野間　昇	日本大学歯学部口腔内科学講座教授
岡本圭一郎	新潟大学大学院医歯学総合研究科口腔生理学分野准教授		長谷川真奈	新潟大学医歯学総合病院歯科総合診療科講師
小川　徹	東北大学大学院歯学研究科口腔システム補綴学分野准教授		林　良憲	日本大学歯学部生理学講座准教授
奥村　雅代	松本歯科大学解剖学講座講師		人見　涼露	日本大学歯学部生理学講座専任講師
小野堅太郎	九州歯科大学健康増進学講座生理学分野教授		福田　謙一	東京歯科大学口腔健康科学講座障害者歯科・口腔顔面痛研究室教授,同大学水道橋病院ペインクリニック科／口腔顔面痛みセンター科長
北村　知昭	九州歯科大学口腔機能学講座口腔保存治療学分野教授			
小出　恭代	日本大学松戸歯学部有床義歯補綴学講座助教		前川　賢治	大阪歯科大学歯学部欠損歯列補綴咬合学講座主任教授
小見山　道	日本大学松戸歯学部クラウンブリッジ補綴学講座教授		松香　芳三	徳島大学大学院医歯薬学研究部口腔科学部門臨床歯学系顎機能咬合再建学分野教授
金銅　英二	松本歯科大学解剖学講座教授		宮地　英雄	こころのホスピタル町田院長
西須　大徳	愛知医科大学疼痛緩和外科・いたみセンター／運動療育センター助教		村岡　渡	川崎市立井田病院歯科口腔外科部長
			矢島　愛美	鶴見大学歯学部歯科麻酔学講座助教
坂本　英治	九州大学病院顎口腔外科口腔顔面痛外来講師		矢谷　博文	大阪大学名誉教授
佐久間泰司	大阪歯科大学歯学部医療安全学教授		八岡和歌子	国立がん研究センター中央病院歯科医員
左合　徹平	九州歯科大学生体機能制御学講座歯科侵襲制御学分野助教		山﨑　陽子	東京医科歯科大学大学院医歯学総合研究科歯科麻酔・口腔顔面痛制御学分野助教
椎葉　俊司	九州歯科大学生体機能制御学講座歯科侵襲制御学分野准教授			
篠田　雅路	日本大学歯学部生理学講座教授		山田　和男	東北医科薬科大学若林病院メンタルヘルス科病院教授
			鷲尾　絢子	九州歯科大学口腔機能学講座口腔保存治療学分野准教授

This book is originally published in Japanese under the title of:

KOKUGANMENTSU-NO SHINDAN-TO CHIRYO GAIDOBUKKU DAI SAN HAN
(The guide book of orofacial pain for diagnosis and treatment 3rd ed.)

Editor:

Japanese Society of Orofacial Pain

© 2013　1st ed.
© 2023　3rd ed.

ISHIYAKU PUBLISHERS, INC.
　7-10, Honkomagome 1 chome, Bunkyo-ku,
　Tokyo 113-8612, Japan

■日本口腔顔面痛学会ガイドブック編集委員会
（日本口腔顔面痛学会学会誌編集委員会．＊：委員長，＊＊：副委員長．以下50音順）

篠田　雅路[*] 日本大学歯学部生理学講座教授
原　　節宏[**] 日本歯科大学附属病院総合診療科准教授，顎関節症診療センターセンター長
岡本圭一郎[**] 新潟大学大学院医歯学総合研究科口腔生理学分野准教授
飯田　　崇　日本大学松戸歯学部クラウンブリッジ補綴学講座准教授
石垣　尚一　大阪大学大学院歯学研究科クラウンブリッジ補綴学・顎口腔機能学講座准教授
小川　　徹　東北大学大学院歯学研究科口腔システム補綴学分野准教授
坂本　英治　九州大学病院顎口腔外科口腔顔面痛外来講師
築山　能大　九州大学大学院歯学研究院歯科医学教育学分野教授
鳥巣　哲朗　長崎大学病院歯科系診療部門義歯補綴治療室病院准教授
前川　賢治　大阪歯科大学歯学部欠損歯列補綴咬合学講座主任教授

■ 第3版　発刊に寄せて

　日本口腔顔面痛学会では，このたび『口腔顔面痛の診断と治療ガイドブック第3版』を発刊することになりました．本ガイドブック編集委員会　篠田雅路委員長をはじめとする編集委員の先生方，ご執筆頂きました先生方には大変お世話になりまして，深甚なる謝意を申し上げます．

　さて，日本口腔顔面痛学会は平成25年7月に本ガイドブック第1版を，平成28年9月に第2版を出版しました．これらは，口腔顔面痛の教科書としまして，歯科医師をはじめとする医療関係者や歯学生の理解を深めるうえで多大な成果をもたらしました．その結果，皆様がご存知のように，歯科医師国家試験出題基準に神経障害性疼痛，非歯原性歯痛が収載されることになり，実際に出題されております．また，歯学生の教育の基準であるモデル・コア・カリキュラムにも口腔顔面痛に関する項目が多く取り上げられております．

　第2版を出版後，国際口腔顔面痛分類の発表，国際疼痛学会における痛みの定義改訂，痛覚変調性疼痛の紹介など，口腔顔面痛の分野は大きく進展致しました．また，口腔顔面痛理解のための基礎研究，臨床研究も着実に進展しております．そのため，日本口腔顔面痛学会では口腔顔面痛の現状をアップデートする必要性を認識しまして，第3版の出版に至った次第です．

　改訂にあたりましては，掲載事項を十分に吟味し，基礎・臨床の領域を網羅するようにしました．第3版におきましても，これまでと同様に体系的な学習，知識の習得が可能となるように設定しておりますので，各項目の内容が充実していることを感じて頂けるものと考えております．

　歯学生の皆さんにおきましては，本書を通しまして，口腔顔面痛の理解を深めて頂き，口腔顔面痛の基礎研究や臨床の素晴らしさを感じて頂くことを希望しております．多くの歯科医院を受診しても解決策が見出せなかった「痛み」が緩解したときの患者さんの感謝の言葉は筆舌に尽くし難いものであり，医療者冥利に尽きるものです．また，歯科医師の先生方におかれましても患者さんの救済につながる治療を行って頂けますことを祈念しております．

　最後になりますが，日本口腔顔面痛学会理事長として第3版の発刊に際して，巻頭言を執筆する機会を与えて頂いたことを，光栄に感じております．日本口腔顔面痛学会は，痛みに苦しむ患者さんのために活発な活動を継続しておりまして，誇らしく感じますとともに，今後の活動も大変期待できると認識しております．

令和5年7月

日本口腔顔面痛学会理事長　松香芳三

第3版　序文

　この度,『口腔顔面痛の診断と治療ガイドブック第2版』を全面改訂し,第3版を上梓することができました.本ガイドブック編集委員会委員ならびに執筆を担当された先生方をはじめ,発刊にご尽力いただいた多くの方々に厚く感謝申し上げます.

　さて,第1版,第2版では口腔顔面痛の臨床・研究を牽引してきた先生方に執筆を依頼し,本ガイドブックは日本初のすばらしい口腔顔面痛のバイブルとして定着しました.時が経つのは早いもので,平成25年の第1版の発刊以来10年が経過し,これまで口腔顔面痛の臨床・研究を牽引してきた先生が徐々に第一線を退きつつあります.一方,この10年で口腔顔面痛の臨床・研究の裾野が大きく広がり,多くの若い先生方が口腔顔面痛の臨床・研究に関心を持つようになりました.さらに,平成24年度の歯科医師国家試験出題基準の改定で口腔顔面痛が出題項目に採用されて以来,毎年のように口腔顔面痛関連の問題が国家試験に出題されるようになりました.今では,全国の歯学部学生に口腔顔面痛教育がなされ,若い歯科医師にとって口腔顔面痛の知識はなじみ深いものとなっています.そこで,第3版では次世代の口腔顔面痛の臨床・研究に携わる新進気鋭の先生方に執筆を依頼して世代交代を図るとともに,一般歯科医師ならびに口腔顔面痛専門医が習得すべき事項を拡充しました.さらに,国際疼痛学会は平成29(2017)年に神経メカニズム的な観点から,新たに「痛み」を侵害受容性疼痛,神経障害性疼痛と痛覚変調性疼痛に分類し,令和2(2020)年に「痛み」の定義を41年ぶりに改定しました.この事項も第3版にしっかり盛り込んでいます.そのため,『口腔顔面痛の診断と治療ガイドブック第3版』は厚くなったうえ物価高騰の影響もあり,値上げすることとなってしまい大変心苦しく思います.しかしながら,本ガイドブックはすべての項目で完成度の高い内容をなっておりますので,読者の皆様にはご納得いただけるものと確信しております.

　最後になりますが,本ガイドブックが多くの口腔顔面痛臨床医ならび研究者に活用され,ますます口腔顔面痛の臨床・研究の発展に寄与し,ひいては口腔顔面痛に苦しむ方々にとって福音となることをお祈りいたします.

令和5年7月

日本口腔顔面痛学会ガイドブック編集委員会委員長

篠田雅路

■ 第2版 発刊に寄せて

　この度，日本口腔顔面痛学会編として『口腔顔面痛の診断と治療ガイドブック第2版』を上梓することとなりました．編集委員会の皆様，ご執筆いただいた先生方の努力の賜物であり，心から感謝申し上げます．とりわけ矢谷編集委員長のご尽力に敬意を表します．また医歯薬出版株式会社には企画・編集で大変にお世話になり，改めて感謝申し上げます．

　さて，本学会では平成25年7月に，『口腔顔面痛の診断と治療ガイドブック』を発刊しました．わが国初の口腔顔面痛の教科書であり，これまで体系づけて記されていなかった口腔顔面痛，非歯原性歯痛のメカニズム，診断と治療を解説した成書として大きなインパクトを歯科界にもたらしました．その結果，皆様ご存知のように，歯科医師国家試験出題基準にも神経障害性疼痛，非歯原性歯痛が収載され，実際の出題もなされるようになりました．コアカリキュラムの改訂に当たっても，当然のことながら本領域がしっかりと包含されるようになります．またすでに各大学においては口腔顔面痛の教育が進められています．

　そのため第1版は，上梓から3年足らずで既印刷分が売り切れる事態となりました．増刷するか，改訂する，医歯薬出版株式会社と学会執行部で何度か話し合いを持ちました．第1版は皆で手分けして全力で執筆・編集いたしましたが，少々気にかかっていたところがあったため，発刊からまだ3年しか経っておりませんが全面改訂を行うこととした次第です．

　改訂に当たっては，まずは掲載事項を吟味し，臨床的に必要な口腔顔面痛の領域を網羅しております．そのため掲載項目は第1版と比べ格段に充実しているものと思います．また目次も整理し，体系的な学習，知識の習得が可能となるようになっております．さらに何といっても，各項目の内容が大変に充実していることに，読者の皆様はお気づきになられることでしょう．

　歯学生諸君には，本書から歯科にとって大きな領域を占める口腔顔面痛への理解を深めていただきたいと思います．さらに，口腔顔面痛に専門的に対応する歯科医師への道へ誘うことができればとも思います．また本書を手に取っていただきました諸先生方におかれましては，本書を活用していただき，口腔顔面痛でお困りの患者様へ，適切な医療を提供されるよう祈念いたします．

　最後になりますが，日本口腔顔面痛学会理事長として第1版に引き続き，第2版の発刊に際しても巻頭言を書く機会を持てたこと，大変に光栄に思っております．本学会は会員数も少ない小規模の学会ですが，本書の発刊も含め，会員の皆様の情熱で大変にアクティブに，また効果的に活動をしていることを誇りに思います．

平成28年9月

日本口腔顔面痛学会理事長　佐々木啓一

■ 第2版　序文

　この度,『口腔顔面痛の診断と治療ガイドブック』を全面的に改訂し,第2版を上梓することができました.編集に力を注いでくださいました日本口腔顔面痛学会のガイドブック委員会の皆様ならびにご執筆の労を取っていただいた諸先生方に厚くお礼申し上げます.

　本書は,ICOP 2016（第21回日本口腔顔面痛学会学術大会,第16回アジア頭蓋下顎障害学会学術大会,国際疼痛学会 Special Interest Group on Orofacial Pain 2016 共催学会）に合わせて発刊することとしたため,執筆者の皆様には短期間での執筆ならびに編集校正作業を強いることとなりましたが,すべての方々に全面的な協力をいただき,何とか ICOP 2016 開催前に発刊にこぎつけることができました.ここに改めて執筆者の方々ならびに医歯薬出版株式会社の関係各位に深謝いたします.

　編集にあたっては,歯科医学生やこれから顎口腔顔面領域の疼痛について学ぶ方々の学習の便宜を図るため,各章に学習目標を設けるとともに,日本口腔顔面痛学会の認定医取得を目指す方々や口腔顔面痛の各領域の専門家の方々まで幅広く活用いただけるように図表を多く取り入れ,最新のエビデンスを記載することを執筆者の方々にお願いしました.その結果,第1版と比較してより包括的で充実した内容となり,口腔顔面痛に関する成書として他に比類のない完成度となりましたことは委員長として望外の喜びです.

　本書が痛みの初学者の学習を助け,痛みの研究者の研究に役立ち,さらに痛みの臨床の最前線に立っている方々の臨床に活用されることを願い,さらに口腔顔面の痛みに苦しむ人々の快癒につながることを願って序文とします.

平成28年9月

日本口腔顔面痛学会ガイドブック委員会委員長
矢谷博文

■ 第1版 発刊に寄せて

　このたび多くの先生方のご尽力と医歯薬出版株式会社のご協力により，日本口腔顔面痛学会編として『口腔顔面痛の診断と治療ガイドブック』を発刊することができました．疼痛の機序から具体的な口腔顔面痛治療までを系統立ててまとめた，わが国では初の口腔顔面痛の教科書となります．このようなときに理事長を務めさせていただき大変光栄に思うとともに，諸先生方のご貢献に深く感謝申し上げます．

　皆様ご存じのように，分子生物学や分子イメージングをはじめとして生命科学領域の研究手法が大きく発展し，疼痛に関する理解は近年，著しい進歩をみています．それに伴い口腔顔面部の疼痛に関する考え方も大きく転換し，歯痛を含めた口腔顔面痛という概念が形成されました．しかしながら，今なお疼痛，特に慢性疼痛に関する考え方は日々進化しており，口腔顔面痛への理解，そして治療法も日進月歩しています．そのため口腔顔面痛の病態，機序，治療法を正しく理解することは，長らく治療，研究に携わってきた者にとっても難しく，ましてやこれから口腔顔面痛の臨床，研究に取り組もうとする若い歯科医師，医師には大変ハードルの高いものとなっていました．

　そのようななかで，たしかにこれまでにも口腔顔面痛について記した書籍はありましたが，最新の知見に基づいて系統立った学習を行ううえでは適さないものとなっています．そこで日本口腔顔面痛学会では，わが国唯一の専門学会の使命として，口腔顔面痛に対する正しい知識を口腔顔面痛に対応する歯科医師，医療者へ供与し，口腔顔面痛に苦しむ患者が有効な治療を享受し得ることを目的として，本書を編纂しました．

　口腔顔面痛そのものが，いまだすべてが解明された疾患ではなく，日々新たな知見が見出されている状況ですので，本書の記載が必ずしも十分であるとはいえません．学問の進歩に応じ，順次改訂していく必要性を認識しています．しかし，これまで多くの口腔顔面痛患者が原因不明とされたり，あるいは誤った診断がなされ，不適切な治療がなされてきた不幸な状況を脱却するためには，より多くの歯科医師，医師が口腔顔面痛への正しい認識を持つことが重要です．本書は，現在まで口腔顔面痛に対応されてきた方々がこれまでの知識を整理するうえで，またこれから学習される方々が系統立った知識を得るうえで大変有用であるものと確信しています．

　歯科医師国家試験出題基準の平成24年度改訂により，口腔顔面痛が出題項目として初めて採用されました．本書が口腔顔面痛のスタンダードな教科書として育ち，人々の安寧な生活の保障，QOL向上に資することを祈念しております．

平成25年7月

日本口腔顔面痛学会理事長　佐々木啓一

■ 第1版 序文

　平成21年に日本口腔顔面痛学会が合併発足以来,わが国の実情に合ったテキストの作成を活動項目の一つとしてきました.平成23年度,厚生労働省の科学研究費活動として「慢性の痛み対策研究事業」における"「痛み」に関する教育と情報提供システムの構築"で,大阪大学医学部の柴田政彦先生らが中心となり医療関連の教育コンテンツの構築が始まりました.24年度重点項目として歯学部向けの疼痛教育コンテンツの整備にも着手することとなり,急ピッチで顎口腔顔面領域の疼痛教育コンテンツの制作が推進されました.この作業と並行して,新たな顎口腔顔面領域の痛みについての教科書作成の企画が日本口腔顔面痛学会の理事会・評議員会で決定されました.それを受け教育啓発委員会が中心となり,教科書のコンセプト,体裁,項目立てと執筆者の選出などを企画・立案し推進しました.

　平成25年2月24日には,制作された歯学部向けの疼痛教育コンテンツの評価セミナーが慶應義塾大学病院大会議室で開催され,70名あまりの参加者のもと,コメント,提案,修正指摘など白熱したやり取りが行われました.この際に出た各種意見を参考に疼痛教育コンテンツと教科書を修正し完成度の高いものに仕上げました.

　『口腔顔面痛の診断と治療ガイドブック』の編集にあたり,歯科医学生をはじめ,これから顎口腔顔面領域の疼痛について学ぶ方々,日本口腔顔面痛学会の認定医を目指す方々,各領域の専門家の方々まで幅広く活用いただけるように図表を多く取り入れ,簡潔明瞭に記載することを執筆者の方々にお願いしました.また,さらに執筆依頼に際して,発刊を第18回日本口腔顔面痛学会(会長 柿木隆介先生.平成25年7月開催)に合わせたため,短期間での執筆ならびに編集校正作業を強いることとなり,関係された方々に多大なるご迷惑をおかけ致しました.私どもからの無理難題な依頼にも快諾いただき,発刊に向けて多大なるご尽力とご協力をいただきました執筆者の方々と,医歯薬出版株式会社はじめ関係各位に深く感謝を申し上げます.

　最後に本書が多くの方々の学習・臨床や研究のお役に立ち,活用され,そのなかから更なる新たな知見が見つかり,痛みで苦しむ多数の人々が1日も早く痛みから解放されることをお祈り申し上げます.

平成25年7月

日本口腔顔面痛学会
『口腔顔面痛の診断と治療ガイドブック』編集委員会
今村佳樹,岩田幸一,金銅英二,佐久間泰司,谷口威夫,松香芳三,矢谷博文,和嶋浩一(委員長)

教育啓発委員会
篠田雅路,谷口威夫,矢谷博文,和嶋浩一,金銅英二(委員長)

口腔顔面痛の診断と治療ガイドブック 第3版

CONTENTS

第1部 口腔顔面痛のメカニズム

1. 痛みの定義 .... 篠田雅路 2
   1) 痛みとは 2
   2) 侵害刺激と痛み感覚 2
   3) 痛みの分類 4

2. 口腔顔面痛の神経解剖 .... 金銅英二 8
   1) 末梢神経系 8
   2) 中枢神経系 10

3. 痛みの末梢メカニズム .... 小野堅太郎 13
   1) 侵害受容ニューロンの構造と支配 13
   2) 侵害受容ニューロンにおける活動電位発生 14
   3) 侵害受容の感覚情報処理 16
   4) 三叉神経節レベルでの疼痛メカニズムへの寄与 17

4. 痛みの中枢メカニズム .... 林 良憲 19
   1) 延髄および上部頸髄 19
   2) 視床 19
   3) 腕傍核 20
   4) 大脳 20
   5) グリア細胞 21

5. 痛み関連脳内神経ネットワーク .... 岡田明子 25
   1) 痛み関連脳内神経ネットワークとは 25
   2) 各脳領域の役割 25
   3) 脳機能測定装置による研究 28

6. 痛みの修飾機構 .... 金銅英二, 奥村雅代 32
   1) 末梢性感作 32
   2) 中枢性感作 33
   3) 上位中枢神経からの制御 35
   コラム 歯髄細胞とニューロンの機能連関からみた象牙質/歯髄複合体の疼痛
   .... 澁川義幸 39

第2部 口腔顔面痛の病態

1. **侵害受容性疼痛** ……………………………………………………………………… 人見涼露　50
    1) 末梢性機序 ……………………………………………………………………………………… 50
    2) 中枢性機序 ……………………………………………………………………………………… 51

2. **神経障害性疼痛** …………………………………………………………………… 岡本圭一郎　53
    1) 痛みのメカニズム ……………………………………………………………………………… 53
    2) 神経障害性疼痛モデル ………………………………………………………………………… 53
    3) 末梢神経メカニズム …………………………………………………………………………… 54
    4) 中枢神経メカニズム …………………………………………………………………………… 55

3. **痛覚変調性疼痛** ……………………………………………………………………… 矢島愛美　57
    1) 第三の痛みの機序分類 ── 痛覚変調性疼痛 ……………………………………………… 57
    2) 末梢神経系の病態生理 ………………………………………………………………………… 60
    3) 中枢神経系の病態生理 ………………………………………………………………………… 60
    4) 痛みのメカニズム ……………………………………………………………………………… 61

4. **がん性疼痛** ………………………………………………………………………… 小野堅太郎　65
    1) 末梢性機序 ……………………………………………………………………………………… 65
    2) 中枢性機序 ……………………………………………………………………………………… 66

5. **関連痛** ………………………………………………………………………………… 篠田雅路　68
    1) 発症機構 ………………………………………………………………………………………… 68
    2) 口腔顔面領域にみられる関連痛 ……………………………………………………………… 69

6. **心理状態と痛み** ……………………………………………………………………… 宮地英雄　72
    1) 「痛み」と「精神・心理学的側面」の関係 ………………………………………………… 72
    2) 口腔顔面領域の「痛み」における精神・心理学的特徴 …………………………………… 73
    3) 痛みの治療における精神・心理学的側面からのアプローチ ……………………………… 74

7. **ストレスと痛み** ………………………………………………………… 岡本圭一郎，長谷川真奈　75
    1) ストレス誘発痛の末梢神経メカニズム ……………………………………………………… 75
    2) ストレス誘発痛の中枢神経メカニズム ……………………………………………………… 76
    3) ストレス誘発痛へのアプローチ ……………………………………………………………… 77

8. **痛みの性差** ………………………………………………………………………… 田代晃正　79
    1) 性差が生じる痛みについて …………………………………………………………………… 79

  2）性差のある痛みが生じるおもな疾患 …………………………………………… 82

9. 睡眠と痛み ……………………………………………………………… 石垣尚一　86
  1）痛みが睡眠に及ぼす影響 ……………………………………………………… 86
  2）睡眠が痛みに及ぼす影響 ……………………………………………………… 86
  3）痛みの臨床における睡眠の評価 ……………………………………………… 87

10. 痛みの個人差 …………………………………………………………… 福田謙一　89
  1）生理的要因 …………………………………………………………………… 89
  2）遺伝的要因 …………………………………………………………………… 90

第3部　口腔顔面痛の評価と診断

1. 疼痛構造化問診 ………………………………………………………… 村岡　渡　96
  1）疼痛構造化問診とは ………………………………………………………… 96
  2）疼痛構造化問診の目的と評価 ……………………………………………… 98
  3）疼痛構造化問診の実際 ……………………………………………………… 99

2. 痛みの測定・評価 ……………………………………………………… 野間　昇　101
  1）総論 ………………………………………………………………………… 101
  2）痛みの一元的評価（スケール法）…………………………………………… 102
  3）マギル痛み質問票（McGill Pain Questionnaire：MPQ）………………… 103
  4）定量的感覚検査（QST）…………………………………………………… 104
  5）測定項目，測定方法 ……………………………………………………… 105

3. 脳神経の診察 …………………………………………………………… 大久保昌和　107
  1）なぜ脳神経の診察が必要か ………………………………………………… 107
  2）脳神経の検査法 …………………………………………………………… 107

4. 口腔顔面痛の分類と臨床推論 ………………………………………… 野間　昇　112
  1）口腔顔面痛の分類 ………………………………………………………… 112
  2）臨床推論とは ……………………………………………………………… 113
  3）まとめ ……………………………………………………………………… 115

5. 痛みの特徴と評価 ……………………………………………………… 坂本英治　116
  1）痛み患者の心理社会的評価 ………………………………………………… 116
  2）評価について ……………………………………………………………… 117

第4部 口腔顔面痛の治療（総論）

1. 薬物療法 ·· 左合徹平　122
   1) 総論 ·· 122
   2) 口腔顔面痛治療に用いる薬剤 ································ 123
   資料　口腔顔面痛治療に用いる薬剤 ································ 139

2. 局所麻酔薬 ·· 岡田明子　140
   1) 局所麻酔薬の作用機序 ································ 140
   2) 局所麻酔薬としての局所作用とNaチャネル阻害薬としての全身作用 ··· 143
   3) 局所麻酔薬を用いた鑑別診断 ································ 144

3. 神経ブロック ·· 椎葉俊司　146
   1) 星状神経節ブロック ································ 147
   2) 三叉神経ブロック ································ 150
   3) トリガーポイント注射 ································ 152
   4) 大後頭神経ブロック ································ 155
   5) 翼口蓋神経節ブロック ································ 156

4. 東洋医学的治療法 ·· 山﨑陽子　159
   1) 東洋医学における基礎概念 ································ 159
   2) 診察および診断法 ································ 160
   3) 漢方治療 ································ 162
   4) 鍼・灸治療 ································ 164

5. 物理療法 ·· 築山能大　167
   1) 温熱療法 ································ 167
   2) 寒冷療法 ································ 168
   3) マッサージ療法 ································ 168
   4) 電気療法 ································ 169
   5) レーザー療法 ································ 169
   6) 超音波療法 ································ 170
   7) 鍼治療 ································ 170

6. 運動療法 ·· 172
   1) 運動療法の基礎 ································ 島田明子　172
   2) 口腔顔面痛の運動療法 ································ 島田明子　172
   3) 推奨される運動療法 ································ 島田明子　175

4）全身運動と痛み ……………………………………………… 岡本圭一郎, 長谷川真奈 177

7. 認知行動療法 ………………………………………………………………… 土井　充 181
　　1）心身相関とストレス …………………………………………………………………… 181
　　2）慢性痛患者の認知行動特性 …………………………………………………………… 181
　　3）痛みの悪循環と痛覚変調性疼痛 ……………………………………………………… 182
　　4）認知行動療法の実際 …………………………………………………………………… 183

8. アプライアンス療法 ………………………………………………………… 小川　徹 186
　　1）アプライアンス療法とは ……………………………………………………………… 186
　　2）スタビリゼーションアプライアンス ………………………………………………… 187

第5部　口腔顔面痛の治療（各論）

1. 歯原性歯痛 ………………………………………………………… 北村知昭, 鷲尾絢子 194
　　1）発症機序 ………………………………………………………………………………… 194
　　2）病態生理 ………………………………………………………………………………… 194
　　3）診察・検査と診断 ……………………………………………………………………… 196
　　4）治療 ……………………………………………………………………………………… 198

2. 非歯原性歯痛 ………………………………………………………………… 松香芳三 201
　　1）発症機序 ………………………………………………………………………………… 201
　　2）病態生理, 診察・検査と診断, 治療 …………………………………………………… 202

3. 咀嚼筋痛障害 ………………………………………………………………… 小見山　道 210
　　1）発症機序 ………………………………………………………………………………… 210
　　2）病態生理 ………………………………………………………………………………… 211
　　3）診察・検査と診断 ……………………………………………………………………… 212
　　4）治療 ……………………………………………………………………………………… 214

4. 顎関節痛障害 ……………………………………………………… 小見山　道, 矢谷博文 217
　　1）発症機序 ………………………………………………………………………………… 217
　　2）病態生理 ………………………………………………………………………………… 217
　　3）診察・検査と診断 ……………………………………………………………………… 219
　　4）治療 ……………………………………………………………………………………… 220

5. 顎関節円板障害 …………………………………………………… 矢谷博文, 小見山　道 223
　　1）発症機序 ………………………………………………………………………………… 223
　　2）病態生理 ………………………………………………………………………………… 223

3) 診察・検査と診断 ……………………………………………………………… 225
　　4) 治療 ……………………………………………………………………………… 229

6. 変形性顎関節症 ……………………………………………………… 前川賢治　232
　　1) 疫学と自然経過 ………………………………………………………………… 232
　　2) 発症機序 ………………………………………………………………………… 232
　　3) 徴候，画像所見と診断 ………………………………………………………… 233
　　4) 鑑別診断 ………………………………………………………………………… 234
　　5) 治療 ……………………………………………………………………………… 235

7. 三叉神経痛 …………………………………………………………… 井川雅子　238
　　1) 診察 ……………………………………………………………………………… 238
　　2) 診断 ……………………………………………………………………………… 240
　　3) 治療 ……………………………………………………………………………… 241

8. 帯状疱疹後神経痛 …………………………………………………… 坂本英治　244
　　1) 帯状疱疹とは …………………………………………………………………… 244
　　2) 発症機序 ………………………………………………………………………… 244
　　3) 病態生理 ………………………………………………………………………… 245
　　4) 診断 ……………………………………………………………………………… 246
　　5) 治療 ……………………………………………………………………………… 247
　　6) 予防 ……………………………………………………………………………… 248

9. 外傷性神経障害 ……………………………………… 西須大徳，臼田　頌，村岡　渡　250
　　1) はじめに ………………………………………………………………………… 250
　　2) 発症機序 ………………………………………………………………………… 250
　　3) 病態生理 ………………………………………………………………………… 253
　　4) 診察・検査と診断 ……………………………………………………………… 255
　　5) 治療 ……………………………………………………………………………… 258
　　6) おわりに ………………………………………………………………………… 260

10. 口腔灼熱痛症候群 …………………………………………………… 大久保昌和　262
　　1) 口腔灼熱痛症候群の定義と診断基準 ………………………………………… 262
　　2) 発症機序，病態生理 …………………………………………………………… 262
　　3) 診察・検査と診断 ……………………………………………………………… 263
　　4) BMS患者の治療 ………………………………………………………………… 264
　コラム　歯科医師が口腔顔面痛診療を行う際に注意すべき法的問題 ………… 佐久間泰司　266

第6部 口腔顔面痛の関連疾患

1. 全身疾患と口腔顔面痛 ……………………………………… 松香芳三 270
1) 中枢性脳卒中後疼痛 …………………………………………………… 270
2) 心臓疾患 ………………………………………………………………… 270
3) 巨細胞性動脈炎 ………………………………………………………… 272
4) 帯状疱疹後痛 …………………………………………………………… 272
5) 精神疾患または心理社会的要因 ……………………………………… 272
6) 腫瘍,多発性硬化症 …………………………………………………… 272
7) ジストニア・ジスキネジア …………………………………………… 273

2. 精神疾患に起因する慢性痛 ……………………………… 山田和男 274
1) 慢性痛と「身体化」症状(これまでの考え方) ……………………… 274
2) 「身体症状症,疼痛が主症状のもの」(新しい疾患概念) …………… 275
3) 「痛覚変調性疼痛(nociplastic pain)」との関係 …………………… 276
4) 「身体症状症,疼痛が主症状のもの」の治療 ………………………… 276

3. 頭痛と口腔顔面痛 ……………………………… 小出恭代,大久保昌和 279
1) 一次性頭痛の診断と治療 ……………………………………………… 280
2) 口腔顔面痛に関連する二次性頭痛 …………………………………… 285
3) 特発性口腔顔面痛 ……………………………………………………… 287
4) 外傷後三叉神経障害性疼痛 …………………………………………… 288

4. ジストニアとジスキネジア ………………………………… 小川 徹 290
1) ジストニアとジスキネジアとは ……………………………………… 290
2) ジストニアとジスキネジアの定義 …………………………………… 290
3) ジストニアの症状 ……………………………………………………… 292
4) ジストニアの分類 ……………………………………………………… 293
5) 口腔領域のジストニア(ジスキネジアを含む) ……………………… 294
6) ジストニア・ジスキネジアの診断,治療 …………………………… 297

5. 緩和ケア ………………………………………… 上野尚雄,八岡和歌子 299
1) 緩和ケアとは …………………………………………………………… 299
2) がん性疼痛に対する鎮痛薬治療(WHO方式がん疼痛治療法) …… 302
3) 鎮痛薬治療以外の治療法 ……………………………………………… 303
4) まとめ(緩和ケアの要点) ……………………………………………… 304

索 引 ……………………………………………………………………… 305

第1部

口腔顔面痛のメカニズム

第1部 口腔顔面痛のメカニズム

1 痛みの定義

SBO
Ⅰ. 痛みとは何かを説明できる.
Ⅱ. 侵害刺激と痛みの関係を説明できる.
Ⅲ. 痛みの分類を説明できる.

1) 痛みとは

2020年に国際疼痛学会（International Association for the Study of Pain：IASP）は痛みの定義を，"an unpleasant sensory and emotional experience associated with, or resembling that associated with, actual or potential tissue damage"（実際の組織損傷もしくは組織損傷が起こりうる状態に付随する，あるいはそれに似た，感覚かつ情動の不快な体験）と改定した（図1）[1]．我々が温度刺激や触・圧刺激を受けてその感覚が引き起こされる場合，刺激を受けた場所，刺激の強さおよび刺激の種類を比較的簡単に認知することができる．侵害刺激を受けた場合においても，刺激が加えられた場所，強さおよび刺激の種類を認知することができるが，それに加えて「不快」「恐怖」「嫌悪」といった情動反応を引き起こす．また，情動反応は行動や表情，自律神経応答や内分泌反応にも変化をもたらす．

痛みの認知には，高次脳機能が深く関与している．たとえば，過去に受けた痛みの記憶が，痛みが引き起こされつつある状況を予測し，侵害刺激を受けていないのにもかかわらず不快症状が引き起こされる．針の先端が眼球に近づいてくるときに引き起こされる恐怖感は，これに相当すると思われる．このように，痛みは他の体性感覚とは違った特殊な感覚で，非常に複雑な性質を有しているといえる．

2) 侵害刺激と痛み感覚

組織を損傷するような刺激を侵害刺激という．組織に加えられた侵害刺激は，末梢神経の膜上に分布する侵害受容器を活性化させ，受容器電位を発生させる．受容器電位は刺激強度の増加に伴って脱分極し，その電位が電位依存性Naチャネルの閾膜電位を超えると活動電位が生じる．口腔顔面領域

> 痛みの定義 2020 日本語訳（日本疼痛学会 2020.7.25）
>
> 「実際の組織損傷もしくは組織損傷が起こりうる状態に付随する，あるいはそれに似た，感覚かつ情動の不快な体験」
>
> 付記
> - 痛みは常に個人的な経験であり，生物学的，心理的，社会的要因によって様々な程度で影響を受けます．
> - 痛みと侵害受容は異なる現象です．感覚ニューロンの活動だけから痛みの存在を推測することはできません．
> - 個人は人生での経験を通じて，痛みの概念を学びます．
> - 痛みを経験しているという人の訴えは重んじられるべきです．
> - 痛みは，通常，適応的な役割を果たしますが，その一方で，身体機能や社会的および心理的な健康に悪影響を及ぼすこともあります．
> - 言葉による表出は，痛みを表すいくつかの行動の一つにすぎません．コミュニケーションが不可能であることは，ヒトあるいはヒト以外の動物が痛みを経験している可能性を否定するものではありません．

図 1　改定版「痛みの定義：IASP」（日本疼痛学会, 2020[1]）

の侵害受容器で発生した活動電位（この活動電位のことを一般に「痛み情報」と呼んでいる）は一次ニューロンを伝導して三叉神経脊髄路核へ到達する．その活動電位はシナプスを介して視床後内側腹側核へ伝導し，さらにシナプスを介して大脳皮質へ伝わり，大脳皮質で初めて「痛み」が認知される．また，活動電位は「全か無かの法則」に従うため，侵害刺激の強弱によって振幅は変化しない．大脳皮質は活動電位の発生頻度の高低によって，侵害刺激の強弱を認知している．

　覚醒した状態で物事に集中していたり，あるいは周囲のさまざまな出来事に気を取られたりしていると，侵害刺激が加えられても痛みを感じにくいことがある．また，局所麻酔下で抜歯すれば，患者は痛みを訴えることはない．これは，侵害刺激が必ずしも「痛み」を生じさせないことを意味している．すなわち，侵害刺激と痛みは異なる意味を持ち，常に両者を切り離して考える必要がある．なぜなら，侵害刺激はあくまでも刺激であって，必ずしも痛みを生じさせるわけではないからである．

3）痛みの分類

1―部位による分類

　痛みは，引き起こされる部位によって「体性痛」と「内臓痛」に大別される（図2）．体性痛は内臓以外の部位に生じる痛みであり，内臓痛と比較して鋭く，局在が明瞭である．さらに，体性痛は皮膚や粘膜の痛みである「表在痛」と骨や筋といった皮下の深部組織の痛みである「深部痛」に分類される．体表に侵害刺激が加えられると，刺激された部位，刺激の強度あるいは刺激の質がただちに表在痛として弁別される．この機能は，外部からの侵害刺激を警告信号と捉え，侵害刺激から身体を守るという点で必要不可欠である．深部痛は表在痛よりも定位が悪く，侵害刺激が加えられた部位や強度よりも，筋骨格系の機能を障害するかどうかを認知させる警告信号の役割を担う．

　内臓痛は，局在がはっきりしない周期的な鈍い痛みであり，自律神経症状を伴う．内臓痛を生じる刺激は体性痛とは異なり，消化管の収縮，伸展，痙攣，拡張などによって起こる痛みであり，肝臓・腎臓などの実質部では痛みを生じない．また，機械刺激や熱刺激は内臓痛を引き起こすことはない．

　口腔顔面領域に関して，口腔は消化器官の一部，つまり口腔は内臓の一部であり口腔の痛み（口腔粘膜痛，舌痛，歯痛など）は内臓痛の範疇に入るという考え方もある．そのため，口腔の痛みは消化管の痛みと類似点が多いといわれている．

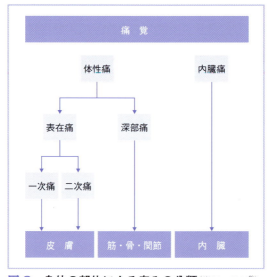

図2　身体の部位による痛みの分類（岩田，2016[2]）

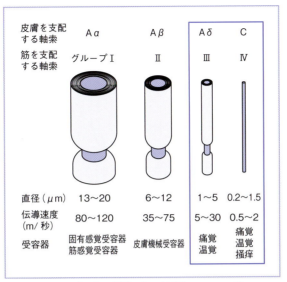

図3 痛みの伝達に関与する神経（岩田，2016[2]）

2 — 神経線維による分類

　生理的環境下において，痛みの誘発に関与する神経線維はAδ線維とC線維である（図3）．Aδ線維は細径の有髄神経線維で，直径が1.0～5.0μm，活動電位の伝導速度は5～30m/秒であり，高閾値機械受容器で受容された侵害情報を伝達する．一方，C線維は無髄神経線維で，直径が0.2～1.5μm，活動電位の伝導速度は0.5～2.0m/秒であり，ポリモーダル侵害受容器で受容された侵害情報を伝達する．それぞれの神経線維は無構造の自由神経終末で終わっており，この終末部が受容器としての機能をもつ．この終末部への侵害刺激により高閾値機械受容器に生じた活動電位はAδ線維を伝導し，大脳皮質において針で皮膚を刺したような定位がよく鋭い一過性の痛みを認知するが，この痛みは一次痛（first pain）と呼ばれる．また，ポリモーダル受容器に生じた活動電位はC線維を伝導し，大脳皮質において定位が悪く鈍い持続性の痛みを認知するが，この痛みは二次痛（second pain）と呼ばれる．したがって，一つの侵害刺激に対して2種類の痛みが生じることになる．

3 — 発症メカニズムによる分類

　現在，痛みは発症メカニズムに基づいて，「侵害受容性疼痛」「神経障害性疼痛」「痛覚変調性疼痛」の三つに分類されている（図4）．これらはときに分類が困難な場合があり，密接に関わっている．侵害受容性疼痛とは，組織の損傷により生じる痛みである．末梢組織への侵害刺激による末梢神経遠位端にある侵害受容器の活性化によって引き起こされる．また，外

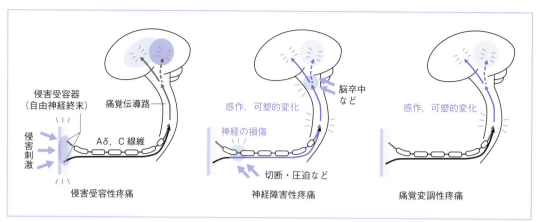

図4　三つの疼痛発症メカニズム(田口，2020[3])

　傷や感染に伴い発生するさまざまなサイトカイン，ケモカインや神経ペプチド等による侵害受容器の活性化によって引き起こされる炎症性疼痛も含まれる．神経障害性疼痛とは，さまざまな原因で感覚ニューロンが傷害された場合に引き起こされる痛みである．感覚ニューロンの損傷による自発発火や侵害受容器への刺激に対する反応性増強，異所性の興奮などが原因であると考えられる．これらの反応の背景には，受容体やシグナルの伝導を司っているイオンチャネルの変化や神経ネットワークの異常なども引き起こされていると考えられている．また，脊髄損傷などの中枢神経系の損傷により生じる痛みを中枢神経障害性疼痛という．痛覚変調性疼痛は2017年にIASPに用語として採用された新たな疼痛発症メカニズムの種類で，「末梢侵害受容器の活性化を引き起こす実質的または切迫した組織障害の明確な証拠がないにもかかわらず，あるいは痛みを引き起こす体性感覚系に疾患や病変の証拠がないにもかかわらず，侵害受容が変化することによって生じる痛み」と定義されている．すなわち，侵害受容性疼痛を引き起こす組織の損傷や神経障害性疼痛を引き起こす末梢神経や中枢神経の損傷もない場合に生じる疼痛である．

　さらに痛みは「生理的な痛み」と「病的な痛み」に分類することができ，両者は痛みの質や程度がまったく異なっている．病的な痛みの症状は，アロディニアや痛覚過敏と呼ばれる(図5)[2]．アロディニアは生理的には痛みを引き起こさないような弱い刺激に対して痛みを引き起こす症状である．これに対し，痛覚過敏は痛みを引き起こすような侵害刺激に対して，生理学的状態で感じる痛みの強度を超えた強い痛みを引き起こす症状である．

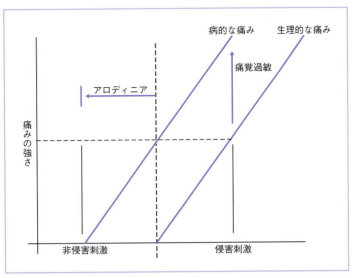

図5 生理的な痛みと病的な痛み(岩田,2016[2])を改変)

（篠田雅路）

文　献
1) 日本疼痛学会：痛みの定義 2020 日本語訳（日本疼痛学会 2020.7.25）https://plaza.umin.ac.jp/~jaspain/pdf/notice_20200818.pdf
2) 岩田幸一：痛みの定義. 日本口腔顔面痛学会編, 口腔顔面痛の診断と治療ガイドブック, 第2版, 医歯薬出版, 東京, 2-7, 2016
3) 田口敏彦, 飯田宏樹, 牛田享宏 他：疼痛医学.「疼痛医学」教科書制作研究会, 2020

第1部 口腔顔面痛のメカニズム

2 口腔顔面痛の神経解剖

SBO
Ⅰ．顎顔面領域に関連する脳神経について説明できる．
Ⅱ．中枢神経系の構造について説明できる．

1）末梢神経系

顎顔面口腔領域に関連する脳神経は三叉神経，顔面神経，舌咽神経，迷走神経，舌下神経である．これに加え脊髄神経も関連している．これらの脳神経は脳幹（中脳，橋，延髄）から末梢に向かう（図1）．

1—三叉神経（第Ⅴ脳神経）

橋（pons）から末梢へと伸び三叉神経節（感覚性）を形成後，三つの枝（第1枝：眼神経，第2枝：上顎神経，第3枝：下顎神経）に分岐する．機能は感覚性（一般体性感覚）と運動性をもつ混合性の神経である．運動線維は第3枝にのみ含まれる．

2—顔面神経（第Ⅶ脳神経）

橋と延髄の境界部から内耳神経とともに側頭骨錐体部の内耳孔に入り，顔面神経管内で膝神経節を形成後に大錐体神経（副交感性と特殊感覚），アブミ骨筋神経（運動性），鼓索神経（味覚：特殊感覚と副交感性）を分岐し，本幹（運動性）は茎乳突孔から出て表情筋や一部の舌骨上筋に向かう．機能は表情筋などの運動と特殊感覚（舌前方2/3の味覚）と一般体性感覚（外耳道，耳珠前方）の混合性と副交感性（顎下腺，舌下腺，口蓋腺など）を有している．

3—舌咽神経（第Ⅸ脳神経）

延髄オリーブ後縁より頸静脈孔を経由し末梢に向かう．頸静脈孔付近では上神経節と下神経節（いずれも感覚性）を形成している．舌枝は茎突咽頭筋の近傍を通過し舌根部へ向かう（感覚性：一般体性感覚と味覚，運動性：茎突咽頭筋）．また頸動脈洞枝は内頸動脈と伴行しながら内頸動脈基部にある頸動脈洞付近の頸動脈小体に到る（感覚性）．また迷走神経と咽頭神経叢を形

図1 脳幹

成し，上咽頭から中咽頭，軟口蓋などの感覚を担当している．また鼓室神経を分岐し小錐体神経，そして耳神経節から耳介側頭神経を経由し耳下腺に副交感性の線維を入力している．機能は体性感覚・特殊感覚（舌根，上咽頭，中咽頭）と運動（茎突咽頭筋）の混合性と副交感性（耳下腺）を有している．

4―迷走神経（第Ⅹ脳神経）

延髄オリーブ後縁より頸静脈孔を経由し末梢に向かう．頸静脈孔付近では上神経節と下神経節（いずれも感覚性）を形成している．上喉頭神経（輪状甲状筋）や咽頭神経叢（上・中・下咽頭収縮筋）や軟口蓋の筋へと運動線維を投射している．また下咽頭や喉頭の粘膜，舌根の一部の体性感覚も担当している．総頸動脈，内頸静脈とともに頸動脈鞘内を下行し，心臓，肺，気管・気管支など胸腔内臓器さらに横隔膜を通過し腹腔内臓器に副交感性の線維を投射している．大動脈弓や右鎖骨下動脈付近で反回神経を分岐し，反回神経は食道と気管の間を上行し，下喉頭神経となって喉頭筋や喉頭粘膜に運動と感覚の線維を投射している．機能は副交感性と混合性である．

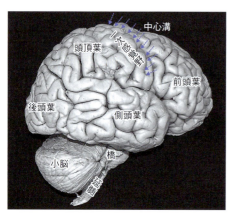

図2　脳外側

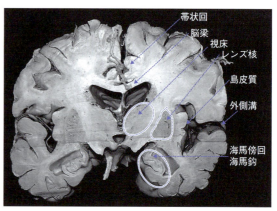

図3　前頭断

5―舌下神経（第XII脳神経）

延髄オリーブ前縁から出て後頭骨の舌神経管を経由し舌へ向かう．舌筋を制御する純運動性の神経である．

6―頸神経（C1-C3）

頸神経ワナを経由し舌骨下筋群やオトガイ舌骨筋に運動性の線維，頸部皮膚に感覚性の線維を投射する．

7―胸神経（T1，T2）

脊髄側角から前角へ向かい，前根から交通枝そして交感神経幹を経由し，星状神経節（頸胸神経節）から下頸神経節，中頸神経節と上行し，上頸神経節を経由しおもに交感性の線維が動脈壁に巻きつき（頸動脈神経叢），血管とともに広範囲な顎顔面領域に投射している．

2）中枢神経系

末梢からの入力を受け上位中枢へと伝達や変調しながら情報処理（認知・反応），指令を行っている．脳は大脳，小脳，脳幹に分類される（図2）．脳神経や脊髄神経からの感覚情報は視床を経由し大脳皮質に伝えられる．ヒトの脳の表層には神経細胞が縦方向にコラム（円柱）形成し，規則正しい6層の厚さ約3mmの灰白質が存在し，これを大脳皮質と呼んでいる．ヒトの大脳皮質は脳回と脳溝の凹凸構造を形成することで表面積つまり神経細胞数の増加が図られる（図3）．大脳皮質には領域ごとに異なる役割を担う機能局在が存在し，これらは「野」と呼ばれる．さらに脳内には情報の入・出力に応じた神経核が存在する（表1）．

表1 脳神経（神経核）・脊髄神経と末梢神経（神経節）の関連

脳神経		神経核	神経節	関連器官
三叉神経		三叉神経中脳路核 三叉神経主感覚核 三叉神経脊髄路核 三叉神経運動核	三叉神経節	顎顔面皮膚， 口腔粘膜，歯根膜，歯髄 咀嚼筋，顎二腹筋前腹，顎舌骨筋
顔面神経	（中間神経）	顔面神経運動核 上唾液核 孤束核（注1）	 翼口蓋神経節 顎下神経節 膝神経節	顔面表情筋，茎突舌骨筋， 顎二腹筋後腹 涙腺，鼻腺，口蓋腺 顎下腺，舌下腺 舌前方2/3味覚，外耳道，耳珠前方
舌咽神経		孤束核（注2） 疑核 下唾液核	上神経節・下神経節 耳神経節	舌後方1/3味覚・感覚，耳介後部 軟口蓋・上咽頭・中咽頭の感覚 茎突咽頭筋 耳下腺
迷走神経		迷走神経背側核 疑核 孤束核（注3）	各器官内or近傍の神経節 上神経節・下神経節	内臓（心臓，胃，腸管） 咽頭収縮筋，口蓋垂筋， 口蓋帆挙筋，口蓋舌筋， 口蓋咽頭筋，喉頭筋 下咽頭・喉頭の感覚，耳介
舌下神経		舌下神経核		舌筋
交感神経		胸髄側核	上頸神経節	動脈神経鞘を経由して 顎顔面領域の各器官へ

濃色文字：感覚性，薄色文字：運動性，黒文字：自律神経系（脳神経は副交感神経性）
注1～3：三叉神経脊髄路核

1 ― 視床

　間脳の4/5を占め，痛覚をはじめとする一般体性感覚を上位中枢へ振り分けている．通常，顎顔面部からの痛覚情報は後内側腹側核に入力され，大脳皮質へ投射され痛覚部位や痛覚強度などの情報処理に関与し[1]，外側系と呼ばれている．また橋や延髄の内側網様体を経由して視床髄板内側核群に入力される情報は同核群から島皮質や大脳辺縁系などに投射され，情動反応に関与し，内側系と呼ばれ，二系統の伝達経路を有することがわかりはじめている（図1，3）．

2 ― 島皮質

　外側溝の内側（深部）に存在する大脳皮質で，その内層には大脳基底核（レンズ核や尾状核）が存在している（図3）．島皮質には内側系経路の痛覚情報が入力され，前方では情動に，後方では逃避行動に関与している．島皮質では細胞の層構造が大脳皮質に比べ不明瞭になっている．

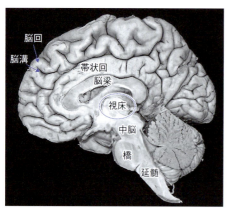

図4　脳内面

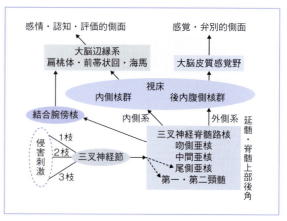

図5　痛みに関係する脳領域

3―大脳皮質感覚野

　中心溝の後方の脳回が一次感覚野(図2, 4)で，視床を経由する外側系の情報が入力される．この部位には特異的侵害受容ニューロン(NSニューロン)や広作動域ニューロン(WDRニューロン)が存在し，痛覚の強度や部位に関連している[2]．Penfieldが体部局在性を明らかにしている[3]．

4―大脳辺縁系

　大脳縦裂の深部に存在する脳梁をC字形に取り囲むように存在し(図4)，側坐核，中隔，帯状回，海馬傍回，海馬，歯状回，扁桃体，乳頭体などが含まれている．海馬は記憶，扁桃体は情動の中枢を担い，両者は近接して存在する．情動と記憶は密接に関係している．また，扁桃中心核から視床下部や脳幹に投射があり，情動形成や情動表出とも関連している[4]（図5）．近年，結合腕傍核を経由し扁桃体中心核に入力される経路も明らかにされている．

（金銅英二）

文　献

1) 岩田幸一：侵害受容の中枢機序．神経研究の進歩 42：384-395, 1998
2) Kenshalo DR, et al: Response properties and organization of nociceptive neurons in area 1 of monkey primary somatosensory cortex. J Neurophysiol 84: 719-729, 2000
3) Penfield W, Rasmussen T: The cerebral cortex of man. Macmillan, NewYork, 1950
4) Melzack R: From the gate to the neuromatrix. Pain (Suppl 6): S212-S216, 1999
5) Katagiri K, Kato T: Mult-dimensional role of the parabrachial nuclens in regulating pain-related affective disturbances in trigeminal neuropathic pain. J Oral Sci 62(2): 160-164, 2020
6) Miyazawa Y, et al: Predominant synaptic potentiation and activation in the right central amygdala are independent of bilateral parabrachial activation in the hemilateral trigeminal inflammatory pain model of rats. Mol Pain 14: 1-21, 2018

3 痛みの末梢メカニズム

第1部 口腔顔面痛のメカニズム

SBO
Ⅰ．侵害受容ニューロンの構造と支配を説明できる．
Ⅱ．侵害受容器における起動電位の発生機序と伝導を説明できる．
Ⅲ．侵害受容の痛覚情報処理の仮説を知る．

1) 侵害受容ニューロンの構造と支配

　一次求心性感覚ニューロンは，偽単極細胞である(図1)．細胞体は三叉神経節や後根神経節にあり，1本の軸索がすぐに2本に分かれ，片方は末梢組織へ伸び，もう片方は中枢神経系に入る．神経節内において，侵害受容ニューロンの細胞体は小型と中型に分類され，有髄Aδ線維と無髄C線維として軸索を伸ばしている．

　左右1対の三叉神経節は人体において最も大きな感覚神経節であり，その名のとおり3又に分かれて口腔顔面領域の感覚を支配している．皮膚においては，眼神経(1枝)は前額部から上瞼と鼻梁までを，上顎神経(2枝)は眼下部，鼻翼，上唇までを，下顎神経(3枝)は側頭部から下唇，顎全体を支配している．口腔内においては，上顎神経と下顎神経が上下顎それぞれの歯髄，歯根膜，粘膜を支配し，下顎神経はさらに頬粘膜と舌粘膜を支配している[1]．

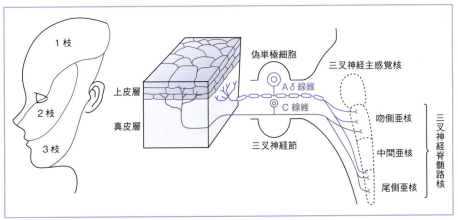

図1　口腔顔面領域における侵害受容ニューロンの構造と支配

Aδ，C 線維に関わらず自由神経終末を形成し，おもに皮膚・粘膜の真皮層に分枝して終止するが，一部は基底層を抜けて上皮層（粘膜上皮層）に存在する[2]．上皮層にある神経終末はおもに C 線維由来である（まれに Aδ 線維に由来）．自由神経終末には各種侵害受容体分子が発現しており，さまざまな刺激を受容できるようになっている．一方，侵害受容ニューロンの軸索中枢端は三叉神経脊髄路核の吻側亜核と尾側亜核におもに入力し，二次ニューロンとシナプスを形成している．吻側亜核は開口反射といった侵害逃避反射に関与し，尾側亜核は痛覚発生の主要二次中継核として機能している．

2）侵害受容ニューロンにおける活動電位発生

1 ― 侵害受容体の活性化

侵害受容体分子の多くは非選択性陽イオンチャネルである（図 2）．代表的なものとして，侵害熱刺激を受容する TRPV1 と TRPV2，侵害冷刺激を受容する TRPM8，侵害機械刺激を受容すると予想される TRPA1 と TRPV4，細胞障害により放出される ATP を受容する $P2X_3$ や $P2X_{2/3}$ が挙げられる．TRP チャネルはカプサイシンや酸など化学刺激も受容するポリモーダル受容器である．加えて，プロスタグランジン，エンドセリン，プロテアーゼなどを受容する G タンパク共役型受容体も発現しており，細胞内情報伝達系を介して侵害受容イオンチャネルの感作を行うことが知られている．

侵害刺激やチャネル感作により非選択性陽イオンチャネルが開口すると，細胞内に Na^+ と Ca^{2+} が流入して脱分極が引き起こされる（図 3）．これを起動電位（generator potential）という．軸索末梢端で発生した起動電位が閾値を超えると活動電位（action potential）が発生する．閾値は軸索に発現する電位依存性 Na チャネルの種類と密度によって各神経線維群で異なる値を示す．侵害受容体の活性化により起動電位が発生しても閾値を超えなければ活

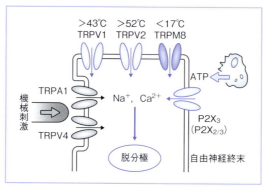

図 2　侵害受容体の活性化

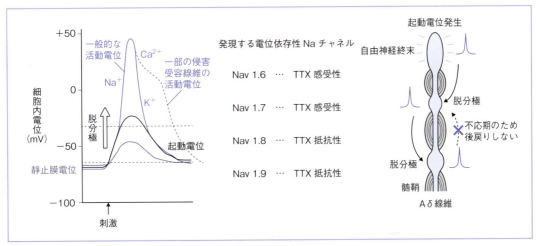

図3　侵害受容線維における活動電位の発生メカニズム
TTX：テトロドトキシン(フグ毒)

動電位は発生せず，閾値を超えればほぼ一定の電位変化を示す活動電位が発生する．

　象牙質痛については，動水力学説として知られるように特殊な侵害受容機構が関与している．冷水刺激による疼痛発生には，象牙芽細胞が必須であるとされる[3]．象牙芽細胞にはTRPV1やTRPA1などの侵害受容体が発現しており，非侵害性機械受容体として知られるPiezo2も発現している．これらの受容体活性化により象牙芽細胞からパネキシンチャネルを介したATP放出が引き起こされ，歯髄の侵害受容線維のP2X$_3$やP2X$_{2/3}$が活性化することで受容器電位が発生するとされる(第1部コラム参照)．

2 ― 活動電位の発生と伝導

　活動電位の電位変化は，基本的に電位依存性Naチャネルと電位依存性Kチャネルによって引き起こされる．静止膜電位の状態では電位依存性チャネルは閉じているが，起動電位の発生により閾値を超えれば，電位依存性Naチャネルを介したNa$^+$の細胞内流入により急峻な脱分極が引き起こされる．電位依存性Naチャネル9分子のうちNa$_v$1.6〜1.9が一次求心性感覚ニューロンに発現している．侵害受容ニューロンでは，フグ毒(テトロドトキシン)抵抗性で高閾値を示すNa$_v$1.8の特異的発現が注目されている[4]．電位依存性Naチャネルの開口は1/1,000秒(1ms)程度で閉じてしまうため，代わりに電位依存性Kチャネルの開口によるK$^+$細胞外流出により急峻に再分極して静止膜電位に戻る．多くの侵害受容ニューロンでは電位依存性Caチャネルも発現しており，活動電位の再分極過程が延長した特徴的な形態を示す(図3)．

　刺激局所で発生した活動電位は近傍の軸索細胞膜に対してケーブル特性により脱分極を

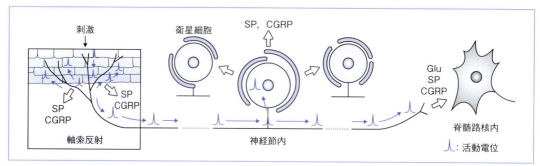

図4　ペプチド性侵害受容線維における神経ペプチド放出
SP：サブスタンスP，CGRP：カルシトニン遺伝子関連ペプチド，Glu：グルタミン酸

引き起こし，新たな活動電位が発生する．これが連鎖的に引き起こされることで，軸索末梢端から中枢端への活動電位伝導が引き起こされる．電位依存性 Na チャネルは，閉口したのちしばらく開口できない「不応期」が存在するため，活動電位が後戻りしたりすることはない（図3）．Aδ線維は軸索が一定間隔で髄鞘により取り囲まれており，その間の膜抵抗が高くなっているため遠位まで電位変化が伝わりやすい．そのため髄鞘のないランビエの絞輪を跳躍伝導するため，無髄のC線維よりも伝導速度がかなり速い（Aδ線維：5〜30m/秒，C線維：0.5〜2.0m/秒）．

3　軸索反射

複数に分岐した自由神経終末の一部にはサブスタンスP（SP）やカルシトニン遺伝子関連ペプチド（CGRP）といった神経ペプチドが含まれている（ペプチド性侵害受容器）．分岐した自由神経終末の一つに活動電位が発生すると，中枢端への伝導だけでなく他の軸索分岐へも活動電位が伝導して神経ペプチドが放出される（図4）．そのため，侵害刺激を受けた領域の周囲にも発赤や腫脹が引き起こされる（神経原性炎症）．

4　二次ニューロンへのシナプス放出

軸索中枢端へ活動電位が伝導すると，シナプスに存在する電位依存性 Ca チャネルが開口して細胞内 Ca^{2+} 濃度が上昇し，神経伝達物質の開口放出が引き起こされる（図4）．おもな神経伝達物質はグルタミン酸である．活動電位頻度が高くなるとサブスタンスPやCGRPといった神経ペプチドも放出される．

3）侵害受容の痛覚情報処理

侵害受容線維は一様な機能を持っておらず，複数の異なる機能に特化されたヘテロ集団である．化学刺激に対しては，Aδ線維よりもC線維に応答するものが多い．また，両線維

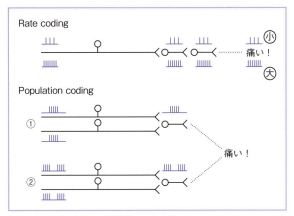

図5　感覚受容の情報処理仮説
図中のひげは，活動電位頻度を示す．Rate codingでは，一次感覚ニューロンで発生した発火頻度がその後のニューロンにそのまま伝わり，感覚を生じる．Population codingでは，刺激に対して同時に発火するニューロン群(①)もしくは同時に抑制されるニューロン群(②)が存在し，情報が統合されて感覚を生じる．

に共通して，機械刺激と熱刺激の両方に応答する線維，機械刺激にのみに応答する線維，化学刺激のみに応答する線維が知られている．これらの違いは，自由神経終末に発現している侵害受容体分子の種類に依存すると考えられている．

　痛覚は神経回路のなかで情報処理され，最終的に高次中枢で認知される感覚である．侵害受容の痛覚情報処理に関していくつかのモデルが提唱されている(図5)．起動電位は刺激強度に応じて増強されるアナログ情報であるが，活動電位は「全か無かの法則」に従うデジタル様の信号である．多くの侵害受容ニューロンは刺激強度に応じて活動電位の頻度が増加することから，単純に発火頻度が直列的に侵害情報を伝えていると考えられてきた(rate coding)[5]．しかし，このコーディング様式では仮想神経ネットワークにおいてエラーを起こしやすいことがわかっており，近年は，ニューロン群の同時発火が他ニューロン群からの情報と結びつけられるとする並列処理仮説が有力視されている(population coding)[6]．実際，三叉神経節からの多ニューロン同時記録実験においてpopulation codingを支持する結果が報告されている[7]．

4) 三叉神経節レベルでの疼痛メカニズムへの寄与

　三叉神経節における一次求心性感覚ニューロンの細胞体は1枝〜3枝ごとに分かれて密集している．細胞体には細胞核が存在しており，ニューロン機能を維持するためにタンパクを生成する場として機能している．末梢端で発生した活動電位の発火パターンは，細胞体での電気的特性に関わらず，そのまま中枢端シナプスまで伝導されると考えられるが，細胞体で

の活動電位発生は細胞内 Ca^{2+} 濃度上昇を引き起こすことから，遺伝子転写が引き起こされ細胞機能の調節に寄与していると考えられる．

また，軸索と同じく，細胞体には神経ペプチドが存在するため，活動電位依存的に放出されて近傍の細胞に影響を与える(図4)．細胞体は基本的に衛星細胞により取り囲まれているが，重篤な病変時に衛星細胞の変化により結合が緩くなり，細胞体同士での情報交換が引き起こされる[8]．1枝～3枝それぞれの細胞体集団は非常に近接して同一節内に存在するため，たとえば病変が下顎神経支配領域にあっても上顎神経領域で症状が出るような異所性痛を引き起こしやすい(第2部5章参照)．

(小野堅太郎)

文 献

1) Takezawa K, Ghabriel M, Townsend G, Aust Dent J: The course and distribution of the buccal nerve: clinical relevance in dentistry. Aust Dent J 63(1): 66-71, 2018
2) Lumpkin EA, Caterina MJ: Mechanisms of sensory transduction in the skin. Nature 22; 445(7130): 858-865, 2007
3) Ohyama S, Ouchi T, Kimura M, Kurashima R, Yasumatsu K, Nishida D, Hitomi S, Ubaidus S, Kuroda H, Ito S, Takano M, Ono K, Mizoguchi T, Katakura A, Shibukawa Y: Piezo1-pannexin-1-P2X3 axis in odontoblasts and neurons mediates sensory transduction in dentinal sensitivity. Front Physiol 14; 13: 891759, 2022
4) Agarwal N, Offermanns S, Kuner R: Conditional gene deletion in primary nociceptive neurons of trigeminal ganglia and dorsal root ganglia. Genesis 38(3): 122-129, 2004
5) Adrian ED: The basis of sensation: The action of the sense organs. WW Norton, New York, 1928
6) Wu S, Amari S, Nakahara H: Population coding and decoding in a neural field: a computational study. Neural Comput 14(5): 999-1026, 2002
7) Leijon SCM, Neves AF, Breza JM, Simon SA, Chaudhari N, Roper SD: Oral thermosensing by murine trigeminal neurons: modulation by capsaicin, menthol and mustard oil. J Physiol 597(7): 2045-2061, 2019
8) Shinoda M, Hitomi S, Iwata K, Hayashi Y: Plastic changes in nociceptive pathways contributing to persistent orofacial pain. J Oral Biosci 64(3): 263-270, 2022

第1部　口腔顔面痛のメカニズム

4　痛みの中枢メカニズム

SBO
Ⅰ．三叉神経脊髄路核および上部頸髄の機能を理解する．
Ⅱ．口腔顔面の侵害情報処理に関与する中枢領域の働きを理解する．

1）延髄および上部頸髄

　口腔顔面領域の感覚情報は，三叉神経節ニューロンによって三叉神経脊髄路核に運ばれたあと，情報処理が行われる．三叉神経脊髄路核は吻側部から尾側部にかけて吻側亜核(Vo)，中間亜核(Vi)，および尾側亜核(Vc)の三つの領域に分類され，それぞれ異なる機能を果たす．VoやViは触刺激などの非侵害性刺激によって生じる情報を処理する．また，ViとVcの移行部分は咬筋や深部組織の侵害情報に対する情報処理に関与する．VcはVoやViと異なり，脊髄後角と類似した層構造をなしており，侵害性情報の感覚情報処理に関与する．口腔顔面領域の感覚情報はVcだけでなく，上部頸髄であるC1-C2領域にも投射し，延髄から頸髄にかけて広い領域が侵害情報の統合を行っている（図1）[1]．

　口腔顔面領域の非侵害刺激および侵害刺激は，三叉神経節ニューロンによって延髄および頸髄に運ばれる．マウスの脊髄後根神経節ニューロンは発現する遺伝子パターンに基づいて11種類に分類されることから[2]，三叉神経節ニューロンも同様の分類がされていることが想定される．このような多種のニューロン群が口腔顔面領域の感覚を中枢へと伝達しているのだが，大別するとAβ，Aδ，およびC線維に分類される．Aβ線維はVcおよびC1-C2の深層に，Aδ線維は表層と深層の両方に，そしてC線維は表層に投射している．これらの情報はVcおよびC1-C2における局所回路で情報統合がなされたあとに投射ニューロンによって上位脳へとシグナルが伝達される．

2）視　床

　延髄および頸髄の投射ニューロンの軸索は視床へと到達するのだが，入

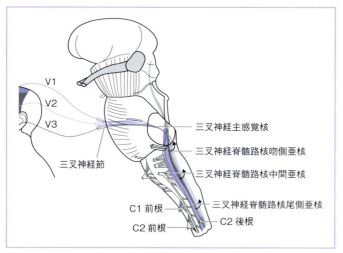

図1 三叉神経脊髄路核の模式図(Terrier, et al. 2022[1])

力する領域によって異なる上位脳への投射が行われる．内側核群のニューロンは前帯状回や島皮質へと投射し，情動的側面に関与している．後内側腹側核のニューロンは体性感覚野へと投射し，痛みの弁別に関与している．このように視床は痛み伝達の中継核となっている．動物を用いた研究では，眼窩下神経損傷後に後内側腹側核におけるミクログリアの活性化が認められる[3]．グリア細胞に関しては後述するが，眼窩下神経損傷は，神経障害性疼痛モデルとして用いられていることから，後内側腹側核におけるニューロン機能の変調が痛みに寄与している可能性も考えられる．

3) 腕傍核

腕傍核には種々のニューロンの入力があることから，痛みだけでなく，味覚，摂食行動，呼吸，および血圧調節などにも関与する．腕傍核のなかでもlateral側が侵害情報を受容する．最近の研究では，三叉神経節ニューロンのなかでも特にTRPV1陽性ニューロンが直接lateral側の腕傍核に投射する経路があることがわかっている[4]．Lateral側はさらに小領域に分類されており，external lateral側が扁桃体や分界条床核そして視床を介して島皮質へと投射を行っている[5]．そのため，これらの経路は情動的側面に関与していると考えられている．

4) 大 脳

痛みの情報は大脳に伝達され，前頭前皮質，前帯状回，島皮質，一次体性感覚野(S1)および二次体性感覚野(S2)などの異なる領域で認識される．前頭前皮質，前帯状回，および島皮質は内側系を担う重要な領域であり，痛みの増強に関わるだけでなく，嫌悪感，不快感

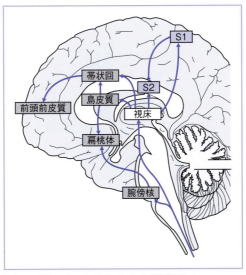

図2　脳における痛みの伝達経路(Bushnell, et al, 2013[6])

や社会的拒絶など，痛みにおける心理的または否定的な感情的要因とも関連することが知られている（図2）[6]．S1領域は痛みの弁別に関わっている．S1領域の第2～3層のニューロンは感覚情報の入力に関わっており，異なるニューロンが物質の質感や皮膚刺激の強度などに反応することから，触刺激の情報はS1領域において単一細胞レベルで弁別されていると考えられている．また，非侵害刺激と侵害刺激はこれらを受容する領域が空間的に異なっている．これは視床からS1領域の小領域への投射に感覚依存的な経路がある可能性が考えられている．最近の研究で，ヒトにおいて侵害刺激を受容した際にS1領域でガンマ帯の脳波が増強される現象が見出された．これは，動物を用いた研究によって介在神経の活動に起因すること，そして，人為的にガンマ帯の脳波を生み出すことで痛みが生じることがわかった．また，神経障害性疼痛モデル動物のS1領域においてもガンマ帯の脳波が認められている[7]．S2領域は刺激の強さと相関し，体性感覚刺激の強さの符号化と弁別に寄与している．

5）グリア細胞

　グリア細胞は中枢神経系のニューロン周囲に存在する細胞であり，その数はニューロンの10倍以上も存在する．グリア細胞はその形態によってミクログリア，アストロサイト，オリゴデンドロサイトの3種類に分類される．グリア細胞はニューロンのように活動電位を発生することはないが，動物実験において，三叉神経の一部である眼窩下神経や下歯槽神経の損傷によりVcのグリア細胞が活性化され，種々の物質を分泌することでニューロン機能を亢進させることが明らかになっている．

　ミクログリアはマクロファージ様の性質を有しており，インターロイキン（IL）-1βや

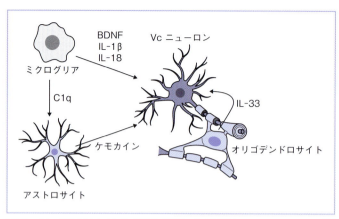

図3 Vc領域におけるグリア間およびグリア-ニューロン間のシグナル

IL-18などの炎症性サイトカインや脳由来神経栄養因子(BDNF)を分泌する．炎症性サイトカインはNMDA受容体の機能を修飾することでニューロン活動を亢進させる．一方で，BDNFはVcニューロンのK^+-Cl^-共輸送体の発現を低下させることで細胞内Cl^-濃度を上昇させる．この際，GABA受容体へとGABAが結合することでCl^-の細胞外流出が生じ，抑制性入力であるにも関わらず興奮性の反応を惹起する．このような反応は三叉神経損傷動物モデルにおいて神経損傷後1〜3日と非常に早期から認められる．この際に，細胞体の肥大化および突起の退縮を伴った，活性化タイプのミクログリアが認められる．神経損傷早期(1〜3日)においては，ミクログリア活性化阻害薬であるミノサイクリンが神経障害性疼痛を抑制する一方で，神経損傷後期(7日以降)では神経障害性疼痛に対してミノサイクリンの効果がほとんど認められない．そのため，ミクログリアは神経障害性疼痛の発症期に関与すると考えられている[8]．

上述のようなミクログリアを介した変化は，最近の動物実験によって雄でのみ認められ，雌では認められないことがわかってきている[9,10]．去勢した雄マウスでは神経障害性疼痛に対するミノサイクリンの効果が消失し，卵巣摘出した雌マウスにテストステロンを投与することでミノサイクリンによる鎮痛効果が発現する．そのため，性ホルモンがミクログリアの状態を制御し，かつ神経障害性疼痛の発症様式に影響を及ぼしていることがわかってきた[10]．

アストロサイトは複数の微細な突起によりシナプスを取り囲み，細胞外グルタミン酸の取り込みやK^+の緩衝作用によってシナプス伝達を制御している．三叉神経損傷後，アストロサイト内においてグルタミン-グルタミン酸シャトルの亢進が認められる．これはグルタミンからグルタミン酸へと変換したあとに，アストロサイトからニューロンへとグルタミン酸が輸送される回路である．この回路の活性化により，プレシナプスからのグルタミン酸遊

離が促進されVcニューロンの活動性が亢進する．また，活性化アストロサイトから分泌される種々のケモカインもVcニューロンの活動亢進の原因となっている[8]．ミノサイクリンと異なり，アストロサイト代謝阻害薬は神経損傷早期の神経障害性疼痛には効果はないが，神経損傷後期の神経障害性疼痛を抑制する．このことから，アストロサイトは痛みの維持に関与すると考えられている．また，最近の研究により神経障害性疼痛後期に生じるアストロサイトの活性化はミクログリア由来の補体C1qによることがわかってきた[11]．そのため，グリア間コミュニケーションの解明がさらなる神経障害性疼痛の理解に重要であると考えられる．

　オリゴデンドロサイトは非常に薄い細胞膜の多層構造からなる髄鞘を軸索周囲に形成し，絶縁体として機能させることで活動電位の跳躍伝導の形成に寄与する．最新の研究によって，オリゴデンドロサイトも神経障害性疼痛の発症要因の一つであることがわかってきた．眼窩下神経後にVcでオリゴデンドロサイト数が増加し，炎症性サイトカインの一種であるIL-33が分泌される．これはVcニューロンのNMDA受容体NR2Bサブユニットのリン酸化を介してVcニューロンの興奮性を亢進させている[12]．オリゴデンドロサイトとミクログリアやアストロサイトのグリア間コミュニケーションの有無は現時点では不明である．

　このように，グリア細胞の変調がニューロン機能に多大な影響を及ぼし，神経障害性疼痛に寄与していることから，薬剤開発の標的として注目されている．

（林　良憲）

文　献

1) Terrier LM, Hadjikhani N, Destrieux C: The trigeminal pathways. Journal of Neurology 269(4): 1-18, 2022
2) Usoskin D, Furlan A, Islam S, Abdo H, Lonnerberg P, Lou D, Hjerling-Leffler J, Haeggstrom J, Kharchenko O, Kharchenko PV, Linnarsson S, Ernfors P: Unbiased classification of sensory neuron types by large-scale single-cell RNA sequencing. Nat Neurosci 18: 145-153, 2015
3) Ueta Y, Miyata M: Brainstem local microglia induce whisker map plasticity in the thalamus after peripheral nerve injury. Cell Rep 34: 108823, 2021
4) Rodriguez E, Sakurai K, Xu J, Chen Y, Toda K, Zhao S, Han BX, Ryu D, Yin H, Liedtke W, Wang F: A craniofacial-specific monosynaptic circuit enables heightened affective pain. Nat Neurosci 20: 1734-1743, 2017
5) Chiang MC, Bowen A, Schier LA, Tupone D, Uddin O, Heinricher MM: Parabrachial Complex: A Hub for Pain and Aversion. J Neurosci 39: 8225-8230, 2019
6) Bushnell MC, Ceko M, Low LA: Cognitive and emotional control of pain and its disruption in chronic pain. Nat Rev Neurosci 14(7): 502-511, 2013
7) Tan LL, Oswald MJ, Heinl C, Retana Romero OA, Kaushalya SK, Monyer H, Kuner R: Gamma oscillations in somatosensory cortex recruit prefrontal and descending serotonergic pathways in aversion and nociception. Nat Commun 10: 983, 2019
8) Shinoda M, Kubo A, Hayashi Y, Iwata K: Peripheral and Central Mechanisms of Persistent Orofacial Pain. Front Neurosci 13: 1227, 2019
9) Otsuji J, Hayashi Y, Hitomi S, Soma C, Soma K, Shibuta I, Iwata K, Shirakawa T, Shinoda M: Decreased PPARgamma in the trigeminal spinal subnucleus caudalis due to neonatal injury contributes to incision-induced mechanical allodynia in female rats. Sci Rep 12: 19314, 2022
10) Sorge RE, Mapplebeck JC, Rosen S, Beggs S, Taves S, Alexander JK, Martin LJ, Austin JS, Sotocinal SG, Chen D, Yang M, Shi XQ, Huang H, Pillon NJ, Bilan PJ, Tu Y, Klip A, Ji RR, Zhang J, Salter MW, Mogil JS: Different immune cells mediate mechanical pain hypersensitivity in male and female mice. Nat Neurosci 18: 1081-1083, 2015
11) Asano S, Hayashi Y, Iwata K, Okada-Ogawa A, Hitomi S, Shibuta I, Imamura Y, Shinoda M: Microglia-Astrocyte

Communication via C1q Contributes to Orofacial Neuropathic Pain Associated with Infraorbital Nerve Injury. Int J Mol Sci 21: 6834, 2020

12) Kimura Y, Hayashi Y, Hitomi S, Ikutame D, Urata K, Shibuta I, Sakai A, Ni J, Iwata K, Tonogi M, Shinoda M: IL-33 induces orofacial neuropathic pain through Fyn-dependent phosphorylation of GluN2B in the trigeminal spinal subnucleus caudalis. Brain Behav Immun 99: 266-280, 2022

5 痛み関連脳内神経ネットワーク

SBO
Ⅰ．痛み関連脳内神経ネットワークの概念を理解する．
Ⅱ．痛み関連脳内神経ネットワークを構成する各領域の役割を理解する．

1) 痛み関連脳内神経ネットワークとは

痛みを感じるときに，活動が盛んになる脳の領域が存在する．昔は痛みに関する脳部位は視床と一次感覚皮質だけと考えられていたが，脳研究が進むにつれ，痛みは感覚だけでなく，情動と認知を含む全脳的な現象であることがわかってきた．それぞれの領域は脳の離れた部位に複数あり，総体として「痛み」という多次元の主体的体験を生み出している[1]．

1990年にMelzackが，幻肢痛を説明するときに「ニューロマトリックス（神経線維網）」の概念を提唱し[2]，その後，慢性疼痛や心理的要因などの器質的異常が認められない疼痛を説明するために1999年に「ペインマトリックス」の用語を用いた[3]．その後，ペインマトリックスと考えられていた領域は，疼痛の受容だけに特異的な部位ではないことがわかった．痛みを連想させる画像や音，言葉，表情などの刺激でも同領域が活性し[4-7]，これらの刺激は認知・感情によって脳のなかで引き起こされる痛みと考えられる．

2) 各脳領域の役割

痛みは部位・強度を弁別する感覚・識別的側面（外側侵害受容系），痛みの情動・動機的側面（内側侵害受容系），痛みの認知・評価的側面（内側侵害受容系）からなる痛みの三要素と呼ばれているものが痛み関連脳内神経ネットワークに関わっている（前項参照）．侵害刺激により急性の痛みが生じると，一次体性感覚野，二次体性感覚野，前帯状回，島，前頭前野，視床の領域が活性する[8]．そのほかにも，活性化する脳領域として補足運動野，扁桃体，海馬，小脳，中脳水道灰白質，側前頭前野，前頭眼窩皮質なども報告されている[9-11]（図1）[8]．

これらの各部位は，痛み認知に特異的なものではなく，他のさまざまな

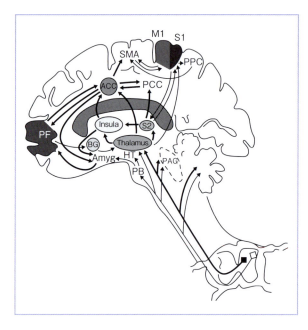

図1　痛み関連脳内神経ネットワーク領域
S1：一次体性感覚野　S2：二次体性感覚野
ACC：前帯状回　PCC：後帯状回　IC：島　Thalamus：視床　PFC：前頭前野　AMYG：扁桃体　SAM：補足運動野　PAG：中脳水道灰白質　M1：第一次運動野
(Apkarian, et al, 2005[8]改変)

認知にも関わっている．海馬は記憶，扁桃体は情動の中枢を担っており，お互いに近接している．ほかにも，一次体性感覚野は触覚，二次体性感覚野はさまざまな感覚の高次処理，島皮質はさまざまな感覚や情動など，前帯状皮質は情動，視覚，自律神経調節など，前頭前皮質には思想，言語，思考などの高次脳機能が集中し，総合的に処理をする．

1―一次体性感覚野（S1）

視床の腹側基底核群からの入力を受け，深部受容器や皮膚受容器からの情報などがおもに入力する．また，視床下部を介して侵害刺激の情報も投射する部位であり，痛みの弁別成分を処理する．6層構造を呈しており，興奮性神経細胞と抑制性神経細胞が存在している．そのなかで，第2, 3層興奮性神経細胞は末梢から伝達される痛みの情報を統合し，5層や他の大脳皮質領域に情報を伝達する．

2―二次体性感覚野（S2）

おもに，一次体性感覚野からの入力を受ける．痛み刺激により両側の二次感覚皮質が賦活する．一次体性感覚野と比較し体部位特異性が低いが，二次体性感覚野にも大まかな体部位局在が存在する．しかし，fMRI実験では最も再現性が高く，明瞭な賦活像を呈する部位である[12]．一次体性感覚野は侵害受容からの情報がないと賦活しないが，二次体性感覚野は侵害受容情報がなくても，他人が触られたり，痛み刺激を受けたりしている映像の視覚情報だけで賦活することが報告されている[13,14]．

3―島皮質

　痛み情報だけでなく，さまざまな感覚情報を処理する部位とされており，味覚，嗅覚，触覚，報酬，情動，共感，内臓覚や自己意識など多岐にわたる．前島皮質(anterior insula)は内側侵害受容系に関わっており，痛みの情動・動機成分を処理する[15]．後島皮質(posterior insula)は認知機能への関与は少なく，二次体性感覚野と近接して，ともに痛み情報を処理するとされる[16]．

4―前帯状皮質

　大脳辺縁系に属する部位で，脳の前後方向に広範囲な領域を占めている．大脳辺縁系からの情報を受ける帯状回とのつながりが強く，帯状回経由で，海馬，扁桃核，視床下部などからの情報が入力する．ほかにも，眼窩部，運動前野などさまざまな部位からの入力が知られている．前側は実行，後側は評価，背側は認知，腹側は情動を司るとされる．また，痛みの情動や動機を処理する部位としても知られており，下行性疼痛抑制系の起始部にあたる．

5―前頭前皮質

　前頭皮質の多くの領域を占め，思考や創造性などヒト高次脳機能の多くを担う最高中枢である．内側侵害受容系に関わっており，痛みの認知・評価成分を処理し，痛み成分を修飾する．背外側前頭前皮質(dorsolateral prefrontal cortex)は下行性疼痛抑制系に関係しており，内側前頭前皮質(medial prefrontal cortex)は報酬系の痛み関連領域に関係している．痛そうな画像をみるだけで前帯状回と一緒に賦活する[17]．

6―運動前野

　前頭皮質の後部，運動野前方を占める領域で，脳幹や脊髄に直接投射し，運動の実行に関わる領域である．正中の領域は，運動の補助をする補足運動野(supplementary motor area)と呼ばれている．痛み刺激でよく賦活される領域で，痛み逃避行動の運動準備に関与するといわれている．

7―小　脳

　知覚と運動機能を統合して，運動調節機能を司る領域である．長年，運動制御機能がおもな役割であると考えられてきたが，近年，情動の制御や高度な認識力，短期記憶や注意力にも関与することがわかってきた．痛み刺激により賦活され，痛み逃避行動や侵害受容にも関連する可能性が報告されている[18]．

8―大脳基底核

　大脳半球の基底部にあり，線条体，淡蒼球，視床下核，黒質といった神経核からなる．腹側線条体の側坐核(nucleus accubens)が痛みに関係していることがわかっている．側坐核は報酬や快感に関わっている領域であるが，痛み刺激が消失しているときに賦活することがわかっており，鎮痛にも関わっているとされる[19]．慢性痛患者ではこの側坐核の活動が抑制されている．一方で，痛みが持続するときにも賦活するとの報告がある[20]．

9―扁桃体

　情動の中枢といわれている領域であり，不安や恐怖などの感情や記憶，条件付けに関連する．精神的ストレスにより，扁桃体中心核(Ace)や分界条床核(BST)が賦活し，次に視床下部室傍核(PVN)やHPA軸が賦活する．痛みの情動・動機成分だけでなく，下行性疼痛抑制系に関係するといわれている[21]．扁桃体が存在する脳底部では特にfMRI画像が歪みやすいため，fMRI画像を前頭断で撮影したり，関心領域を区切って撮影したりする工夫が必要とされる[1]．

3) 脳機能測定装置による研究

　痛み関連脳内神経ネットワークの解明には，最近技術が大きく進歩した画像医学の貢献が大きい．上述のように，痛みは不快な情動や感覚を伴う主観的体験であるため，従来，痛みを客観的に評価することは困難であった．しかし近年，画像医学である機能的画像法を用いて痛み関連脳内神経ネットワークを解明しようとする研究が進んでいる．

　脳機能的画像法は，神経活動から生じる反応を標的としたさまざまな手法が開発されている．おもな脳機能測定装置としては，脳波(electroencephalography：EEG)，脳磁図(magnetoencephalography：MEG)，ポジトロン放出断層撮影(PET)，機能的磁気共鳴画像法(functional magnetic resonance image：fMRI)などがある．PETやfMRIは神経活動に伴う血液動態や代謝過程の変化を反映した情報を画像的に描写する手法であり，空間分解能に優れ，定量化できる利点がある．ほかにも，生体内アミノ酸を非侵襲的に測定する核磁気共鳴スペクトロスコピー(MRS)や安静時機能的磁気共鳴画像法(resting-state fMRI：rs-fMRI)がある．fMRIは刺激提示や課題遂行による誘発反応を測定する方法であるのに対し，rs-fMRIは被検者の安静時の脳活動を測定する．脳部位間における信号変化の同期性を観察するのに活用されており，痛み関連脳内神経ネットワーク解析技術が進められている．このrs-fMRIを用いたネットワーク解析は，痛み関連脳内神経ネットワークの解明に大きく期待される技法といえる．また，脳機能画像測定法だけでなく，3D-MRIを応用して脳内組織の容積を直接測定するvoxel-based morphometry(VBM)などの形態学的画像診断法も用いら

5 痛み関連脳内神経ネットワーク

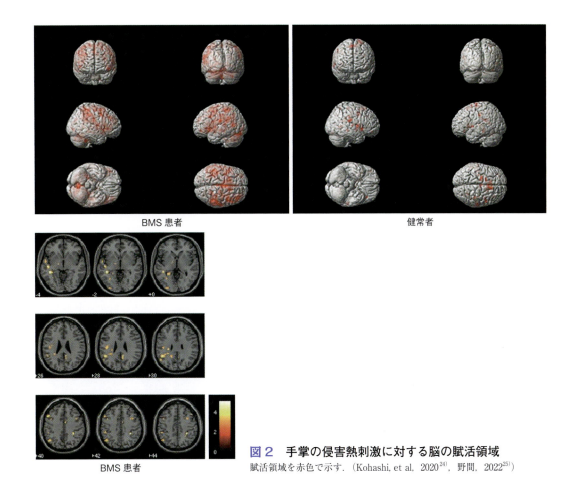

図2 手掌の侵害熱刺激に対する脳の賦活領域
賦活領域を赤色で示す．（Kohashi, et al, 2020[24]，野間，2022[25]）

れるようになった．VBMは脳委縮の評価として昔から用いられてきたが，近年，MRIの撮像技術が向上して全脳の評価が可能となり[22,23]，疼痛関係の研究にも用いられている．

口腔顔面痛領域におけるこれらの脳機能測定装置を用いた研究は数少なかったが，近年いくつかの報告がみられるようになった．口腔灼熱痛症候群（BMS）患者の手掌に侵害熱刺激を与えたときの脳fMRIを観察した研究では，情動や感情を司る部位である前帯状皮質や島皮質などで脳賦活が強いことが示された（図2）[24,25]．BMS患者は不安傾向があり，ストレスにさらされやすいとされるが，これらの領域の賦活により疼痛感覚が修飾され，より強い疼痛反応として表出させるものと考えられる．さらにBMS患者の脳におけるVBMを観察した研究では，健常者に比べて背側前帯状皮質，島皮質，前頭前野背外側部，眼窩前頭野，膝下野，中側頭回，縁上回などに萎縮がみられた（図3）[24]．

BMS患者の脳では，賦活は亢進しているにも関わらず，脳には萎縮がみられることになる．これはBMS患者が，常に情動などを司る部位の賦活が高まっている傾向にあるため，結果

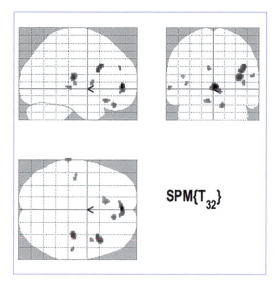

図3 BMS患者における脳の萎縮部位
(Kohashi, et al, 2020[24])

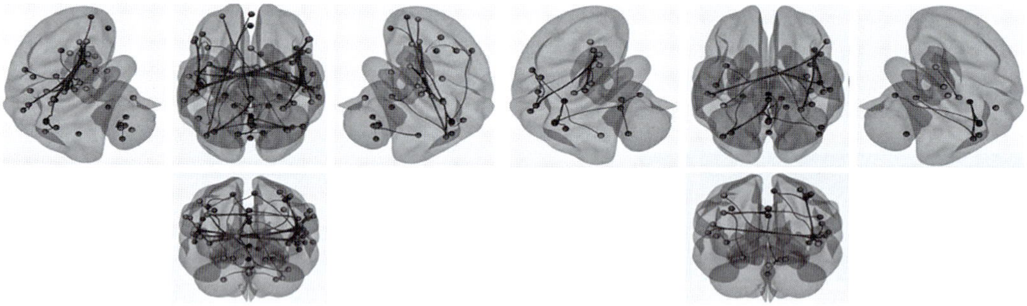

BMS患者　　　　　　　　　　健常者

図4 rs-fMRIを用いた不安に伴う機能的脳結合 (野間, 2022[25])

として脳が疲労して萎縮したと考えられる．またこれらの部位は痛みの制御に関わっている部位であり，疼痛の制御が欠如した結果，痛みをより強く感じていた可能性も考えられる．BMS患者と健常人におけるrs-fMRI画像から脳の各領野の機能的結合を解析した研究では，不安などの情動系に関連して，BMS患者の脳機能結合における正の結合は，健常人と比較すると少なく，特に前頭前野や前帯状回，島皮質などを結ぶ結合が極めて少ないことが報告されている（図4）[25]．今後，痛み関連脳内神経ネットワークの研究が進み，痛覚変調性疼痛のように痛みの原因が明確でなく，社会心理的要因が大きく関与するような疼痛の脳内機序が解明され，有効な治療方法の発見につながることが期待される．

（岡田明子）

文 献

1) 倉田二郎：痛みのバイオマーカーとしての機能的脳画像診断法．真興交易医書出版部，東京，161-170，2020
2) Melzack R: Labat lecture. Reg Anesth 14(5): 208-211, 1989
3) Melzack R: From the gate to the neuromatirix. Pain Suppl 6: S121-126, 1999
4) Ogino Y, Nemoto H, Inui K, Saito S, Kakigi R, Goto F: Inner experience of pain: imagination of pain while viewing images showing painful events forms subjective pain representation in human brain. Cereb Cortex 17(5): 1139-1146, 2007
5) Osaka N, Osaka M, Morishita M, Kondo H, Fukuyama H: A word expressing affective pain activates the anterior cingulate cortex in the human brain: an fMRI study. Comparative Study Behav Brain Res 153(1): 123-127, 2004
6) Richter M, Eck J, Straube T, Miltner WHR, Weiss T: Do words hurt? Brain activation during the processing of pain-related words. Pain 148(2): 198-205, 2010
7) Simon D, Craig KD, Miltner WHR, Rainville P: Brain responses to dynamic facial expressions of pain. Pain 126(1-3): 309-318, 2006
8) Apkarian AV, Bushnell MC, Treede RD, Zubieta JK: Human brain mechanisms of pain perception and regulation in health and disease. Eur J Pain 9(4): 463-484, 2005
9) Tracey I: Imaging pain. Br J Anaesth 101: 32-39, 2008
10) Apkarian AV, Bushnell MC, Treede RD, Zubieta JK: Human brain mechanisms of pain perception and regulation in health and disease. Eur J Pain 9(4): 463-484, 2005
11) Seifert F, Maihöfner C: Central mechanisms of experimental and chronic neuropathic pain: findings from functional imaging studies. Cell Mol Life Sci 66(3): 375-390, 2009
12) Kurata J, Thulborn KR, Gyulai FE, Firestone LL: Early decay of pain-related cerebral activation in functional magnetic resonance imaging: comparison with visual and motor tasks. Anesthesiology 96(1): 35-44, 2002
13) Keysers C, Wicker B, Gazzola V, Anton J. L, Fogassi L, Gallese VA: touching sight: SII/PV activation during the observation and experience of touch. Neuron 42(2): 335-346, 2004
14) Ogino Y, Nemoto H, Inui K, Saito S, Kakigi R, Goto F: Inner experience of pain: imagination of pain while viewing images showing painful events forms subjective pain representation in human brain. Cerebral cortex (New York, N. Y.: 1991). Eur J Pain 17(5): 1139-1146, 2007
15) E Ikeda, T Li, H Kobinata, S Zhang, J Kurata: Anterior insular volume decrease is associated with dysfunction of the reward system in patients with chronic pain. Eur J Pain 22(6): 1170-1179, 2018
16) Segerdahl AR, Mezue M, Okell TW, Farrar JT, Tracey I: The dorsal posterior insula is not an island in pain but subserves a fundamental role- Response to: "Evidence against pain specificity in the dorsal posterior insula" by Davis et al., F1000Res 4: 1207, 2015
17) 福井弥己郎，岩下成人：痛みの機能的脳画像診断．JJSPC 17, 469-477, 2010
18) Moulton EA, Schmahmann JD, Becerra L, et al: The cerebellum and pain: passive integrator or active participator? Brain Res Reviews 65: 14-27, 2010
19) Baliki MN, Geha PY, Fields HL, Apkarian AV: Predicting value of pain and analgesia: nucleus accumbens response to noxious stimuli changes in the presence of chronic pain. Neuron 66(1): 149-160, 2010
20) Kaneko H, Zhang S, Sekiguchi M, Nikaido T, Makita K, Kurata J, Konno S: Dysfunction of Nucleus Accumbens Is Associated With Psychiatric Problems in Patients With Chronic Low Back Pain: A Functional Magnetic Resonance Imaging Study. Spine (Phila Pa 1976) 42(11): 844-853, 2017
21) Tracey I, Mantyh PW: The cerebral signature for pain perception and its modulation. Neuron 55(3): 377-391, 2007
22) Ashburner J, Friston KJ: Voxel-based morphometry--the methods. Neuroimage 11(6 Pt 1): 805-821, 2000
23) Baron JC, Chételat G, Desgranges B, Perchey G, Landeau B, de la Sayette V, Eustache F: In vivo mapping of gray matter loss with voxel-based morphometry in mild Alzheimer's disease. Neuroimage 14(2): 298-309, 2001
24) Kohashi R, Shinozaki T, Sekine N, Watanabe K, Takanezawa D, Nishihara C, Ozasa K, Ikeda M, Noma N, Okada-Ogawa A, Imamura Y: Time-dependent responses in brain activity to ongoing hot stimulation in burning mouth syndrome. J Oral Sci 62(2): 170-174, 2020
25) 野間 昇：口腔顔面領域に生じる第3の痛み痛覚変調性疼痛とは．―バーニングマウス症候群を中心に―．東京歯医師会誌 70: 3-10, 2022

第1部　口腔顔面痛のメカニズム

6　痛みの修飾機構

SBO
Ⅰ．末梢性感作のメカニズムについて説明できる．
Ⅱ．中枢性感作のメカニズムについて説明できる．

1) 末梢性感作

　感覚神経系の感作のうち，末梢神経系に生じるものを末梢性感作と呼び，末梢組織に何らかの障害や末梢神経の損傷が起こった場合に生じる(図1)．障害部位に集積した免疫細胞群や，損傷した神経や組織からは多種多様な炎症性物質が放出される．これらの炎症性物質が直接，または間接的にニューロンの軸索終末に作用することでニューロンの興奮特性が変化し，末梢性感作につながる．具体的な例としては，ケガをしたところをさらにぶつけると普段よりも猛烈に痛い，あるいは火傷したところは温めるだけでも熱く感じてヒリヒリするといった現象が挙げられる．

　損傷部位で放出される炎症性物質には，カルシトニン遺伝子関連ペプチド(CGRP)やサブスタンスP(SP)などの神経ペプチド，インターロイキンやヒスタミン，セロトニンなどの免疫系細胞から放出される物質，その他損傷した組織から放出されるアデノシン三リン酸(ATP)，ブラジキニン，プロスタグランジン(PG)，プロトン，カリウムイオンなど，さまざまな物質が含まれる．これらの多くは，皮下に注入すると痛みを生じることから痛み物質(発痛物質)といわれており，これらの物質は，神経軸索終末に存在する受容体に結合して神経を興奮させ痛みを惹起する．

　しかし，末梢性感作の原因は神経の興奮そのものではなく，受容体やイオンチャネルが修飾を受けてその性質が変化することにある．たとえば，神経成長因子(nerve growth factor: NGF)は侵害受容ニューロンに発現する高親和性受容体(TrkA)に結合して痛みを引き起こすと同時に，細胞内シグナル伝達を介してプロトン感受性イオンチャネル3(acid-sensing ion channel 3: ASIC3)やブラジキニン受容体(B1受容体)などの発現量を増加させ，熱感受性イオンチャネルV1(transient receptor potential vanilloid 1: TRPV1)や電位依存性ナトリウムチャネル(Nav1.8)のリン酸化を亢進させる．ASIC3

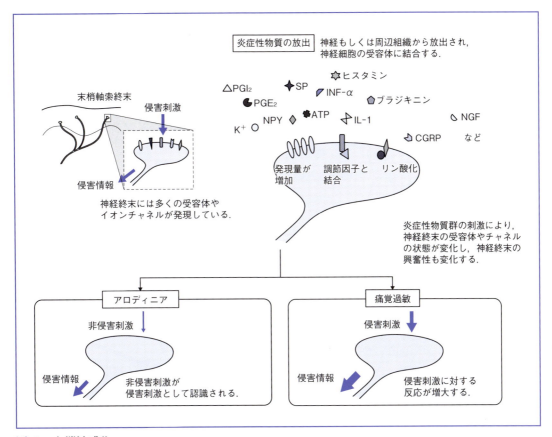

図1 末梢性感作

やB1受容体の発現量が増えることで，プロトンやブラジキニンに対する感受性が上がる．また，TRPV1は通常43℃以上の熱刺激に反応するイオンチャネルだが，リン酸化されると35℃にも反応するようになる．Nav1.8はリン酸化されると電流量が増す．こうした受容体やチャネルの変化が起き，軸索終末の刺激に対する感受性や興奮性が上昇する．

末梢性感作により現れる症状は2種類に分類される．一つは，痛みを起こさないような非侵害的な刺激によっても痛みが引き起こされてしまう「アロディニア」と呼ばれるものである．もう一つは，侵害刺激に対して，通常よりもより強い痛みが引き起こされてしまう現象で，「痛覚過敏」と呼ばれる．

2）中枢性感作

末梢性感作とは別に，中枢神経系，なかでも脊髄/延髄レベルに生じる過敏化を中枢性感作と呼ぶ．脊髄/延髄には一次ニューロンから二次ニューロンへと情報を伝達するための機構としてシナプスがあるが，中枢性感作の原因はここでの情報伝達機構が修飾されること

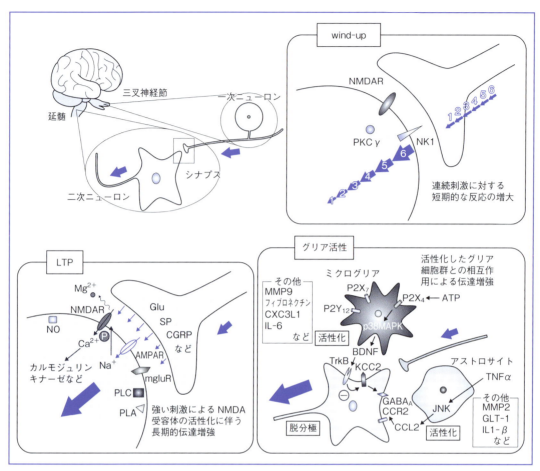

図2　中枢性感作

にある．その修飾により，一次ニューロンからの入力が同じでも，惹起される二次ニューロンの反応が増強するのである（図2）．

一例として，"wind-up"と呼ばれる現象が古くから知られている．およそ0.5Hzの頻度でC線維を連続的に刺激すると次第にスパイク頻度が増加するという現象で，「連続的な」刺激に対してC線維が一定の興奮を伝達しつづけると，その刺激を受け取る広作動域ニューロン（wide dynamic range neuron: WDRニューロン）の興奮性が徐々に増加していくものである．これには，NK1受容体，PKCγ，NMDA受容体などが関与していることが知られている．この過敏化は短期的で，「連続的な」刺激が途中で途切れたりすればすぐに解消されてしまう．

一方，長期増強（long term potentiation: LTP）と呼ばれる現象では，一次ニューロンからの刺激に応答する延髄二次ニューロンの過剰興奮状態が長期にわたって持続する．多くの

分子が関与する複雑な現象だが，中心となるのはグルタミン酸とその受容体の機能である．一次ニューロンから放出されたグルタミン酸は，二次ニューロンに存在するAMPA型グルタミン酸受容体に結合し，ナトリウムイオンを細胞内に流入させる．この刺激が次第に強くなると，NMDA型グルタミン酸受容体からMg^{2+}による抑制（マグネシウムブロック）が外れ，細胞内にCaイオンが流入する．これによりカルモジュリンキナーゼなどの細胞内シグナルが活性化し，結果として二次ニューロンの興奮性が上がる．このメカニズムは海馬ニューロンで記憶の保持に関与する現象と同様のもので，場合によっては数日から数か月も持続すると考えられており，慢性疼痛の発症メカニズムの一つであるとされている．

前述の二つの中枢性感作のメカニズムに加えもう一つ，神経損傷や炎症によって惹起される中枢性過敏として「グリア活性」と呼ばれる現象がある．これは，神経損傷や組織の炎症により神経細胞より数多く存在するグリア細胞が活性化され，さまざまな物質がグリア細胞から分泌され，神経細胞自身や情報伝達に大きく影響を及ぼしたり，シナプス新生因子を産生放出して，無秩序なシナプス形成を惹起することでニューロンの興奮を変化させるというメカニズムである．

3）上位中枢神経からの制御

1─下行性疼痛抑制系

延髄における一次ニューロンから二次ニューロンへの侵害情報伝達は，上位中枢神経からの制御を受けている．これは周囲の状況，もしくは体調や感情によって痛覚を増強したり減弱したりするもので，痛みが強すぎて他の身体機能に悪影響が生じる場合に痛みを抑制していると考えられる．

上位中枢神経から延髄シナプスに投射しているニューロンは，吻側延髄腹内側部（rostral ventromedial medulla：RVM）に神経細胞体があり，活性化すると延髄シナプスの侵害情報伝達を促進するON cellと，活性化すると延髄シナプスの侵害情報伝達を抑制するOFF cellという性質の異なるニューロンに分類されている．この2種類の神経細胞の活動性のバランスで，シナプスの伝達効率が調節されている（図3）．

RVMにモルヒネを注入すると，疼痛が抑制される．これはON cellに発現しているμ受容体にモルヒネが結合して活性化しON cellの活動が抑制されるとともに，OFF cellを抑制しているGABAニューロン上のμ受容体にモルヒネが結合してGABAニューロンの活動が抑制され，それによりOFF cellの活動が促進される．この二つの効果は，ともに侵害情報伝達を抑制する方向に働くので，鎮痛効果をもたらすことになる．RVMに存在するμ受容体の存在とその効果は，内因性オピオイドがこの部位で機能していること，すなわちRVMに内因性オピオイドを放出するオピオイドニューロンが存在することを示唆している．

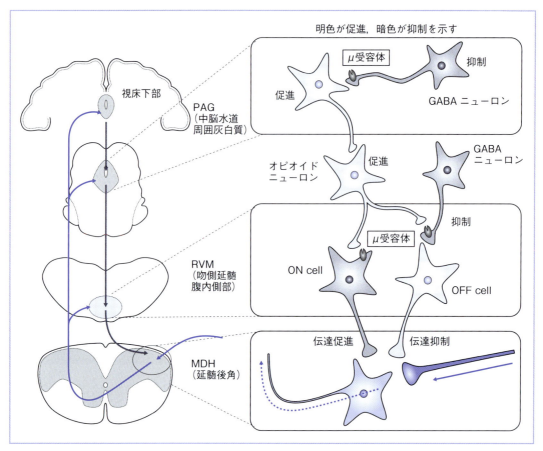

図3　下行性疼痛抑制系

　また，RVMに投射するオピオイドニューロンは中脳水道周囲灰白質(PAG)にある神経細胞からの投射を受けており，このPAGニューロンもμ受容体をもつGABAニューロンの制御を受ける．これはモルヒネをPAGに注入しても同様の鎮痛効果をもたらすことからわかる．これら内因性オピオイドが関与する制御系の上位中枢神経は視床下部であり，ここから侵害情報伝達の制御の指令が発信され，PAG，RVM，延髄へと伝えられる．

2―ノルアドレナリン/セロトニン経路

　上位中枢神経からの延髄シナプスの侵害情報伝達制御には，オピオイドとON cell/OFF cellによる制御とは別に，セロトニンニューロンとノルアドレナリンニューロンによる制御が存在する(図4)．これらのニューロンは，セロトニン・ノルアドレナリンを延髄のシナプス間隙に放出して一次ニューロン，二次ニューロン，さらには介在ニューロンに存在する受容体を刺激すると同時に，トランスポーターを介して放出したセロトニン・ノルアドレナリ

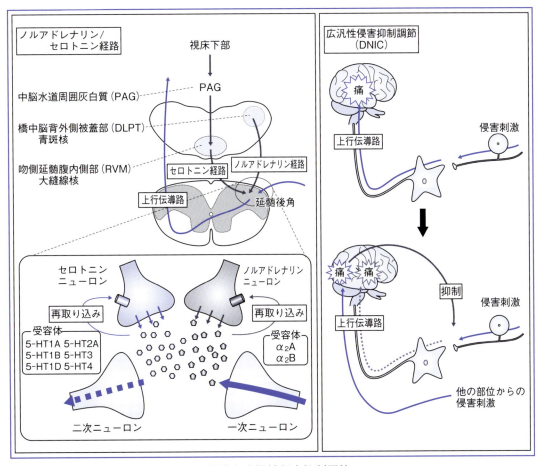

図4　ノルアドレナリン/セロトニン経路と広汎性侵害抑制調節
図4左：ノルアドレナリンやセロトニンのシナプス間隙での濃度が高くなると疼痛抑制が現れる．
⬠ノルアドレナリン，⬡セロトニン

　ンの再取り込みを促進する．セロトニンもノルアドレナリンも，シナプス間隙に存在する量が多いほど疼痛抑制効果が高くなるが，シナプス間隙に存在する量は分泌量と再取り込み効率のバランスによって決定される．セロトニンの受容体は，疼痛抑制に働くとされる5-HT1A受容体が二次ニューロンに発現している他に，一次ニューロンや介在ニューロンにも存在する．5-HT1A受容体以外にも抑制に働く受容体，興奮に働く受容体が複数存在しており，受容体の発現細胞や発現部位により疼痛亢進・抑制の機能が逆転することもある（表1）．これらがシナプス間隙中のセロトニン量を調節しながら，疼痛制御を行っている．一方，ノルアドレナリンについては，α_2受容体がおもに関与していることがわかっている．
　延髄にセロトニンを放出するセロトニンニューロンの細胞体はRVMの大縫線核に存在するが，これはON cellでもOFF cellでもなく，neutral cellと呼ばれる細胞群に含まれる．

表1 セロトニン受容体の存在部位とタイプ・反応

受容体存在部位	受容体タイプ	反 応
一次ニューロンの終末	5-HT1A, 5-HT1B, 5-HT1D	疼痛抑制
	5-HT2A, 5-HT3, 5-HT4	疼痛亢進
二次侵害受容ニューロン	5-HT1A	疼痛抑制
抑制性介在ニューロン	5-HT2A, 5-HT3	疼痛抑制
	5-HT1A	疼痛亢進

この細胞がPAGを介して視床下部からの制御を受けている．ノルアドレナリンニューロンの細胞体は，橋中脳背外側被蓋部（DLPT）の青斑核（LC）に存在する．

セロトニンやノルアドレナリンは，末梢組織では痛覚情報伝達亢進に作用するが，脊髄や延髄では抑制に作用すると考えられており，これは各種受容体の発現部位や発現量，セロトニンやノルアドレナリン自体の濃度など，さまざまな因子が関与した結果であるといえる．

3─広汎性侵害抑制調節

侵害刺激によって引き起こされる痛みは，体の別の部位（広汎な部位）に弱い侵害刺激を加えることで抑制することができる（図4右）．たとえば足を受傷して痛みがあるとき，手の甲を針で軽くチクチクつつくと，足のケガの痛みが感じにくくなるという現象がこれに当たり，広汎性侵害抑制調節（diffuse noxious inhibitory control: DNIC）という．ラットを用いた研究で，広汎な部位に加えられた侵害刺激が脊髄のWDRニューロンの活動を抑制することが報告され，このメカニズムが注目された．鍼治療などの鎮痛メカニズムもDNICに近いと考えられている．

（金銅英二，奥村雅代）

文 献
1) McMahon S, Koltzenburg M: Wall & Melzack's Textbook of Pain, 5th ed. 3-142, Churchill Livingstone, London, 2005
2) Ji RR, Samad TA, Jin SX, et al: p38 MAPK activation by NGF in primary sensory neurons after inflammation increases TRPV1 levels and maintains heat hyperalgesia. Neuron 36: 57-68, 2002
3) Woolf CJ, Salter MW: Neuronal plasticity: increasing the gain in pain. Science 288: 1765-1769, 2000
4) Ji RR, Kohno T, Moore KA, et al: Central sensitization and LTP: do pain and memory share similar mechanisms? Trends Neurosci 26: 696-705, 2003
5) Heinricher MM, Moran MM, Tortorici V, Fields HL: Disinhibition of off-cells and antinociception produced by an opioid action within the rostral ventromedial medulla. Neuroscience 63: 279-288, 1994
6) Le Bars D, Dickenson AH, Besson JB: Diffuse noxious inhibitory controls (DNIC). I. Effects on dorsal horn convergent neurons in the rat. Pain 6: 283-304, 1979

コラム

歯髄細胞とニューロンの機能連関からみた象牙質/歯髄複合体の疼痛

1. はじめに

歯の痛み「歯痛」は，①歯科的病態によって生じる歯原性歯痛と，②歯科的病態によらない非歯原性歯痛に分類される（第5部2章参照）．歯原性歯痛は，象牙質痛・歯髄痛・歯根膜痛に分類されるが，なかでも象牙質/歯髄複合体の疾患による疼痛症状は，歯髄が置かれている独特な解剖学的環境と，それを制御している神経機能に由来するものといっても過言ではない[1]．象牙質の痛みは特殊な神経機構によって発生し，歯髄の炎症は神経性に制御され取り返しのつかない不可逆性歯髄炎へと増悪していく．したがって，象牙質・歯髄疾患の理解・診断・治療に神経機構の知識は欠かせない[2]．近年，象牙質/歯髄複合体の痛みに関する理解も長足の進歩を遂げている．本項では，象牙質・歯髄における病態生理の分子細胞学的な側面について述べる[3-6,9,10]．

2. 象牙質・歯髄に分布する神経（ニューロン）の種類

歯髄には，感覚ニューロンとして三叉神経第2・3枝（上顎神経・下顎神経）が分布する．歯髄・象牙質では，深部痛覚が生じる（表1）．歯髄に分布する一次感覚ニューロンは，①prepain（前痛覚）を担うAβ（Ⅱ群）ニューロン，②象牙質痛（一過性の速い鋭利痛）を担うAδ（Ⅲ群）ニューロン，③歯髄痛（持続性の遅い鈍痛）を担うC（Ⅳ群）ニューロン（ポリモーダル侵害受容器）である（表1）．歯髄には自律神経（交感神経・副交感神経）も分布しており，血管運動を制御している[1,2]（表1）．

3. 象牙質・歯髄に分布するニューロン機能

根尖孔から歯髄に侵入したニューロンは，分岐を繰り返し歯髄と象牙質を支配する．冠部歯髄に達した歯髄ニューロンは，象牙芽細胞下で密集しRaschkowの神経叢を形成する．Cニューロンは歯髄深部にとどまるか，あるいは象牙芽細胞直下に終止する．Aδニューロンは，100μmの範囲内で象牙質中へ侵入し分布するか，多くは象牙芽細胞突起近傍に終止する（図1）．一方で，歯髄に低頻度・低強度電気刺激を加えると，痛覚にはならない不快な感覚が生じる．これを「前痛覚（prepain）」という．ヒト大脳皮質応答潜時からprepainは，Aβニューロン活動で生じることがわかっている[7,8]（表1）．しかしprepainは電気刺激によってのみ発生し，生理的な象牙質刺激では生じない．

表 1 歯髄分布ニューロンの特性

歯髄の神経(ニューロン)分布	機能
体性感覚神経(三叉神経節一次感覚ニューロン，一次求心線維)	
Aβニューロン	痛覚にはならない不快な感覚「prepain(前痛覚)」の発現 Prepain を生じる刺激：歯への低強度・低頻度電気刺激
Aδニューロン	「象牙質痛」を発現する 象牙質痛を生じる刺激：歯の切削部・齲窩や窩底・楔状欠損部など象牙質露出部に対する冷水刺激(冷水痛)，浸透圧刺激(甘味痛)，化学的刺激(酸味痛)，機械刺激(擦過痛)，乾燥刺激(エアブローなど)による象牙細管内液移動 象牙質痛の臨床症状：一次痛で一過性の鋭利痛(象牙質刺激が消失すると，痛みは消退する) 「冷たい」「甘い」「酸っぱい」等の誘発刺激に関連する誘発痛
Cニューロン	「歯髄痛」を発現する 歯髄痛を生じる刺激：歯髄における炎症(神経原性炎症)と，それに伴う血流の増加・歯髄内圧の増加を直接的・間接的に誘発変調する刺激・因子 　　細胞・組織破壊に伴う細胞内に由来する因子 　　炎症反応による炎症性化学仲介物質 　　感染性・免疫応答産物 　　副交感神経活動亢進による歯髄血流増加 　　軸索反射によって感覚ニューロン終末から放出される神経ペプチド 　　副交感神経終末から放出される神経ペプチド 　　歯への温・熱刺激 歯髄痛の臨床症状：二次痛で，持続性の激烈な鈍痛(歯髄炎症の経過を伴う持続的な痛み) 「昨日から」「昨晩から」「今朝から」等，時間経過を伴う(＝持続的)自発痛 温熱刺激や就寝は疼痛強度を変化させる
自律神経(自律神経節後ニューロン)	
交感神経	歯髄分布血管収縮(血管収縮)
副交感神経	歯髄分布血管拡張(血管拡張)？ 副交感優位時の歯髄血流増加(VIP あるいは交感抑制によるもの？)

4．象牙質痛の発生条件

　Aδニューロンは象牙質中に侵入し，一過性の鋭い痛みである「象牙質痛」を誘発する．歯牙切削あるいは歯質欠損(齲窩・窩底・楔状欠損部)によって露出した象牙質表面への機械刺激，乾燥，浸透圧刺激，化学的刺激，冷刺激(**表 1**)は，象牙細管内液の外向き移動を起こす．この外向き移動は，感覚受容細胞である象牙芽細胞膜を伸展する機械刺激となることで，象牙質痛が発生する[9-13](**表 1**)．したがって，象牙質表面への刺激の種類に関わらず，同様に象牙質痛は発生し，冷刺激に反応する歯は他の刺激にも反応し象牙質痛を発生する．一方，象牙質への温熱刺激は，冷水刺激と比較して，発生する象牙質痛の自覚強度は低いことがわかっている．温熱刺激は，象牙細管内液の膨張を起こすためと考えられる．このことから象牙芽細胞膜の機械感受性は伸展と圧縮で異なると考えられる．象牙質痛の発生には，エナメル質欠損あるいは根部歯面セメント質欠損による象牙質露出と象牙細管内液移動が「必須」である．歯の切削に伴うスメアープラグは，象牙細管を閉鎖させるため象牙質痛の感度を下

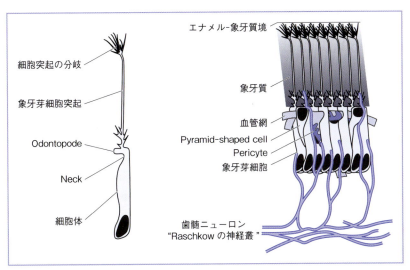

図 1　象牙芽細胞の構造(Khatibi Shahidi, et al, 2015 を改変)
象牙芽細胞には「neck」と呼ばれる構造と「odontopode」と呼ばれる象牙質表面に密着する「足」のような構造がある．
歯髄に侵入したニューロンは，分岐を繰り返し，Raschkow の神経叢を形成する．象牙芽細胞層には A ニューロンが分布する[20]．

げるが，エッチングによるスメアー除去は，象牙細管を解放させるために，象牙質痛の閾値はより低くなる．

5. 象牙質痛の発生と「機械刺激-感覚受容変換機構」
"Odontoblast mechanosensory/hydrodynamic receptor model"

　発生学的に象牙芽細胞は神経堤由来で，神経膠細胞（グリア細胞）の一つである Schwann 細胞に発生由来を持ち，その細胞突起を象牙細管内に入れている[14]．象牙芽細胞は単なる円柱状の細胞ではなく，「neck」と呼ばれる構造と「odontopode」と呼ばれる象牙質表面に密着する「足」のような構造をもち，両者の間を密な血管網が走行している（図 1）[15]．象牙芽細胞には，ミトコンドリアが多く分布し活発な ATP 合成を行っていると考えられ，十分な酸素が血管から供給されていると考えられる．加えて象牙芽細胞層には「pyramid-shaped cell」という細胞が存在し，血管周囲には「pericyte」が存在している．

　露出した象牙質表面へのさまざまな刺激は，象牙細管内液の外向き移動を引き起こす．この外向き移動は象牙芽細胞膜を伸展し，機械感受性イオンチャネルである Piezo1 を活性化する[9,13,16]．Piezo1 の活性化は，細胞内シグナルカスケードを介して，transient receptor potential channel superfamily（TRP）である TRPV1，TRPV2，TRPV4，TRPA1（第 1 部 3 章参照）を活性化する．すなわち象牙芽細胞の機械感受性は，Piezo1 による即時性応答と，Piezo1 下流シグナルで開口する TRP による遅延性応答に区別される（図 2）．象牙細管内液

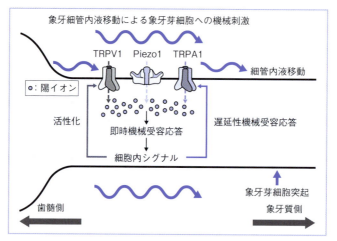

図2 象牙細管内液移動は，象牙芽細胞に対する機械刺激となる

図は象牙芽細胞突起と細胞体(左側)の一部を示す．象牙芽細胞に機械刺激が加わると，まずPiezo1が開口し，細胞内シグナルを介したPiezo1下流シグナルでTRPV1，TRPA1が開口する．

移動による象牙芽細胞への機械刺激はPiezo/TRPの活性化をもたらし，細胞内Ca^{2+}シグナル活性化を通して，細胞膜に存在するパネキシン-1チャネル(PANX1)を活性化する[9,10,13]．PANX1は，ATP透過性チャネルであり，象牙芽細胞からATPを細胞外に放出する．放出されたATPは，歯髄有髄Aδニューロンに存在するATP受容体であるイオンチャネル型ATP受容体($P2X_3$)を活性化し活動電位を発生させる[13](図3下段)．切歯・臼歯の象牙質を露出させたラットに冷水刺激を加えたときの象牙質疼痛行動は，Piezo1・TRPA1・PANX1・$P2X_3$のそれぞれの抑制薬の全身投与で強く抑制される(図4A・B)．歯髄炎症に伴う歯痛発生にはTRPC5も関与するであろうことが報告されている[17]．TRPC5が象牙芽細胞にも発現していることから，象牙質痛のような「冷水痛(cold pain)」にもTRPC5が関与するであろうとされたが，象牙質疼痛行動はTRPC5抑制薬の全身投与に影響されず，加えて，TRPC5は機械感受性を示さない．したがって，TRPC5は象牙質知覚過敏を含めた象牙質痛，冷水痛には関与しない[9]．Creリコンビナーゼを用いて，象牙芽細胞だけを消失させた遺伝子改変Cre/loxマウスでは，切歯冷水刺激による象牙質疼痛行動が消失することから(図4C)，象牙芽細胞が，象牙質痛の感覚受容細胞(二次感覚細胞)であることが明らかになった[9]．したがって，象牙質表面刺激による象牙細管内液移動が象牙芽細胞のPiezo1/TRPsを活性化し，その結果，PANX1からATPが放出される．放出されたATPは，象牙質痛を発生させる神経伝達物質として働き，歯髄Aδニューロンの$P2X_3$を活性化し，活動電位が発生することで，一次痛としての象牙質痛が発生する(図5)．この象牙質痛発生機構は"odontoblast mechanosensory/hydrodynamic receptor model"(象牙芽細胞-機械・静水

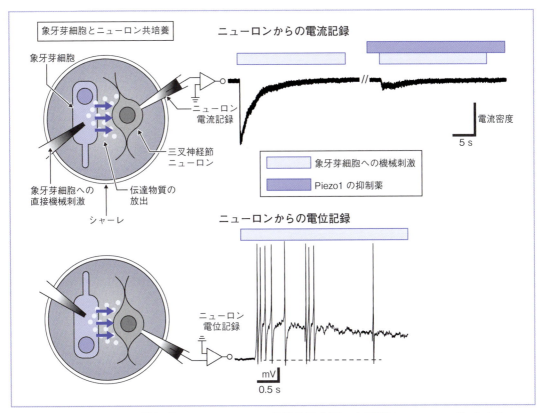

図3 象牙芽細胞と三叉神経節Aδニューロンの共培養系を用いた記録(Sato, et al, 2018[13]より改変)
象牙芽細胞に機械刺激を加えた際の，近傍ニューロン応答の電流(上段)，電位(下段)記録．象牙芽細胞機械刺激(□)誘発性ニューロン電流応答は，Piezo1抑制薬(■)で消失する．象牙芽細胞に機械刺激(□)を加えると，共培養しているAδニューロンからPiezo1電流(上段)と活動電位(下段)が記録されることから，両細胞は伝達物質による神経性連絡をもつことが示される．

圧受容モデル)として受け入れられている[9,10]．

　象牙芽細胞とニューロンの細胞間ATPシグナルに加えて，象牙芽細胞の機械感受性チャネル活性化に続く細胞内Ca^{2+}シグナルは，グルタミン酸透過性陰イオンチャネルを活性化し，細胞外にグルタミン酸を放出する[11]．また放出されたATPは，周囲のSchwann細胞・象牙芽細胞によってADPに加水分解される．これらは，ニューロンのみならず象牙芽細胞の代謝型グルタミン酸受容体(mGluR)[11]，代謝型核酸受容体($P2Y_{1/12}$)を活性化する．前述のようにニューロンには$P2X_3$が発現するが，象牙芽細胞には$P2X_3$は発現しない．しかし，象牙芽細胞には$P2X_{4/7}$が発現する．これらのグルタミン酸-mGluR，ADP-$P2Y_{1/12}$，ATP-$P2X_{4/7}$によるリガンド-受容体軸関係は，象牙芽細胞のオートクライン・パラクライン(autocrine/paracrine)シグナルとして働き(**図6**)，象牙質形成シグナルあるいは疼痛の変調を誘発すると考えられる．

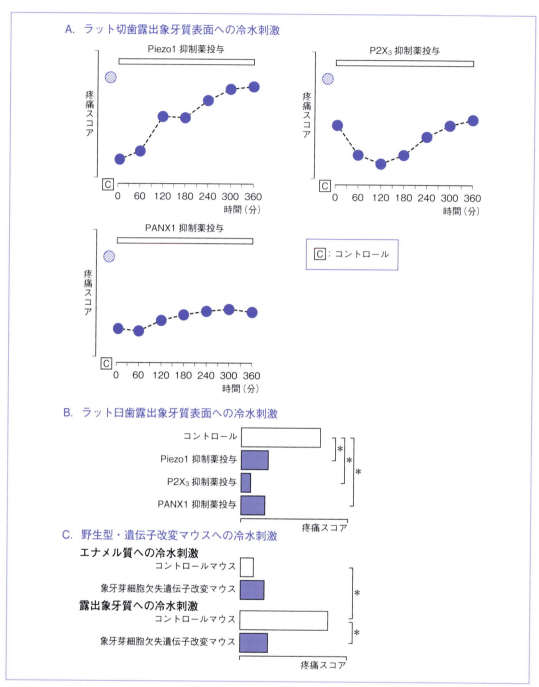

図 4　切歯（A；ラット・C；マウス）・臼歯（B；ラット）露出象牙質への冷水刺激に伴う疼痛行動スコア

A：自由行動下ラット切歯象牙質への冷水刺激による疼痛スコアを，Piezo1・P2X$_3$・PANX1抑制薬全身投与前（コントロール：C），投与後（10，60，120，180，240，300，360分後）に計測．B：ラット臼歯象牙質への冷水刺激による疼痛スコアも切歯同様にそれぞれの抑制薬全身投与で強く抑制される．C：象牙芽細胞だけを消失させた遺伝子改変 Cre/lox マウス（象牙芽細胞欠失遺伝子改変マウス）とコントロールマウス（野生型）での切歯エナメル質表面，もしくは象牙質に対する冷水刺激による疼痛スコア．象牙芽細胞を消失したマウスでは象牙質痛は生じないことから，象牙芽細胞は象牙質痛の感覚受容細胞といえる．

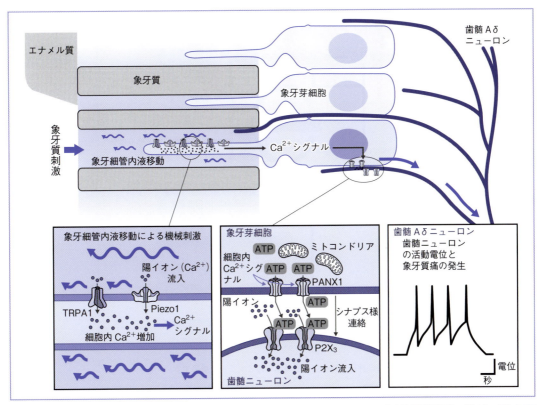

図5 "Odontoblast mechanosensory/hydrodynamic receptor model"（象牙芽細胞-機械・静水圧受容モデル）

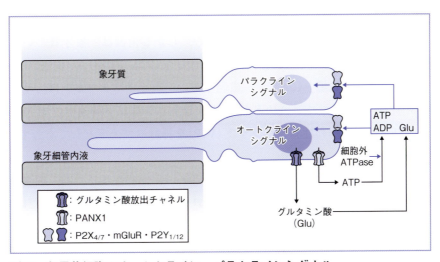

図6 象牙芽細胞のオートクライン・パラクラインシグナル

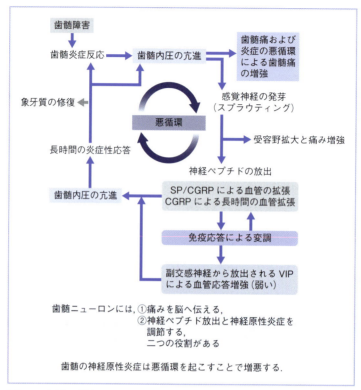

図7 歯髄の神経原性炎症と軸索反射(澁川ほか,2016[21])を改変)

6. 歯髄痛：歯髄の神経原性炎症と神経ペプチド

　皮膚の炎症では，腫脹は外方へと拡大し膨らむ．しかし歯髄は，象牙質という硬い組織に囲まれているため腫脹による歯髄腔内容積の増加は生じず，内部圧力(歯髄内圧)が増加する「低コンプライアンス環境」にある[1]．歯髄分布の一次感覚ニューロンは，サブスタンスP(P物質；SP)，ニューロキニンA(NKA)やカルシトニン遺伝子関連ペプチド(CGRP)を，副交感ニューロンは血管作動性腸管ペプチド(VIP)を神経ペプチドとして有している[1,2](**表1**)．

　歯髄障害は細胞破壊を誘発する．細胞内にはATP・K^+が存在するため，細胞破壊によって歯髄組織へ遊離したATP・K^+は，歯髄ニューロンの$P2X_3$を活性化させるだけではなく，脱分極を誘発する(**図7**)．同時に歯髄障害は，ケミカルメディエーター(ヒスタミン・ブラジキニン)を生成する結果，血管透過性が亢進し歯髄内浮腫が生じ歯髄内圧が増加する．また，感染と免疫応答に伴う細菌由来リポ多糖やサイトカイン類は，副交感ニューロンからVIPを，一次感覚ニューロンからSP・NKA・CGRPを放出し，血管応答を増強させる．歯髄痛を担う歯髄Cニューロンの活動電位は上行し疼痛を発生させるだけではなく，末梢方

向へも逆行性伝導する．神経終末に逆行性伝導した活動電位は，一次感覚ニューロン終末からSPやCGRPの放出を誘発する．このような炎症性応答を軸索反射による神経原性炎症という(図7)．結果として，歯髄内圧はさらに増加し堪えがたい持続的な自発痛としての歯髄痛が発現する．実際に三叉神経節の一次感覚ニューロンを機械刺激(歯髄内圧増加による神経圧迫を模したもの)すると，CGRPに加えてさまざまな神経ペプチドが放出される．これらの神経ペプチドの受容体の多くは，Gs-タンパク質結合型受容体であり，事実，一次感覚ニューロンから放出された神経ペプチドは，象牙芽細胞のみならず内皮細胞のアデニル酸シクラーゼ活性化にともなうcAMPシグナルを活性化する[18]．このように，歯髄痛は，歯髄の神経原性炎症によって生じる[1]．このような組織障害，炎症性血管応答，軸索反射に伴う炎症とその悪循環が生じることで，さらに強い歯髄痛を作り出していく．しかしながら，歯髄分布一次感覚ニューロンから実際に神経ペプチドが放出されるか否か，本当にCGRP/SPが放出されるのか，あるいは他の神経ペプチドの関与についてはさらなる研究が必要であろう．特に細菌性髄膜炎においては，菌由来毒素が侵害受容器を活性化し，ニューロン終末からCGRPを放出させ，マクロファージのケモカイン発現，好中球の動員を抑制することが報告されている．歯髄でも同様のことが生じている可能性もあり[19]，今後の感染性炎症性疼痛のさらなる理解に期待したい．

(澁川義幸)

文 献

1) Caviedes-Bucheli J, Muñoz HR, Azuero-Holguín MM, Ulate E: Neuropeptides in dental pulp: the silent protagonists. J Endod 34(7)：773-788, 2008
2) 福田謙一，一戸達也，金子譲：歯科におけるしびれと痛みの臨床　歯科治療による神経損傷後の感覚神経障害　その対応とメカニズム．クインテッセンス出版，東京，2011
3) Sessle BJ: The neurobiology of facial and dental pain: present knowledge, future directions. J Dent Res 66(5)：962-981, 1987
4) Hildebrand C, Fried K, Tuisku F, Johansson CS: Teeth and tooth nerves. Prog Neurobiol 45(3)：165-222, 1995
5) Byers MR, Närhi MV: Dental injury models: experimental tools for understanding neuroinflammatory interactions and polymodal nociceptor functions. Crit Rev Oral Biol Med 10(1)：4-39, 1999
6) Magloire H, Maurin JC, Couble ML, Shibukawa Y, Tsumura M, Thivichon-Prince B, et al: Topical review. Dental pain and odontoblasts: facts and hypotheses. J Orofac Pain 24(4)：335-349, 2010
7) Kubo K, Shibukawa Y, Shintani M, Suzuki T, Ichinohe T, Kaneko Y: Cortical representation area of human dental pulp. J Dent Res 87(4)：358-362, 2008.
8) 久保浩太郎，別所央城，田村洋平，高志潮田，加藤隆，澁川義幸：歯髄・象牙質感覚および口腔感覚の脳における情報処理—神経生理学から臨床歯科医学へ．日本歯科評論70(11)：127-135，2010
9) Ohyama S, Ouchi T, Kimura M, Kurashima R, Yasumatsu K, Nishida D, et al: Piezo1-pannexin-1-P2X3 axis in odontoblasts and neurons mediates sensory transduction in dentinal sensitivity. Front Physiol 13: 891759, 2022
10) Shibukawa Y, Sato M, Kimura M, Sobhan U, Shimada M, Nishiyama A, et al: Odontoblasts as sensory receptors: transient receptor potential channels, pannexin-1, and ionotropic ATP receptors mediate intercellular odontoblast-neuron signal transduction. Pflugers Arch 467(4)：843-863, 2015
11) Nishiyama A, Sato M, Kimura M, Katakura A, Tazaki M, Shibukawa Y: Intercellular signal communication among odontoblasts and trigeminal ganglion neurons via glutamate. Cell Calcium 60(5)：341-355, 2016
12) Sato M, Sobhan U, Tsumura M, Kuroda H, Soya M, Masamura A, et al: Hypotonic-induced stretching of plasma membrane activates transient receptor potential vanilloid channels and sodium-calcium exchangers in mouse odontoblasts. J Endod 39(6)：779-787, 2013
13) Sato M, Ogura K, Kimura M, Nishi K, Ando M, Tazaki M, et al: Activation of Mechanosensitive Transient Receptor

Potential/Piezo Channels in Odontoblasts Generates Action Potentials in Cocultured Isolectin B4-negative Medium-sized Trigeminal Ganglion Neurons. J Endod 44(6): 984-991 e2, 2018

14) Kaukua N, Shahidi MK, Konstantinidou C, Dyachuk V, Kaucka M, Furlan A, et al: Glial origin of mesenchymal stem cells in a tooth model system. Nature 513(7519): 551-554, 2014
15) Khatibi Shahidi M, Krivanek J, Kaukua N, Ernfors P, Hladik L, Kostal V, et al: Three-dimensional Imaging Reveals New Compartments and Structural Adaptations in Odontoblasts. J Dent Res 94(7): 945-954, 2015
16) Matsunaga M, Kimura M, Ouchi T, Nakamura T, Ohyama S, Ando M, et al: Mechanical Stimulation-Induced Calcium Signaling by Piezo1 Channel Activation in Human Odontoblast Reduces Dentin Mineralization. Frontiers in Physiology 12: 1379, 2021
17) Bernal L, Sotelo-Hitschfeld P, König C, Sinica V, Wyatt A, Winter Z, et al: Odontoblast TRPC5 channels signal cold pain in teeth. Sci Adv 7(13): eabf5567, 2021
18) Saito N, Kimura M, Ouchi T, Ichinohe T, Shibukawa Y: Gαs-Coupled CGRP Receptor Signaling Axis from the Trigeminal Ganglion Neuron to Odontoblast Negatively Regulates Dentin Mineralization. Biomolecules 12(12): 1747, 2022
19) Pinho-Ribeiro FA, Deng L, Neel DV, Erdogan O, Basu H, Yang D, et al: Bacteria hijack a meningeal neuroimmune axis to facilitate brain invasion. Nature 615(7952): 472-481, 2023
20) Couve E, Schmachtenberg O: Schwann Cell Responses and Plasticity in Different Dental Pulp Scenarios. Front Cell Neurosci 12: 299, 2018
21) 澁川義幸，田﨑雅和：象牙質・歯髄複合体の痛みと神経原性炎症メカニズム―歯の痛みを理解するための臨床口腔生理学. 木ノ本喜史編著，歯内療法成功への道 抜髄 Initial Treatment. ヒョーロン・パブリッシャーズ，東京，45-60, 2016

第2部

口腔顔面痛の病態

第2部 口腔顔面痛の病態

1 侵害受容性疼痛

SBO Ⅰ．侵害受容性疼痛の発症機序を理解する．

体性神経系が正常に機能しているときに，組織が損傷するような強い刺激（侵害刺激）が加わると，侵害受容器が活性化して痛みが生じる．この痛みは侵害受容性疼痛と呼ばれ，身体防御に関わることから，生きる上で非常に重要な感覚である．侵害受容性疼痛には，神経が傷害されていない炎症性疼痛や頭痛なども含まれる[1]．

1）末梢性機序

痛覚を伝える求心性のAδ線維とC線維の末梢端は，特殊な構造を持たない自由神経終末を形成しており，これが侵害受容器として働く．侵害刺激が加わると侵害受容器に存在するTRPチャネルなどの各種イオンチャネルが開口し，陽イオンが自由神経終末内へ流入する．すると，自由神経終末内の電位が上昇し，脱分極が起こる．その変化した膜電位が閾膜電位を超えると電位依存性Naチャネルが開いて活動電位が発生し，活動電位が伝導される．また，侵害受容器をもつ神経線維が興奮すると，その神経軸索の分枝から末梢組織に向けてサブスタンスPやカルシトニン遺伝子関連ペプチド（CGRP）などの神経ペプチドが放出される軸索反射が起こる．これにより，周囲組織の血管透過性が亢進し，フレアと呼ばれる血管拡張による発赤を主症状とする神経炎症が生じることが知られている[2,3]．

また，組織が損傷し炎症が起こると，損傷部位に集積する免疫細胞や神経終末，血管内皮細胞からブラジキニン，アデノシン三リン酸（ATP），プロスタグランジン，セロトニン，ヒスタミン，水素イオンなどが放出される．これらの物質は侵害受容器に存在する各受容体に結合し，直接侵害受容器を活性化させたり，熱や機械，化学刺激などに対する侵害受容器の感受性を高めたりする．これにより一次ニューロンの興奮性が増大する（末梢性感作）．

また，末梢性感作が起こると感覚神経節において一次ニューロンの細胞体周囲に存在する衛星細胞やマクロファージの活動性も増強する．その結果として，一次ニューロン同士，または一次ニューロンと非ニューロン間での

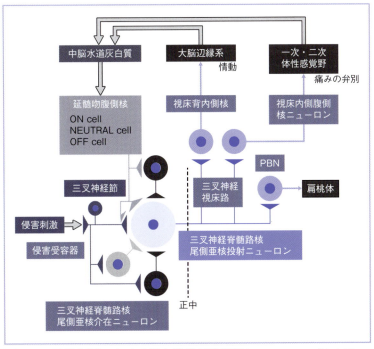

図1 三叉神経系における侵害情報伝達経路(Iwata, et al, 2019[4])を改変)

コミュニケーションが活発になり，さらに一次ニューロンの興奮性が増大すると考えられている[4]．

2) 中枢性機序

　口腔顔面領域からの侵害情報は，Aδ線維とC線維によってシナプスを介して三叉神経脊髄路核尾側亜核(Vc)ニューロンに伝えられる．Vcでは，ニューロンのほか，アストロサイト，ミクログリアやオリゴデンドロサイトなどのグリア細胞も情報伝達に密接に関与している．Vcの二次侵害受容ニューロンによって伝えられる侵害情報は，反対側の内側毛帯を上行し，視床後内側腹側核を介して大脳皮質の一次，二次体性感覚野に送られる．ここでは，侵害刺激が加わった部位や侵害刺激強度が認識されることから，痛みの弁別を担うと考えられている．また，二次ニューロンによって伝えられる侵害情報は脳幹網様体や視床の髄板内核を介して大脳辺縁系にも入力するが，この脳部位の活性化は痛みの情動的側面に関与する．さらに，中脳水道周囲灰白質(PAG)や延髄吻腹側核(RVM)の大縫線核などを介した下行性疼痛抑制系によって，侵害受容ニューロンの興奮性は調節されている(図1)[4]．炎症時は，Vcにおいて一次侵害受容ニューロン中枢端からの神経ペプチドの放出が増加し，そのシグナルによって二次侵害受容ニューロンが感作される．さらに，二次侵害受容ニューロンの興奮性

は介在ニューロンやグリア細胞によっても修飾される．

（人見涼露）

文 献
1) Raja SN, Carr DB, Cohen M, Finnerup NB, Flor H, Gibson S, Keefe FJ, Mogil JS, et al: The revised International Association for the Study of Pain definition of pain: concepts, challenges, and compromises. Pain 161: 1976-1982, 2020
2) McMahon S, Koltzenburg M, Tracey I, Turk D: Wall & Melzack's Textbook of pain. Sixth edition, Elsevier, 2013
3) 日本口腔顔面痛学会 編：口腔顔面痛の診断と治療ガイドブック．第2版，医歯薬出版，東京，2016
4) Iwata K, Sessle BJ: The Evolution of Neuroscience as a Research Field Relevant to Dentistry. Journal of dental research 98: 1407-1417, 2019

第2部 口腔顔面痛の病態

2 神経障害性疼痛

SBO
Ⅰ．神経障害性疼痛の臨床的特徴を説明できる．
Ⅱ．神経障害性疼痛の発症および持続の末梢・中枢神経機構を説明できる．

1) 痛みのメカニズム

　神経障害性疼痛は，脳神経系を含む生体の神経損傷によって引き起こされる．この痛みの主たる問題は，難治性の慢性疼痛である．その発症や持続のメカニズムは複雑であるが，その神経メカニズムは，末梢神経系または中枢神経系の損傷による痛みと捉えることができる．前者は脊髄神経や三叉神経の損傷によって，後者は脊髄損傷などに伴って発症する．歯科臨床現場で遭遇し，対処を迫られる事例の多くは末梢神経の損傷によることが多い．たとえば智歯の抜歯に伴う下歯槽神経の損傷による痛みや，帯状疱疹に伴う神経痛などである．そして他の慢性疼痛状態と同様に，著明な末梢組織の異変に乏しいこと，また末梢指向性の薬剤の効果が低いことから，そのメカニズムは，中枢神経系の機能変調の関与が大きいと考えるのが適当である．一般に，疼痛機構の基礎的考察は，末梢および中枢神経機能という視点から行われることが多い[1]．よって本章ではそれらの病態生理に注目し，本疼痛の特徴を考察する．

2) 神経障害性疼痛モデル

　坐骨神経絞扼や脊髄神経結紮モデルなどを用いた基礎的研究が，神経障害性疼痛機構の解明に貢献してきた．これらのモデルは四肢のアロディニアや痛覚過敏に類似する行動を引き起こすことから神経メカニズムの解明に頻用されている．同様に顎顔面部を支配する三叉神経に損傷を与えると，障害神経の支配領域においてアロディニアや痛覚過敏を示唆する疼痛関連行動が，数週間から1か月以上持続する[1]．また損傷を受けた神経の支配領域の外側，さらには遠隔部位で疼痛関連行動の亢進が認められることから，これらのモデルでの疼痛機構は，末梢だけでなく中枢神経機構の機能変調を示唆

する．そしてこれらの所見はヒトでの神経障害性疼痛の臨床的特徴を反映する．

3) 末梢神経メカニズム

　三叉神経領域を含む神経障害性疼痛の末梢病態生理の研究は，おもに三叉神経節を構成する神経細胞やグリア細胞の機能変化の観察という視点からなされ，多くのメカニズムが示されている(図1)．たとえば，①三叉神経節細胞の興奮性増大，②脱髄部での異所性発火，エファプスの形成，③交感神経の感覚神経への発芽現象[2]，④グリア細胞活性の変化等が挙げられる．基本的には損傷および再生過程に関連する神経機構が，痛みに関与するという考え方である．なかでも脱髄によって引き起こされるエファプスの形成は興味深い．この現象は神経興奮伝導における絶縁伝導の破綻の結果生じる神経線維間の電気的クロストークと解釈できる．本来，非侵害刺激を伝えるAβ線維の興奮が侵害受容線維であるAδまたはC線維に伝えられ，痛みを引き起こすことからアロディニアをもたらす末梢神経機構として考えられている．またバスケット形成といわれる交感神経の三叉神経節への発芽現象は，末梢神経での痛覚処理機構への自律神経を介した体液性機能の関与を示唆する．三叉神経におけるNaチャネルなどチャネル機能の変調[3]や，TRPV1チャネルなど侵害応答に関連するタンパクの発現変化，神経損傷に伴うニューロンとグリア細胞のクロストークの変調が疼痛発現の基盤である所見も示されている[1,3]．以上のように，末梢神経の損傷は，末梢神経系において構造的，分子的，生理学的に劇的な変化をもたらし，その結果，神経障害性疼痛が発生する．

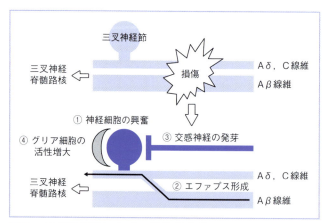

図1　神経損傷時における機能的変化
末梢神経の損傷によって，三叉神経節の神経細胞の興奮性はさまざまなメカニズムによって変調され，痛みの発生や持続に関与する．

4）中枢神経メカニズム

　口腔顎顔面領域の神経障害性疼痛における中枢神経機構に関する研究は，三叉神経脊髄路核尾側亜核（以下，Vc），つまり二次ニューロンレベルで活発に行われてきた．Vcは口腔顎顔面領域から侵害情報を受け取る最初の中枢神経組織であると同時に，上位脳からの下行性入力を受け，疼痛情報の調節が行われる部位でもある．神経障害性疼痛の制御における中枢指向性の薬剤の有効性が示されている現状を考慮すると，疼痛のメカニズムはVcを含む上位脳，特にVcの機能を調節する下行性疼痛抑制系の変調が重要になる．

　脳幹に位置する吻側延髄腹側部（rostral ventral medulla：RVM）は，Vcや脊髄への下行性入力を介し痛みを制御する．古典的なRVMの機能は疼痛の抑制である．しかし疼痛発生後の時間経過など状況次第では痛みの「促進」に関与する．たとえば，モデル動物を用いた研究によると，眼窩下神経を損傷した5日後，顔面皮膚にみられる疼痛関連行動は，RVMの興奮性を阻害しても変化を認めなかったが，14日後ではRVMの興奮性を阻害すると疼痛関連行動が軽減していた[4]．

　三叉神経障害に伴うVcでの興奮性の上昇が痛みの発症や持続に重要である．そして，その現象の基盤となるVcの機能変化として，多くの疼痛関連受容体，神経伝達物質の機能やグリア細胞活性[1]の変化などが示されている．詳細は他書に譲るが，いずれもVcの興奮性の上昇を支持する重要な所見である．またRVMなど，Vcの興奮性の変調を制御する上位脳の機能は，三叉神経の損傷後，経時的に変化する[4]ことから，疼痛処理に関わる脳機能は，時間経過に伴い変化することを示唆する（図2）．つまり神経障害性疼痛が生じた場合，より

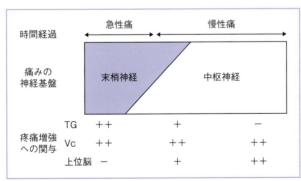

図2　神経障害性疼痛モデルにおける時間経過と痛みのメカニズムの関係
慢性疼痛では神経基盤が末梢神経系（TGなど）から中枢神経系に移行しているとされる．口腔顔面領域ではVcの興奮性が重要であるが，Vcの興奮性の上昇に影響を与える上位脳の機能は神経損傷後，時間経過に伴い変化する．＋：関与あり，＋＋：深い関与，－：関与なし・または弱い．

早い段階での疼痛制御が重要である．さらに神経障害性疼痛が慢性状態と判断される場合，健常状態とは異なる中枢神経機能の変調を意識した診断，治療法の選択が重要になるといえる．

（岡本圭一郎）

文　献
1) Masamichi Shinoda, Suzuro Hitomi, Koichi Iwata, Yoshinori Hayashi: Plastic changes in nociceptive pathways contributing to persistent orofacial pain. J Oral Biosci 64(3)：263-270, 2022
2) McLachlan EM, Janig W, Devor M, Michaelis M: Peripheral nerve injury triggers noradrenergic sprouting within dorsal root ganglia. Nature 363: 543-546, 1993
3) Masamichi Shinoda, Yoshiki Imamura, Yoshinori Hayashi, Noboru Noma, Akiko Okada-Ogawa, Suzuro Hitomi, Koichi Iwata: Orofacial Neuropathic Pain-Basic Research and Their Clinical Relevancies. Front Mol Neurosci 6; 14: 691396, 2021
4) Okubo M, Castro A, Guo W, Zou S, Ren K, Wei F, Keller A, Dubner R: Transition to persistent orofacial pain after nerve injury involves supraspinal serotonin mechanisms. J Neurosci 33: 5152-5161, 2013

第2部 口腔顔面痛の病態

3 痛覚変調性疼痛

SBO
Ⅰ．痛覚変調性疼痛の概要を理解する．
Ⅱ．末梢神経系・中枢神経系の病態生理と痛みのメカニズムを理解する．

1）第三の痛みの機序分類──痛覚変調性疼痛

1─背景

1994年に「神経系の一次的な傷害や機能障害（dysfunction）に起因する痛み」として「神経障害性疼痛」が定義されたが，2011年には「体性感覚神経系の病変や疾患 lesion or disease によって生じる痛み」と変更された．この定義の変更により，「侵害受容性疼痛」および「神経障害性疼痛」に加えて病変や疾患を直接の原因とせずに生じる痛みの分類が必要になった．

2─定義

2017年に国際疼痛学会から提唱された「痛覚変調性疼痛（nociplastic pain）」は「痛覚の変化によって生じる痛みであり，末梢の侵害受容器の活性化を引き起こす組織損傷，またはその恐れの明白な証拠，あるいは，痛みを引き起こす体性感覚系の疾患や傷害の証拠がないにもかかわらず生じる痛み」と定義されている．

これに続いて2018年，国際疾病分類第11版（ICD-11）に慢性疼痛（MG 30）の分類が加わった．なかでも慢性一次性疼痛（MG 30.0）は，「3か月以上持続または再発し，有意な感情的苦痛または有意な機能障害（日常生活の活動への干渉および社会的役割への干渉）に関連し，説明困難な一つ以上の解剖学的領域における疼痛である．別の慢性疼痛分類によって説明できないものであり，多くの病因が不明な慢性痛のために作成された現象学からの定義．なお疼痛を引き起こす生物学的知見については存在していてもよい（愛知医科大学疼痛医学講座訳）」と説明されており，その背景には痛覚変調性疼痛の機構があることが前提となっている．また慢性一次性疼痛は**表1**に示す

表 1　痛覚変調性疼痛が想定される疾患　(ICD-11 for Mortality and Morbidity Statistics(Ver: 01/2023)をもとに作成)

分類 (慢性疼痛 MG 30)	亜分類	対応する疾患名の例※
慢性一次性疼痛 (MG 30.0)	1. 慢性広範囲一次疼痛(CWP) 　　　　　　　　　　(MG 30.01)	線維筋痛症
	2. 複合性局所疼痛症候群(CRPS) 　　　　　　　　　　(MG 30.04)	
	3. 慢性一次性頭痛あるいは口腔顔面痛　　　　　　　　　　(MG 30.03)	慢性片頭痛(8A80.2)／慢性緊張型頭痛(8A81.2)／慢性一次性顎関節痛／慢性一次性口腔顔面痛／口腔灼熱痛症候群(DA0F.0)など
	4. 慢性一次性内臓痛　(MG 30.00)	慢性一次性胸痛症候群／慢性一次性腹部痛症候群／慢性一次性膀胱痛症候群／慢性一次性骨盤痛症候群／慢性一次性心窩部痛症候群／過敏性腸症候群(DD91.0)など
	5. 慢性一次性筋骨格系疼痛 　　(口腔顔面痛以外) (MG 30.02)	慢性一次性腰痛／慢性一次性頸部痛／慢性一次性胸部痛／慢性一次性上下肢痛
	6. その他の特定慢性一次性疼痛 　　　　　　　　　　(MG 30.0y)	
	7. 特定されない慢性一次性疼痛 　　　　　　　　　　(MG 30.0z)	

※　疾患としてすでに別分類でコードが付与されているものはそのコードを示した.
正式な ICD-11 の日本語訳は未公表であり，本訳は筆者による暫定訳である.

ようにおもに七つに分類され，慢性一次性頭痛や慢性一次性口腔顔面痛(MG 30.03)もこのなかに含まれている.

3 — 臨床的特徴

Kosek らは，運動器疼痛に関して以下に示す痛覚変調性疼痛の特徴を挙げている.
・痛みが 3 か月を超えて持続する.
・痛みが限局的部位ではなく，広がった部位に訴えられる.
・痛みが侵害受容性疼痛や神経障害性疼痛では説明できない.
・痛みを訴える部位における過敏の所見がある.

臨床的診断には図 1 〜 3 に示すフローチャートが参考になる.また，痛覚変調性疼痛が想定される疾患を表 1 および表 2 に示す.

4 — 疫 学

有病率は一般に女性のほうが高く，地域や社会的階層には関係しないといわれている.また，痛覚変調性疼痛の罹患率は 5 〜 15％であると推定されている.

5 — 治療法

生活習慣改善，認知行動療法，また催眠療法といった方法を統合した学際的なケアプロ

3 痛覚変調性疼痛

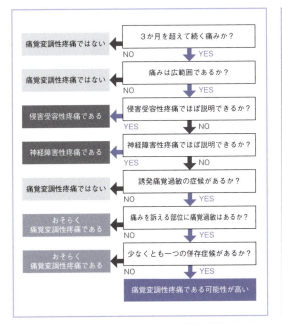

図1 運動器疼痛における痛覚変調性疼痛の IASP 臨床的診断　（Nijs J. et al, 2021[9] を改変）

図2 がん性疼痛における痛覚変調性疼痛の IASP 臨床的診断　（Nijs J. et al, 2023[8] を改変）

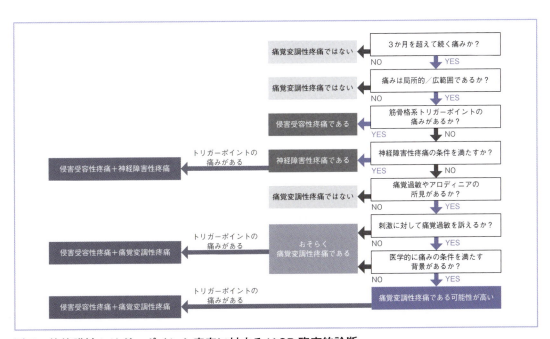

図3 筋筋膜性トリガーポイント疼痛に対する IASP 臨床的診断

（Fernández-de-las-Peñas et al, 2023[10] を改変）

表2 痛覚変調性疼痛が想定される口腔顔面痛を呈する疾患
(国際口腔顔面痛分類(ICOP)を改変)

国際口腔顔面痛分類 (ICOP)第1版	疾患名
2.1.2	慢性一次性筋筋膜性口腔顔面痛
3.1.2	慢性一次性顎関節痛
5.1.2	慢性口腔顔面片頭痛
5.3.1.2	慢性群発口腔顔面痛発作
5.3.2.2	慢性発作性片側顔面痛
6	特発性口腔顔面痛
-6.1	-口腔灼熱痛症候群(BMS)
-6.2	-持続性特発性顔面痛(PIFP)
-6.3	-持続性特発性歯痛(PIDAP)
-6.4	-疼痛発作を伴う持続性片側顔面痛(CUFPA)

グラムが必要である．また薬物療法では，一般に副作用の点からオピオイドは推奨されていない．Non-steroidal anti-inflammatory drugs：NSAIDs や局所麻酔薬の有効性は低い．ガバペンチノイド，serotonin-noradrenaline reuptake inhibitor：SNRI，三環系抗うつ薬といった中枢作用性の非オピオイド鎮痛薬はある程度の効果をもたらす可能性はあるが，有効な薬物療法はまだ確立されていない．

2) 末梢神経系の病態生理

炎症や傷害といった末梢の侵害受容器の活性化や，下顎智歯抜歯により下歯槽神経を損傷するといったことで生じる体性神経系の病変では説明できない痛みが痛覚変調性疼痛の特徴である．

Shraim らは，Delphi 法という手法を用いて，痛みの症状が侵害受容性疼痛，神経障害性疼痛あるいは痛覚変調性疼痛のどれにあてはまるかを疼痛に関わる有識者らの意見を分析している．この分析によると痛覚変調性疼痛は広汎性に痛みが生じ，疲労や睡眠障害といった複数の体性症状を伴う特徴をもつ．これは，後述する中枢性感作により説明されるメカニズムと一致している．また一般的に末梢神経ブロック，リドカインなどを用いた局所麻酔薬やNSAIDs に対する反応性は低いことが特徴である．このことは痛覚変調性疼痛が末梢性に生じる病態ではないことを裏付けている．

3) 中枢神経系の病態生理

1―中枢性感作

臨床では，器質的な病変がないにも関わらず痛みを訴える患者や痛みの訴えと傷害部位

が一致しないこと，また傷害が治癒したあとも痛みを訴える患者にしばしば遭遇する．これは慢性疼痛の機構である痛覚変調性疼痛の特徴である．痛覚変調性疼痛の病態には中枢性感作がある．中枢性感作とは中枢神経系内のシグナル伝達を増幅させ，神経の可塑的変化を起こし，痛みの感受性を増大させることである．中枢性感作は痛みの閾値の低下（アロディニア）や痛覚過敏を引き起こす過程となる．

　中枢性感作の概念は，1980年代にWoolfにより提唱された．彼は継続する末梢の侵害入力を増幅する脊髄のメカニズムに関して中枢性感作という用語を使った．しかし，末梢の侵害受容器の活性化がない状態でも，中枢性感作は中枢神経系で痛みを変化させ，歪曲させ，増幅させる．また中枢性感作には活動依存的なシナプスの可塑性に加えて，中枢神経の周囲に存在するグリア細胞であるミクログリアやアストロサイト，中枢神経細胞間を結合するギャップ結合，膜興奮性，また遺伝子転写の変化などが関与していると考えられている．

　中枢性感作の概念ができるまでは，末梢の傷害や炎症がないにも関わらず，有害ではない刺激，つまり低閾値や無害な入力によって痛みが生じるといった，病態を伴わない痛みは一般的にはあまり理解されず，心身症や身体表現性障害などのあいまいな病名が付けられてきた．しかし，中枢性感作の発見により，このように実体のない幻覚のようなものとみなされることもあった痛みも，実体を伴う痛み体験として対処すべきであると認識されるようになった．器質的病変がない部位に痛覚過敏がみられる，このような中枢性感作が関わる病態は，痛覚変調性疼痛の典型的な表現型である．

4）痛みのメカニズム

1─痛み体験を生み出している脳内神経ネットワーク（図4）

　Melzackは，1999年に痛み関連脳内神経ネットワークの概念を提唱した．1991年以降，MRIなどの脳機能画像化手法を用いて，脊髄後角および三叉神経脊髄路核から上行した侵害受容情報が，おもに脳内の腕傍核，中脳水道周囲灰白質（periaqueductal gray：PAG），脳幹網様体，および，一部は視床に伝えられ，それらからさらに扁桃体，帯状回，および体性感覚野などの広範囲の脳領域を活性化することが明らかにされてきた．これらの脳領域を集合的に痛み関連脳内神経ネットワーク（痛みネットワーク）と呼ぶ．

　痛みには感覚としての成分，情動としての成分，また認知としての成分があると概念化されており，特に慢性疼痛では情動的，認知的要素が患者のQOLに大きな影響を及ぼす．慢性疼痛患者では前頭前皮質，扁桃体，側坐核といった情動に関わる領域に変化が生じると報告されている．また皮質体性感覚野，島皮質，前頭前皮質など認知に関与する部位でも変化が生じる．

　痛覚変調性疼痛の背景にある中枢性感作が生じると，脊髄後角および三叉神経脊髄路核

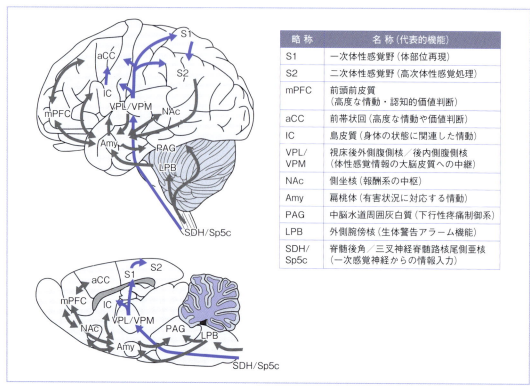

図4 痛み関連脳内神経ネットワーク(ヒトとげっ歯類の代表的部位とその機能)(加藤，2020[17]改変)

に投射された二次ニューロンや，より上位中枢である痛みネットワーク領域へ投射される三次ニューロンにも可塑的変化が生じ，器質的病変がなくても痛覚過敏が生じる．

2―痛みを調節する下行性疼痛制御系※(図5)

痛みは情動的および認知的な要因により，状況に応じて多様に変化するといわれている．たとえば，生物は重大な痛みを引き起こす怪我などをしても，捕食者といった脅威から逃げることができる．これは「ストレス誘発性鎮痛」である．反対に，軽度のストレスや不安によって痛みは強くなる可能性がある．これは「ストレス誘発性痛覚過敏」である．こういった状況に応じた痛みの調節機構の一つに下行性疼痛制御系がある．

下行性疼痛制御系とは，脊髄や先述した痛みネットワークを含む幅広い脳領域からの情報をPAGを介して，あるいは直接的に，おもに吻側延髄腹内側核(rostral ventromedial medulla：RVM)や青斑核(locus coeruleus：LC)へ伝達し，さらにその情報を脊髄後角および三叉神経脊髄路核に伝え，二次ニューロンの活動に影響を与えて，痛みを調節する機構で

※ 他章では文章によって「下行性疼痛抑制系」と表記．

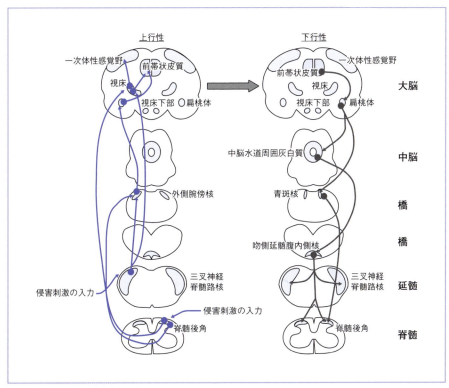

図5 侵害受容情報の代表的な上行性経路および下行性疼痛制御系

ある．RVMに含まれる大縫線核（nucleus raphe magnus：NRM）はおもにセロトニン（5-HT）ニューロンを，青斑核はノルアドレナリン（NA）ニューロンを含有し，脊髄後角および三叉神経脊髄路核において，5-HTやNAを放出し，疼痛調節に関わる．

特に痛みの調節に重要な領域であるRVMでは，ON cell，OFF cellおよびNEUTRAL cellの異なる機能を有する3タイプのニューロン群が存在する．この3種類のニューロンは脊髄後角へ投射し，ON cellは脊髄後角に存在する侵害受容ニューロンの活動を亢進させ，OFF-cellは抑制する．NEUTRAL cellは役割が明確にはわかっていないが，一説には，慢性疼痛状態などでは活性を変化させ，ON cellやOFF cell様の応答を示すといれている．また，ON cell亢進時にはOFF cellが抑制され，脊髄後角に存在する侵害受容ニューロン活動に対し相反する調節作用を示す．

痛覚変調性疼痛でみられるような中枢性感作が生じているときには，ON cellの活動が亢進し，脊髄後角の侵害受容ニューロン活動が亢進して脊髄から高位中枢へ送られる侵害情報は増加し，結果として痛みの閾値は低下し，痛覚過敏が生じる．

口唇部に炎症を誘発させると，器質的異常がない両側下肢に痛覚過敏が生じるという我々が開発した痛覚変調性疼痛モデル動物にガバペンチノイドを投与したところ，生じていた痛

覚過敏を改善させることができた．しかしながらSNRIであるデュロキセチンを投与したところ過敏を改善しなかった．おそらく，痛覚変調性疼痛にも異なる脳機構が関与するさまざまなタイプがあり，可塑的変化を生じている脳領域により奏効する薬物が異なる可能性があるため，メカニズムの解明や治療法の確立にはさらなる研究が必要である．

（矢島愛美）

文　献

1) 加藤総夫：痛覚変調性疼痛（nociplastic pain）─痛みの第3の機構．ペインクリニック 43: 35-42，2022
2) 加藤総夫：痛覚変調性疼痛（nociplastic pain）Q & A．ペインクリニック 43: 1023-1029，2022
3) 加藤総夫：なぜ，どのように痛覚は可塑的に変調されうるのか？─痛覚変調性疼痛の生物学的基盤と扁桃体中心核─．ペインクリニック 43: 1311-1318，2022
4) ICD-11 for Mortality and Morbidity Statistics (Version: 01/2023) https://icd.who.int/browse11/l-m/en
5) 日本口腔顔面痛学会・日本頭痛学会共訳：国際口腔顔面痛分類（ICOP）第1版．
6) International Association for the Study of Pain. IASP Terminology.
7) Kosek E, Clauw D, Nijs J, Baron R, Gilron I, Harris RE, Mico JA, Rice ASC, Sterling M: Chronic nociplastic pain affecting the musculoskeletal system: clinical criteria and grading system. Pain 162: 2629-2634, 2021
8) Nijs J, Lahousse A, Fernández-de-las-Peñas C, Madeleine P, Fontaine C, Nishigami T, Desmedt C, Vanhoeij M, Mostaqim K, Cuesta-Vargas AI, Kapreli E, Bilika P, Polli A, Leysen L, Elma Ö, Roose E, Rheel E, Yılmaz ST, De Baets L, Huysmans E, Turk A, Saraçoğlu İ: Towards precision pain medicine for pain after cancer: the Cancer Pain Phenotyping Network multidisciplinary international guidelines for pain phenotyping using nociplastic pain criteria. Br J Anaesth 130(5), 2023
9) Nijs J, Lahousse A, Kapreli E, Bilika P, Saraçoğlu İ, Malfliet A, Coppieters I, De Baets L, Leysen L, Roose E, Clark J, Voogt L, Huysmans E: Nociplastic Pain Criteria or Recognition of Central Sensitization? Pain Phenotyping in the Past, Present and Future. J Clin Med 10: 3203, 2021
10) César Fernández-de-las-Peñas C, Nijs J, Cagnie B, Gerwin RD, Plaza-Manzano G, Valera-Calero JA, Arendt-Nielsen L: Myofascial Pain Syndrome: A Nociceptive Condition Comorbid with Neuropathic or Nociplastic Pain. Life 13(3): 694, 2023
11) Fitzcharles MA, Cohen SP, Clauw DJ, Littlejohn G, Usui C, Häuser W: Nociplastic pain: towards an understanding of prevalent pain conditions. Lancet 397: 2098-2110, 2021
12) Shraim MA, Sluka KA, Sterling M, Arendt-Nielsen L, Argoff C, Bagraith KS, Baron R, Brisby H, Carr DB, Chimenti RL, Courtney CA, Curatolo M, Darnall BD, Ford JJ, Graven-Nielsen T, Kolski MC, Kosek E, Liebano RE, Merkle SL, Parker R, Reis FJJ, Smart K, Smeets RJEM, Svensson P, Thompson BL, Treede RD, Ushida T, Williamson OD, Hodges PW: Features and methods to discriminate between mechanism-based categories of pain experienced in the musculoskeletal system: A Delphi expert consensus study. Pain 163: 1812-1828, 2022
13) Warner DS, Woolf CJ, Ch B: CLASSIC PAPERS REVISITED Central Sensitization Uncovering the Relation between Pain and Plasticity. 2007 Available: http://pubs.asahq.org/anesthesiology/article-pdf/106/4/864/363132/0000542-200704000-00028.pdf　Accessed 19 Feb 2023
14) Woolf CJ: Central sensitization: Implications for the diagnosis and treatment of pain. Pain 152(3 Suppl)：S2-15. 2011
15) Woolf CJ. Evidence for a central component of post-injury pain hypersensitivity. Nature 1983; 306: 686-688, 1983
16) 加藤総夫：第8章 体性感覚．本間研一監修，標準生理学 第9版，医学書院，東京，2019
17) 加藤総夫：痛みの脳科学．田口俊彦，飯田宏樹，牛田享宏監修，疼痛医学，医学書院，東京，2020
18) Melzack R: From the gate to the neuromatrix. Pain (Suppl 6), 1999
19) Sugimoto M, Takahashi Y, Sugimura YK, Tokunaga R, Yajima M, Kato F: Active role of the central amygdala in widespread mechanical sensitization in rats with facial inflammatory pain. Pain 162: 2273-2286, 2021
20) Fields H: State-dependent opioid control of pain. Nat Rev Neurosci 5: 565-575, 2004
21) Miki K, Zhou QQ, Guo W, Guan Y, Terayama R, Dubner R, Ren K: Changes in gene expression and neuronal phenotype in brain stem pain modulatory circuitry after inflammation. J Neurophysiol 87: 750-760, 2002
22) Chen Q, Heinricher MM: Shifting the Balance: How Top-Down and Bottom-Up Input Modulate Pain via the Rostral Ventromedial Medulla. Front pain Res (Lausanne, Switzerland) 3: 932476, 2022
23) Yajima M, Sugimoto M, Sugimura YK, Takahashi Y, Kato F: Acetaminophen and pregabalin attenuate central sensitization in rodent models of nociplastic widespread pain. Neuropharmacology 210: 109029, 2022
24) Ren K, Dubner R: 49 Descending Control Mechanisms. Basbaum AI, Bushnell C ed, Science of Pain, Academic Press, 2009

4 がん性疼痛

SBO
Ⅰ．がん性疼痛発症の特殊性を理解する．
Ⅱ．がん性疼痛に関わる発痛物質と中枢神経の働きを知る．

　がん性疼痛の発生頻度は，乳がん患者の19％に次いで頭頸部がん患者では18％と2番目に高い[1]．末期・進行がんでは75～90％に増加し，うち45～80％の患者では非ステロイド性抗炎症薬が奏功しない治療困難な痛みを強いられる[2]．口腔扁平上皮がんでは，ほとんどの患者で初診時すでに発生しているとの報告がある[3]．口腔内の痛みは摂食嚥下に障害をもたらすため，栄養状態やQOLを著しく低下させ，体幹部のがんよりもより深刻な状態に陥りやすい．がん性疼痛は治療やその他二次的に関連する痛み（口内炎痛や術後痛）を一般的に含み，さらには精神的・社会的苦痛も含める場合がある．

1）末梢性機序

　がんは細胞の代謝亢進・細胞分裂過多を特徴とし，酸（プロトン），膜脂質，ATPを過剰に分泌しており，自由神経終末における侵害受容チャネルTRPV1，TRPA1，P2Xを活性化して痛みを誘発する[5-7]（図1）．また，本来は組織形成の際に必要とされるエンドセリン-1（ET-1），セリンプロテアーゼ，神経成長因子（nerve growth factor：NGF）も過剰分泌され，各受容体を介してリン酸化や膜輸送促進による侵害受容チャネルの反応増強を引き起こす[8-9]．すでにメタアナリシスにて，エンドセリン受容体拮抗薬のアトラセンタンは臨床にて有効ながん性疼痛抑制薬であることが証明されている[10]．

　口腔がんの治療には放射線化学療法が用いられる．口腔内に金属補綴物があると放射線照射により口内炎が生じ，抗がん剤による上皮再生能低下によって口内炎治癒が遅延する．口内炎痛は粘膜バリア損傷による口腔内細菌由来の感染性粘膜炎によるものであり，抗がん剤による白血球数減少は炎症を増悪させる[11]．疼痛発生には，TRPV，TRPA1およびエンドセリン受容体の活性化が関与する[11, 12]．口腔がんの第一選択薬とされるシスプラチンは，本剤自体による口腔粘膜でのアロディニア発生があるものの，好中球活性化

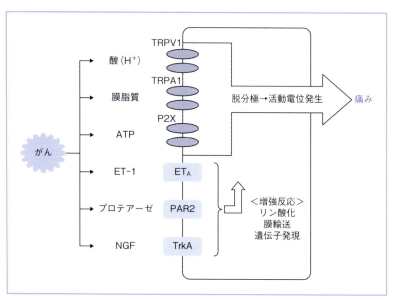

図1　がん性疼痛の末梢性機序
炎症は弱い．神経障害は硬組織で強く軟組織で弱い．

作用により口内炎の炎症症状を緩和する傾向にある[13,14]．漢方薬である半夏瀉心湯の含嗽により口内炎疼痛が抑制されることがよく知られているが，ジンゲロール，ショウガオール，イソリクイリチゲニンが有効成分であることが報告されている[15,16]．がん自体による疼痛にも本薬が有効であるかは，今後の研究を待たねばならない．

2）中枢性機序

炎症および神経障害と同様に，感覚二次ニューロンのある三叉神経脊髄路核の領域では，ミクログリアとアストロサイトの活性化が起こる[17-18]（図2）．先行してミクログリアが活性化し，連鎖的に病変支配領域を越えて吻尾の正常領域へ波及する．これに遅れてアストロサイトも活性化するが，ミクログリアの活性化が一過性であるのに対し，アストロサイトの活性化はより持続的である．グリア活性化を抑制するプロペントフィリンにより異所性疼痛の発症は抑制されるものの，病巣での痛みはほとんど抑制されない[18]．つまり，中枢グリア活性化は異所性疼痛の発症には寄与するが（第1部6章参照），末梢性機序に比して病巣自体の痛みへの関与は低い．実際，がん摘出後にがん性疼痛はほぼ消失する．

（小野堅太郎）

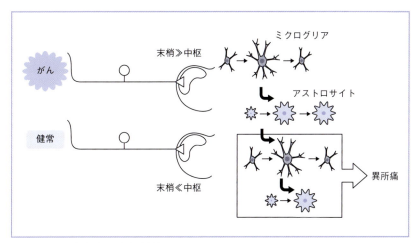

図2　がん性疼痛の中枢性機序

文献

1) Stuver SO, Isaac T, Weeks JC, Block S, Berry DL, Davis RB, Weingart SN: Factors associated with pain among ambulatory patients with cancer with advanced disease at a comprehensive cancer center. J Oncol Pract 8: e17-23, 2012
2) Epstein JB, Elad S, Eliav E, Jurevic R, Benoliel R: Orofacial pain in cancer: Part II-clinical perspectives and management. J Dent Res 86: 506-518, 2007
3) Lam DK, Schmidt BL: Orofacial pain onset predicts transition to head and neck cancer. Pain 152: 1206-1209, 2011
5) Shinoda M, Ogino A, Ozaki N, Urano H, Hironaka K, Yasui M, Sugiura Y: nvolvement of TRPV1 in nociceptive behavior in a rat model of cancer pain. J Pain 9: 687-699, 2008
6) Ruparel S, Bendele M, Wallace A, Green D: Released lipids regulate transient receptor potential channe(l TRP)-dependent oral cancer pain. Mol Pain 11: 30, 2015
7) Ye Y, Ono K, Bernalbe DG, Viet CT, Pickering V, Dolan JC, Hardt M, Ford AP, Schmidt BL: Adenosine triphosphate drives head and neck cancer pain through P2X2/3 heterotrimes. Acta Neuropathol Commun 2: 62, 2014
8) Pickering V, Jay Gupta R, Quang P, Jordan RC, Schmidt BL: Effect of peripheral endothelin-1 concentration on carcinoma-induced pain in mice. Eur J Pain 12: 293-300, 2008
9) Lam DK, Dang D, Zhang J, Dolan JC, Schmidt BL: Novel animal models of acute and chronic cancer pain: a pivotal role for PAR2. J Neurosci 32: 14178-14183, 2012
10) Qiao L, Liang Y, Li N, Hu X, Luo D, Gu J, Lu Y, Zheng Q: Endothelin-A receptor antagonists in prostate cancer treatment: a meta-analysis. Int J Clin Exp Med 8: 3465-3473, 2015
11) Yamaguchi K, Ono K, Hitomi S, Ito M, Nodai T, Goto T, Harano N, Watanabe S, Inoue H, Miyano K, Uezono Y, Matoba M, Inenaga K: Distinct TRPV1- and TRPA1-based mechanisms underlying enhancement of oral ulcerative mucositis-induced pain by 5-fluorouracil. Pain 157(5)：1004-1020, 2016
12) Nodai T, Hitomi S, Ono K, Masaki C, Harano N, Morii A, Sago-Ito M, Ujihara I, Hibino T, Terawaki K, Omiya Y, Hosokawa R, Inenaga K: Endothelin-1 Elicits TRP-Mediated Pain in an Acid-Induced Oral Ulcer Model. J Dent Res 97: 901-908, 2018
13) Nakatomi C, Hitomi S, Yamaguchi K, Hsu CC, Harano N, Iwata K, Ono K: Effect of cisplatin on oral ulcer-induced nociception in rats. Arch Oral Biol 144: 105572, 2022
14) Nakatomi C, Hitomi S, Yamaguchi K, Hsu CC, Seta Y, Harano N, Iwata K, Ono K: Cisplatin induces TRPA1-mediated mechanical allodynia in the oral mucosa. Arch Oral Biol 133: 105317, 2022
15) Hitomi S, Ono K, Terawaki K, Matsumoto C, Mizuno K, Yamaguchi K, Imai R, Omiya Y, Hattori T, Kase Y, Inenaga K: [6]-gingerol and [6] shogaol, active ingredients of the traditional Japanese medicine hangeshashinto, relief oral ulcerative mucositis-induced pain via action on Na^+ channels. Pharmacol Res 117: 288-302, 2017
16) Miyamura Y, Hitomi S, Omiya Y, Ujihara I, Kokabu S, Morimoto Y, Ono K: Isoliquiritigenin, an active ingredient of Glycyrrhiza, elicits antinociceptive effects via inhibition of Nav channels. Naunyn Schmiedebergs Arch Pharmacol 394: 967-980, 2021
17) Hidaka K, Ono K, Harano N, Sago T, Nunomaki M, Shiiba S, Nakanishi O, Fukushima H, Inenaga K: Central glial activation mediates cancer-induced pain in a rat facial cancer model. Neurosci 180: 334-343, 2011
18) Sago T, Ono K, Harano N, Furuta-Hidaka K, Hitomi S, Nunomaki M, Yoshida M, Shiiba S, Nakanishi O, Matsuo K, Inenaga K: Distinct time courses of microglial and astrocytic hyperactivation and the glial contribution to pain hypersensitivity in a facial cancer model. Brain Res 1457: 70-80, 2012

第2部 口腔顔面痛の病態

5 関連痛

SBO

I. 口腔顔面領域にみられる関連痛の発症機構と特徴を説明できる.

1) 発症機構

　一般に，痛みの原因部位から離れた場所に感じる痛みを関連痛という．たとえば，心筋梗塞の患者は左胸部，左肩，首や下顎などに痛みを訴えることや尿管結石を有する患者は腰痛や大腿部痛を訴えることがよく知られている．さらに口腔顔面領域においては，歯髄炎の患者が耳，こめかみ，頰などの痛みを訴えることは，歯科医師にとっては周知の事実である．従来このような感覚神経支配領域を超えた異所性疼痛は，各領域への侵害刺激を受容する複数の一次侵害受容ニューロンが，延髄または脊髄に存在する同一の二次侵害受容ニューロンに収束することに起因するという「収束説」によって説明されてきた（図1）[1]．たとえば，象牙質を削るとその歯髄に分布する一次侵害受容ニューロンが興奮し，その興奮は三叉神経脊髄路核尾側亜核（Vc）に伝達される．その興奮によりシナプスへ放出されたグルタミン酸が，二次侵害受容ニューロンのAMPA受容体に結合することにより二次侵害受容ニューロンが興奮し，その興奮は視床後内側腹側核に伝達される．そして，

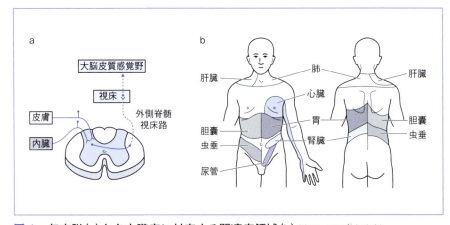

図1　収束説（a）と各内臓痛に対応する関連痛領域（b）（岩田，2020[1]を改変）

視床後内側腹側核においてシナプスを介して三次侵害受容ニューロンが興奮し，最終的に大脳皮質の一次体性感覚野や帯状回に痛み情報が伝えられ初めて「痛い」と認知するのである．二次侵害受容ニューロンには複数の一次侵害受容ニューロンが入力することから，象牙質に痛み刺激が加わると，あたかもその歯以外の歯に痛みが引き起こされたように錯覚してしまうことがある．すなわち，異なる部位を支配する一次侵害受容ニューロンの興奮が同一の二次侵害受容ニューロンに伝わる結果，上位中枢での痛み情報処理過程で別の部位からの侵害刺激であると誤認してしまうという考え方である．しかしながら，すべての関連痛を「収束説」だけで説明するのは難しく，今後の研究が期待される．

2）口腔顔面領域にみられる関連痛

　口腔顔面領域の一次侵害受容ニューロンはVcに投射し，三叉神経第1枝領域からはVcの腹側，三叉神経第2枝領域からは中間部，三叉神経第3枝領域からは背側に投射している（図2）[2]．さらに，口腔顔面領域を支配する一次侵害受容ニューロンは，正中から側方に向かうにしたがって，投射部位はVcの頭側から尾側に変化する．このような解剖学的特徴から，歯に発症する関連痛は疼痛発生源の隣接歯に生じやすい（表1）[3,4]．

　また，頸部より下方の疼痛では正中を越えて反対側に痛みが生じることがあるが，口腔顔面領域においては疼痛発生源の反対側に関連痛が発症することはまれである．さらに，関連痛は疼痛発生源の頭側に発症する．たとえば，腰部が疼痛発生源の場合は胸部に関連痛を生じ，胸部が疼痛発生源の場合は頸部に関連痛を生じる．したがって，頸部が疼痛発生源の

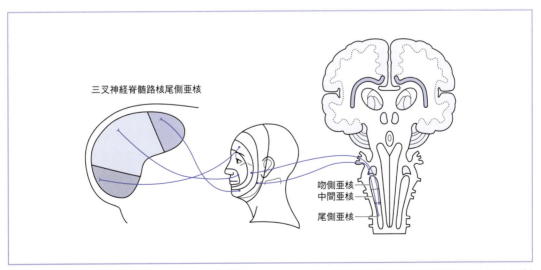

図2　口腔顔面領域を支配する一次侵害受容ニューロンの三叉神経脊髄路核尾側亜核における投射部位（左：水平的位置関係，右：垂直的位置関係）

表1　歯痛の錯誤部位(笹野，他，1994[3])

	近心隣接歯	遠心隣接歯	近心の歯	遠心の歯	反対顎の歯
象牙質知覚過敏症	39%(7/18)	33%(6/18)	11%(2/18)	17%(3/18)	0%(0/18)
歯髄炎	46%(11/24)	25%(6/24)	4%(1/24)	8%(2/24)	17%(4/24)
根尖性歯周炎	50%(1/ 2)	0%(0/ 2)	50%(1/ 2)	0%(0/ 2)	0%(0/ 2)
辺縁性歯周炎	0%(0/ 1)	0%(0/ 1)	100%(1/ 1)	0%(0/ 1)	0%(0/ 1)
計	40%(18/45)	29%(13/45)	9%(4/45)	9%(4/45)	9%(4/45)

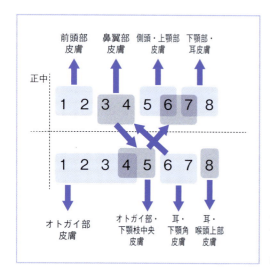

図3　歯に生じる関連痛の特徴
その皮膚領域の痛みの原因歯として可能性の高い歯種を矢印で示す．たとえば，前頭部の痛みは，上顎切歯が原因であることがある．また，下顎小臼歯が疼痛発生源である場合，上顎大臼歯の痛みを訴えることがある．

場合(肩こりなど)は口腔顔面領域に関連痛(顎関節痛など)が生じる．また，口腔顔面領域が疼痛の発生源である場合，非常に激しい原発痛でない限り，頸部に痛みが生じることはめったにない．

　最近，口腔顔面領域を支配する一次侵害受容ニューロンの細胞体がある三叉神経節には衛星細胞や免疫細胞が存在し，それらの細胞と一次侵害受容ニューロンとの間で情報伝達が行われ，一次侵害受容ニューロンの興奮性が調節されていることがわかってきた．たとえば，歯髄炎によって一次侵害受容ニューロンが興奮すると，三叉神経節内の一次侵害受容ニューロンの細胞体からさまざまな分子が放出される．それらの分子が，直接的または衛星細胞を介して間接的に別の一次侵害受容ニューロンの興奮性を増大させることが明らかとなり，このことは口腔顔面領域にみられる関連痛の原因の一つとして考えられる[5,6]．以上のように，口腔顔面領域にみられる関連痛はさまざまなメカニズムが複雑に絡み合って引き起こされると考えられるが，その詳細には不明な点が多く残されている．その全貌を解明するにはさらなる詳細な研究が必要である．

(篠田雅路)

文 献

1) 岩田幸一：感覚機能．森本俊文，山田好秋，二ノ宮裕三，岩田幸一編，歯科基礎生理学，第7版，医歯薬出版，東京，2020
2) Shibuta K, Suzuki I, Shinoda M, Tsuboi Y, Honda K, Shimizu N, Sessle BJ, Iwata K: Organization of hyperactive microglial cells in trigeminal spinal subnucleus caudalis and upper cervical spinal cord associated with orofacial neuropathic pain. Brain Res 1451: 74-86, 2012
3) 笹野高嗣，三條大助：歯痛に関する診断学的研究(Ⅵ)―歯痛錯誤に関する臨床的研究―．日歯保誌 36: 1794-1799, 1994
4) 澁川義幸，田﨑雅和，木村麻紀：口腔と歯の痛み―歯科臨床で必要な基礎事項．日本歯科評論 75: 135-140, 2015
5) Takeda M, Matsumoto S, Sessle B, Shinoda M, Iwata M: Peripheral and Central Mechanisms of Trigeminal Neuropathic and Inflammatory Pain. J Oral Biosci 53: 318-329, 2011
6) Shinoda M, Iwata K: Neural communication in the trigeminal ganglion contributes to ectopic orofacial pain. J Oral Biosci 55: 165-168, 2013

第2部　口腔顔面痛の病態

6　心理状態と痛み

SBO

Ⅰ．口腔顔面領域の「痛み」における精神・心理学的特徴を理解する．
Ⅱ．痛みの治療における精神・心理学的側面からのアプローチを理解する．

1)「痛み」と「精神・心理学的側面」の関係

「痛み」を感じとるということは，いうまでもなく「感覚」の一つである．そもそも「感覚」は，最終的に脳で処理されるという「心的現象」であり，当然「痛み」もその範疇で考えられる．定義上「痛み」は，「情緒的(emotional)なもの」が含まれるとされている．

「痛み」は，その程度や個人の捉え方によるが，概して不快なものであり，特にそれが，原因が明確でなく程度も大きいものであれば，不安，恐怖などの精神状態を引き起こすことは容易に想像できるであろう．ただし，一部の「痛み」あるいは「個人的感覚」においては，必ずしも不快にはならないこともあり得ることは，頭の片隅に置いておく必要はある．「痛み」がその個人にとって不快なものであり，慢性的な状態になれば，不安，恐怖の状態が慢性的に続くことになり，抑うつ状態や破滅的な思考を引き起こすことにもなる．

また，抑うつ状態を呈しうる疾患──うつ病や他の精神病性障害などでは，「痛み」をはじめとした「感覚」の閾値が変動することは知られている[1]．つまり，「痛み」と「精神・心理学的側面」の関係は，原因が明確でなく慢性的な経過をたどる「痛み」では，不安，抑うつなどの精神症状を引き起こし，その精神症状が，「痛み」の閾値を変動させる，という相互に影響しあう関係であるといえる．

この相互作用の関係は，「痛み」を「感覚」と置き換えても成り立つ．歯科治療では，口腔内の環境，状況を大なり小なり変えるような処置がなされるが，この変化は，当然口腔内の「感覚」も変えることになる．しかし，そのことをあまり重要視せずに処置が行われることも多い．これは，一般には「感覚」は「順応」という現象が起きて，ある期間が過ぎるとその変化に慣

れてしまい，何事もなかったかのようにふるまえることが多いからである．しかしながら，変化が大きかったり，他のいくつかの領域に影響が及ぶ場合などは，なかなか「順応」が起きずに，「痛み」や「違和感」などさまざまな「感覚」が変化したまま残存することもしばしばある．この「順応」——「切り換え」の悪さに，精神・心理的側面も関与している可能性もある．そこまで大きな影響が及ばないと考えられる処置——それは治療者がそう考えているだけかもしれないが——でも，「痛み」や好ましくない「感覚」が残存し，その後の治療に苦慮する場合も少なくないであろう．治療を施す前に，この「順応」のしやすさ，影響も考慮されるべきである．また，口腔領域に関連する他の「感覚」としては「味覚」「口臭」「咬合違和感」などがあり，これらの「感覚」も「痛み」と置き換えて，精神心理学的な側面と相互の関係があると考えることは概ね可能である．

2）口腔顔面領域の「痛み」における精神・心理学的特徴[2]

　さらに，口腔顔面領域の「痛み」と，その精神・心理学的側面を考えるときには，口腔顔面領域がもつ以下に示すいくつかの特徴を考慮する必要がある．

① 頭部に存在

　口腔とその周辺は，当然ながら「頭部」にある，ということをまず挙げる．身体に原因がはっきりしない「痛み」や「違和感」などの感覚の異常が出現したとき，それが身体のどこに生じるかで心理的状況は変わってくる．その場合，「頭部」や重要な臓器が位置する体幹の感覚異常は，心理的に不安が強くなりやすいと考えられる．

② 自身で直接見ることができない領域

　自身で自身の頭部（から頸部まで）の何かを確認するときには，鏡やカメラ越しなど間接的な視覚や，触ってみるなどの触覚に頼るしかない．自分の身に何かわからないことが起こっているときに，自分の目で直接的に確認しないともどかしく不安になる．この領域の原因のはっきりしない変化は，不安を増長させる．

③「感覚」が鋭敏である

　口腔とその周囲の領域——歯（歯髄），歯肉，舌，頰粘膜，口唇などは，他の身体の各部位に比べて感覚が鋭敏であるということも，口腔周囲領域の特徴である．口腔内では小さな形態的器質的な変化でも，「感覚」的には大きく捉えるということである．前項で示したとおり，歯科治療ではちょっとした器質的変化でも，「感覚」的に大きく捉えることがあるということである．

④ 毎日意識する領域

　身体のなかでも，特に口腔は，毎日，あるいは毎時刻意識する領域といえる．呼吸は止まらないし，唾液も常に出ている．唾液が少ないと「口渇」になる．食事，会話等口を使わない日はない．また，手を使わないで確認できるというのも大きい．口腔の「感覚」の異常

を訴える患者に「確認しすぎないで」と指導しても，舌や歯を合わせるなどして状態を常に確認できてしまうのも，「感覚」と精神・心理的問題が関連する要素となりえる．

3）痛みの治療における精神・心理学的側面からのアプローチ

　ここまで，口腔顔面領域の感覚について，その特徴と精神・心理学的側面について説明した．これらを踏まえ，この領域の「痛み」の治療へのアプローチを示していきたい．

　重要なのは「説明」である．しっかりした「説明」をするには，呈している「痛み」の病態をしっかり把握せねばならない．この病態把握と「説明」に際して，侵害受容性や神経障害性だけでは解釈が困難な場合も想定し，初めから主病因にはせずとも，常に精神・心理学的側面を考慮した思考考察はあったほうがよい．「痛み」の生じた経過，薬剤使用歴，治療歴，歯科治療がきっかけならば，その際どのような「説明」を受けたか等を聴取し，病態把握としていく．治療が関係している場合は，治療を始める前の「説明」が不十分であることが「痛み」や症状に影響しているということも稀ではない．歯科治療処置後「痛み」が出たときに，あらかじめ「痛み」が生じうること，また持続しうることが「説明」されているかどうかで，その後の症状の軽減や改善，受け入れ方が変わってくる．

　筆者は，その立場から，歯科治療後あるいは「痛み」の急性期の治療後に，改善しないからといって慢性期になった「痛み」の治療を引き受けることがあるが，その場合は，前項で示した特徴を取り入れた「説明」をして治療に取り掛かる．その際は，できるだけこちらからは「精神」や「心理」という言葉は強調せず，「感覚」の特徴として話を進め，本人，家族から「精神」「心理」のワードが出たらそれを受けて，「そのようなことが関与していることがあり得ます」「意識をし過ぎないような状態にすることも大事です」などのように展開している．もちろん，「精神・心理学的側面」が明確であるならば，はっきり伝えるべきではあると思うが，その際も「精神・心理学的側面は，感覚の一部で関与する」という程度にしている．「精神的問題である」という断定もまた，その後の治療を困難にさせることがあるからである．

　薬剤については，抗うつ薬の一部で，一部の「痛み」の軽減に効果を示すエビデンスがあるようであるが，効果がない場合や副作用で使えない場合もしばしばある．これらの薬剤の調整目的で精神科に紹介する際は，「この薬を出してもらってください」といったような薬剤を指定することや，「治るから行って」のような誘導は，治療を困難にするので避けるべきである．

（宮地英雄）

文　献
1）田所千代子，宮岡　等，上島国利：うつ病の経過に伴う身体症状の変化．精神医学 35: 967-973, 1993
2）宮地英雄：口腔顔面領域の慢性痛に対する精神医学治療．ペインクリニック 36: 1-8, 2015

7 ストレスと痛み

第2部 口腔顔面痛の病態

SBO
Ⅰ．ストレス誘発痛の末梢メカニズムを説明できる．
Ⅱ．ストレス誘発痛の中枢メカニズムを説明できる．

　ストレス状態とは，ストレッサーに対する生体の非特異的な反応，あるいは生体の恒常性を障害する刺激に対する反応である（以下，ストレス）．長期に及ぶストレスは，精神的疾患だけでなく身体的な疾患を引き起こす．ストレスは脳神経機能を変調させ，痛みを増大または軽減させるが，長期にわたるストレスは痛みを増大させる（以下，ストレス誘発痛）[1]．さらにストレスは口腔顔面痛の危険因子である．ストレス誘発性の口腔顔面痛を制御するためには，ストレスが引き起こす痛みの脳神経メカニズムの理解が重要になる[2]．

　ストレス誘発痛は，生理的な痛みとは異なる特徴をもつ．たとえば，多くの痛みは末梢組織への侵害入力によって生じるが，ストレス誘発痛はストレスが引き起こす脳神経系機能の変調をトリガーとする．痛みの急性期が不明瞭であり，気がつけば痛みは慢性化している．ストレス誘発痛を制御するためには，痛みが末梢あるいは中枢神経系のいずれのメカニズムに支配されているのかを判断する必要がある[1]（図1）．

1）ストレス誘発痛の末梢神経メカニズム

　ストレスは末梢器官を構造，機能的に変化させ健康障害を引き起こす．

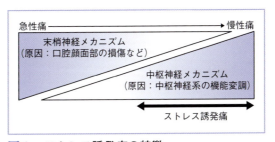

図1　ストレス誘発痛の特徴
慢性ストレスは，おもに中枢神経系の機能を変調させ，痛みを増大させる．よって痛覚変調性疼痛の特徴を強く示す．

たとえば，ストレス時，コルチゾールは，血液や唾液中などで増大する一方，ストレスの種類（心理・身体的ストレスなど）や経過（急性，慢性）によって増大または低下する．またコルチゾールは，抗炎症作用をもつが，過剰な分泌はサイトカインなど炎症性メディエーターの分泌を促進する．口腔顔面痛患者の末梢組織ではさまざまなサイトカインの濃度が増大している[2]．これらの所見は末梢神経メカニズムの変調が，ストレス誘発痛の神経基盤であることを示唆する一方，異論もある．たとえば，末梢での炎症性サイトカイン濃度の上昇や，三叉神経節の興奮性の増大が顎顔面部の痛みと関連性が低いともされる[1,2]．

動物モデルを用いた研究はストレスの制御が容易であることからストレス誘発痛のメカニズムを理解するために有用である．ストレスは血中アドレナリン濃度および疼痛関連行動を増大させるが，副腎を摘出すると疼痛関連行動は低下する．つまりストレスが末梢痛覚系を活性化させることを示す．口腔顔面痛モデルでも，ストレスによる末梢痛覚機構の変調が示されている．たとえば，三叉神経節において，ストレスに関連するサイトカイン機構の活性化が，疼痛関連行動の増大に関連している．

以上よりストレスは末梢神経機構を介する痛覚系に影響を与えていると思われるが，臨床的に問題となる痛みの増大という点では十分なエビデンスは得られていない．ストレスが口腔顔面痛のトリガーであることが想定される場合，ストレス誘発痛の管理は，中枢神経系の機能変調を想定した上で，末梢神経系の変調の原因を探ることが重要になる．

2）ストレス誘発痛の中枢神経メカニズム

図2に，ストレスと痛みを処理する脳内の各部位を提示する．健常者に侵害刺激を加えると，一，二次体性感覚野，島皮質，前帯状回，視床下部，扁桃体，側坐核，中脳水道中心

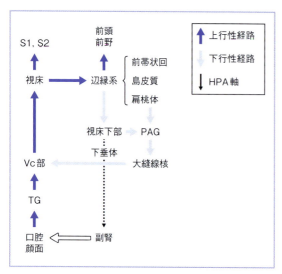

図2　ストレス誘発痛を制御する脳神経機構
慢性ストレスは上行性および下行性の侵害受容メカニズムに作用し，口腔顔面痛を増大させる．
PAG：中脳水道中心灰白質　S1, S2：一，二次大脳皮質体性感覚野　TG：三叉神経節　Vc：三叉神経脊髄路核尾側亜核

灰白質など，多くの領域が活性化される[2,3]．これらの領域はニューロマトリックスと呼ばれ，痛みを感じるとき，一斉に活性化する．一方，ニューロマトリックスの活性化は，末梢組織への侵害刺激がもたらす身体的な痛みに特異的ではなく，痛みの予期，他者との痛みの共感でも活性化される．たとえば，社会的疎外などに起因する心理ストレス状態は，前帯状回や前頭前野を活性化するが，これらの領域は慢性痛でも活性化する．また身近な人が痛みを感じているのをみると，あたかも自分自身が痛みを感じているかのように自分自身の前帯状回や島皮質が興奮する．これらの痛みは，心の痛みともいわれる[3]．慢性痛とストレスが引き起こす負の情動は，それらの基盤となる脳部位を共有している．ストレスはニューロマトリックスを変調させることになり，結果的に痛みを引き起こす．

　大脳辺縁系は，ストレスによる負の情動生成に関与するだけでなく，脳幹部や脊髄の侵害応答を調節し痛みを制御する．扁桃体や前帯状回および視床下部は，下行性疼痛抑制系の主役である中脳水道中心灰白質を介して大縫線核の機能を調節する．大縫線核からの下行性入力は脊髄後角や三叉神経脊髄路核尾側亜核に存在する二次ニューロンの興奮性を調節し，最終的に痛みを調節する．ストレスは以上の領域（図2）を変調し，痛みを増大させる．報酬系や快の情動系は意欲や渇望を支配する脳機能であるが，ストレスはそれらの機能を変調させる．また報酬系機能の低下は下行性疼痛制御系を変調させ，痛みを増大させる[3,4]．ストレスが一連のメカニズムを変調させると，生理的な痛みの中枢メカニズムは連鎖的に変調し，ストレス誘発痛が成立する．以上の所見は口腔顔面痛を対象とした臨床，基礎的な検討によっても示されている．

3）ストレス誘発痛へのアプローチ

　西洋近代医学では，ヒトを心と体に区分し，物質としての体を医学の対象としてきた．すなわち組織から分子レベルにおける生物学的原因を特定し，病気を診断し，治療するということである（生物医学モデル）．急性痛の多くは生物医学モデルで治療可能であるとされる[4]．一方，ストレス誘発痛の場合，事情は異なる．ストレス状態をもたらす要素は多面的であり，単純な因果関係で痛みを説明することは難しいからである．よってストレス誘発痛など慢性痛を治療する場合，個々の患者の病態については，痛みの身体的問題に加え，心理・社会的要因など，患者がもつ問題を多元的にとらえ，治療することが重視されるようになった（生物・心理・社会モデル）．ストレス誘発痛の制御法の開発や，その背景となるメカニズムを解明するためには，臨床・基礎的なアプローチに関係なく，以上の点を意識し，実施することが重要になる．

　　　　　　　　　　　　　　　　　　　（岡本圭一郎，長谷川真奈）

文 献

1) Okamoto K, Hasegawa M, Piriyaprasath K, Kakihara Y, Saeki M, Yamamura K: Preclinical models of deep craniofacial nociception and temporomandibular disorder pain. Jpn Dent Sci Rev 57: 231-241, 2021
2) Shrivastava M, Battaglino R, Ye L: A comprehensive review on biomarkers associated with painful temporomandibular disorders. Int J Oral Sci 13(1):23, 2021
3) 柿木隆介:痛みに伴う脳活動変化. 日本口腔顔面痛学会編, 口腔顔面痛の診断と治療ガイドブック, 第2版, 医歯薬出版, 東京, 24-28, 2016
4) 小山なつ:痛みと鎮痛の基礎知識. 技術評論社, 東京, 2010

痛みの性差

SBO
Ⅰ．性差を示す痛みの病態を説明できる．
Ⅱ．痛みの性差を生じる要因について説明できる．

1) 性差が生じる痛みについて

痛みに性差があることは，広く知られているが，その病態生理は複雑であり，不明な点も多い．これまでのさまざまな研究により，痛みの性差は，生物学的（ホルモン，遺伝的要因），心理学的，社会文化的な要因の相互作用によるものであると提唱されている．

1―性と痛み（生物学的要因）

① ホルモンと痛み

性ホルモンは，生殖器系において重要な役割を担っている．女性の場合，エストロゲンとプロゲステロンの濃度は，月経周期，妊娠中，閉経後を通じて変化する．一方，男性におけるテストステロンレベルは加齢とともに低下する．性ホルモンと痛みの関連性に関する研究データは一貫しておらず，その関連性は複雑であるが，動物モデルやヒトを対象とした研究から，エストロゲンは，侵害受容に対する感受性の増加や，内因性の「痛みの抑制機能」の減弱と関連することが示されている（図1）．

(1) 一次感覚神経とエストロゲン

一次感覚神経である三叉神経節（TG）ニューロンには，エストロゲン受容体が存在しており[1]，エストロゲンがTGニューロンの活動性の変調に関与をしていることが知られている．動物実験では，TGニューロンの興奮には性差が生じることが明らかになっていて（雌のほうが興奮性は大きくなる），いわゆる末梢性感作は起きていないものの，エストロゲンが痛覚の変調に寄与していることが示唆されている[2]．また，エストロゲンによるプロラクチンの増加がTRPV1の活性化を促し，TGニューロンの興奮性を上昇させるという報告もあり，エストロゲンが間接的にTGニューロンの興奮性を変化させているとも考えられている[3]．

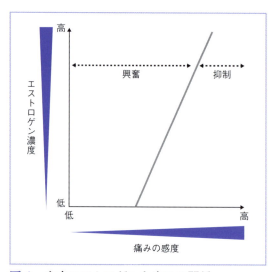

図1 血中エストロゲンと痛みの関係
血中エストロゲン濃度依存的に痛み回路の興奮性は増大，抑制性は減弱する．その結果，血中エストロゲンの濃度が高いと「痛みの感度」は高くなる．

(2) 三叉神経脊髄路核とエストロゲン

　二次ニューロンとなる三叉神経脊髄路核尾側亜核と頸髄の移行部(Vc/C1-2)のニューロンは，中枢神経系への入り口であるばかりでなく，上位中枢からの情報を受け取り，侵害受容機構を調節するという重要な役割を担っている．Vc/C1-2領域の表層部には，エストロゲン受容体陽性ニューロンが多く存在しており[1]，このことはエストロゲンが口腔顔面領域の侵害受容情報の変調に深く関与していることを示している．動物を使った基礎研究では，雌ラットにおいて，血中エストロゲン濃度が高い状態では，Vc/C1-2ニューロン(侵害受容ニューロン)の興奮性増大がみられる[4]．そのメカニズムは現在解明が進められており，たとえば，エストロゲン濃度が高い状態では，グルタミン酸の受容体の一種であるNMDA受容体の活性が上昇していることや，GABAを介した抑制機能が低下することなどが報告されている[5,6]．つまり，体内のエストロゲン濃度が上昇すると，侵害受容ニューロンを興奮させる機能が亢進する一方で，抑制させる機能は減弱するということである．その結果，Vc/C1-2領域の侵害受容ニューロンの興奮性はより増大し，痛みの感受性は高くなる(中枢性感作)と推察され(図1)，このようなエストロゲンによる中枢性感作が，痛みの性差発現の大きな要因となっている．

(3) オピオイド鎮痛機構とエストロゲン

　オピオイド鎮痛効果にも性差があることは知られている．一般的には，臨床研究や動物実験からも，モルヒネの効果は男性のほうが大きいとされているが[7,8]，さまざまな条件の違いにより，男性のほうがモルヒネの効果が小さいという臨床研究もある．このモルヒネ効

果の性差は下行性疼痛抑制系へのエストロゲンの影響が大きい．下行性疼痛抑制系の中継核である中脳中心灰白質（PAG）にはエストロゲン受容体およびμオピオイド受容体（MOR）が発現しており[9,10]，エストロゲンがMORの働きに影響を及ぼしている．このため，内因性の疼痛抑制機構もエストロゲンにより減弱されてしまい，痛みの性差を生み出す大きな要因となる．

一般にμオピオイドを介した抑制系が減弱すると，それに相反しκオピオイドを介した鎮痛効果が増大する．実際に，μオピオイドを介した抑制系が減弱している「高エストロゲン状態の雌ラット」では，κオピオイドを介した鎮痛効果は増大する[11]．さらにエストロゲンによりμオピオイドを介した鎮痛効果が減弱すると，κオピオイドを介した脊髄レベルでの抑制機能は増大することが明らかとなっており[11,12]，新たな治療のターゲットとなる可能性もある．

②遺伝的要因と痛み

遺伝的要素が痛みの性差の一因であることも明らかになってきており，侵害刺激への感度や，神経回路，痛みの認知に影響を与えている．遺伝的要素は，モルヒネ受容体遺伝子（*OPRM1*）[13]や，アドレナリン・ノルアドレナリン・ドパミンなどの，カテコール含有化合物の活性を調節している，カテコール-O-メチルトランスフェラーゼ（COMT）酵素の一塩基多型も痛みの性差に関与する[14]．そのほか，赤毛と美白の存在との関連で知られている，メラノコルチン-1受容体（MC1R）遺伝子が，性差に依存した鎮痛作用と関連することも明らかになった[15]．MC1Rの二つの変異型対立遺伝子をもつ女性は，他の対立遺伝子をもつ男性および女性に比べ，κオピオイド（ペンタゾシン）による鎮痛反応が大きくなる[15]．

2―ジェンダーと痛み（心理的，社会文化的要因）

これまで述べてきたように，性別とは生物学的な男女の区別のことである．これに対して，ジェンダーは，性別に関連した社会的役割のことであり，個人がそれを認識することである[16]．ジェンダーは，心理的，文化的な特徴を通じて，痛みの性差に影響を与える可能性がある．

① 心理的的要因

認知や感情的な要因が，痛みの反応に影響を与えることが示唆されている．我々が感じる「不安」は痛みの認知に大きく関与する．不安の感受性は，女性のほうが高いとされており，さまざまな臨床的あるいは実験的調査から，「不安と痛みの性差」の関連が示されている[17,18]．また，性別は慢性疼痛疾患と「うつ病」の関連に影響を与えることが知られている．実際にうつ病患者において，女性は男性よりも慢性疼痛を訴える可能性が高い[16,19]．

② 社会文化的要因

男性らしさ，女性らしさと痛覚反応の関連についても，研究が行われている[16]．男性らし

さのレベルと痛みの閾値にも関連があるとされ，男性らしさの概念が高い男性ほど，疼痛閾値が高い[16,19,20]．また，社会・文化における性別役割分担も，痛みの性差に影響を与える．女性と男性の「痛み」に対する考え方の違いが痛みに性差を生み出す要因の一つでもあるとの報告もある[16,19]．さらに男女ともに，「理想の男性は女性よりも痛みに強くあるべきだ」と考える傾向があり，この傾向が強い男性は痛覚への耐性が高い一方で，女性は男性よりも容易に痛みを訴えることができる．このような社会文化的要因も，痛みの性差と関連するとの報告もある[21,22]．

2）性差のある痛みが生じるおもな疾患

口腔顎顔面領域の疼痛を招く疾患は，成人人口の約10〜26％が罹患しており，非常に一般的なものである[23]．興味深いことに，代表的な顎関節症，一次性頭痛，神経障害性疾患などを含む口腔顔面領域の疼痛は，女性に非常に多くみられる[23]．また，女性のほうが男性よりも治療を受ける頻度が高いとされ，その割合（男女比）はおよそ1：2である[24]．ここでは，性差のあるおもな口腔顔面痛疾患について紹介する（**表1**）．

1―顎関節症

慢性的な顔面痛のなかで最も多くみられる疾患である顎関節症は，顎関節，顔面，頭部，頸部に影響を及ぼすさまざまな症状から構成され，顎関節の音や顎の動きの制限を伴う．また，咀嚼筋の痛みは，ほとんどの顎関節症患者から報告されており，顎の機能を著しく低下させる．顎関節症は成人女性に多く，人口の5〜12％が罹患しており，女性は男性の約3倍多く発症する[25]．顎関節症では，咀嚼筋の筋筋膜性疼痛が約45.3％，関節円板転位が41.1％，その他の関節障害が30.1％であり[26]，特に咀嚼筋由来の顎関節症は，女性に多くみられる[27,28]．興味深いことに，これらの疾患を患う患者の多くは，頸部や頭部など，他の構造物に関わる痛みを訴えることが多いことから，頸部および頭痛における性別の違いも理解することが不可欠である．

2―頸部痛と頸部原性頭痛（cervicogenic headaches）

頸部痛は，頸部領域の痛みを指す広い用語であり，罹患率は世界人口の16.7％から75.1％と推定され，非常に有病率の高い疾患である[29]．頸部痛は頸部のどの部位にも関係するが，多くの場合，後頭下筋，胸鎖乳突筋，僧帽筋に不快感があり，前頭部，頭頂部，後頭部，側頭部，眼窩部など，他の部位への痛みの広がりがよくみられる．また，頸部痛は頸部原性頭痛と関連することが非常に多く，一般人口の0.4〜2.5％，慢性頭痛患者の15〜20％が罹患しているといわれており，男女比は1：4で，女性の罹患率が高くなっている[30,31]．

表1 おもな口腔顔面痛関連疾患の有病率の性差

疾患名	男女比(男:女)	備考
顎関節症	1:3	性周期に関連
頸部痛・頸部原性頭痛	1:4	
緊張型頭痛	1:1.5	
片頭痛	1:3	性周期に関連
群発頭痛	3:1	
三叉神経痛	1:1.6	閉経後に増加
舌痛症	1:3	閉経後に増加

3―片頭痛

片頭痛は，中等度から重度の，脈打つような痛みやズキズキする痛みで，少なくとも人口の10％がその痛みに苦しめられている[32]．特に周期性の片頭痛に関しては，女性に発症する傾向が強く，女性の約18％，男性の約6％が発症する[33]．

4―緊張型頭痛

緊張型頭痛(TTH)は，一次性頭痛のなかで最もよくみられるタイプである．生涯有病率は80％以上といわれており，ほとんどの人が一生に一度は経験する疾患である．TTHはおもに20～40代に発症し，50代に多くみられる．また，TTHの1年有病率は，女性で86％，男性で63％である[34]．同様に，より最近の研究では，反復性のTTHは，女性の71.6％，男性の49％が罹患し，男性と女性の比率は1:1.5であると報告されている[35]．

5―群発頭痛

群発頭痛(CH)は眼周囲～前頭部・側頭部にかけての激しい頭痛が，数週から数か月の期間群発することが特徴で，TTHや片頭痛と異なり，男性に好発し(男:女＝3:1)，1年間の有病率は約0.53％である[36]．この男女差は生活習慣と関連があり，群発頭痛の患者は，タバコやアルコールの使用がトリガーとなる可能性がある[37]．さらに遺伝的な傾向もあり，一親等の親族においては，群発頭痛の発症率が39倍にもなる[38]．

6―三叉神経痛

三叉神経痛(TN)は，神経障害性疼痛疾患の一つであり，顔面領域の疼痛が最も強い疾患の一つと考えられている．TNはまれな疾患と考えられており，その有病率はあまり報告されていないが，年間10万人あたりのTNの発生率は4.3～27例と推定されている[39]．また，TNは，60歳以上の高齢者や女性に多くみられる(男:女＝1:1.6)特徴がある[39]．

7 ― 舌痛症(口腔灼熱痛症候群)

　舌痛症(口腔灼熱痛症候群, burning mouth syndrome：BMS)は, 舌や口腔粘膜に限局した灼熱痛を特徴とし, 多くの場合, 明らかな異常所見を伴わない. また, 口腔内の乾燥感, 知覚異常, 味覚異常などを伴う. BMS は珍しい疾患ではなく, 一般人口の約 0.7％〜15％ が罹患し, 特に閉経後の中年女性が罹患する[40]. その発症率は男女ともに年齢に比例して増加するが, 女性の方が男性よりも約3倍多く発症する傾向がある[41].

(田代晃正)

文　献

1) Bereiter DA, Cioffi JL, Bereiter DF: Oestrogen receptor-immunoreactive neurons in the trigeminal sensory system of male and cycling female rats. Arch Oral Biol 50: 971-979, 2005
2) Cairns BE, Hu JW, Arendt-Nielsen L, Sessle BJ, et al: Sex-related differences in human pain and rat afferent discharge evoked by injection of glutamate into the masseter muscle. J Neurophysiol 86: 782-791, 2001
3) Diogenes A, Patwardhan AM, Jeske NA, et al: Prolactin modulates TRPV1 in female rat trigeminal sensory neurons. J Neurosci 26: 8126-8136, 2006
4) Tashiro A, Okamoto K, Milam SB, et al: Differential effects of estradiol on encoding properties of TMJ units in laminae I and V at the spinomedullary junction in female rats. J Neurophysiol 98: 3242-3253, 2007
5) Tashiro A, Okamoto K, and Bereiter DA: NMDA receptor blockade reduces temporomandibular joint-evoked activity of trigeminal subnucleus caudalis neurons in an estrogen-dependent manner. Neuroscience 164: 1805-1812, 2009
6) Tashiro A, Bereiter DA, Thompson R, et al: GABAergic influence on temporomandibular joint-responsive spinomedullary neurons depends on estrogen status. Neuroscience 259: 53-62, 2014
7) Fillingim RB, King CD, Ribeiro-Dasilva MC, Rahim-Williams B, Riley JL: 3rd. Sex, gender, and pain: a review of recent clinical and experimental findings. J Pain 10: 447-485, 2009
8) Cepeda MS, Carr DB: Women experience more pain and require more morphine than men to achieve a similar degree of analgesia. Anesth Analg 97: 1464-1468, 2003
9) Ding Y-Q, Kaneko T, Nomura S, et al: Immunohistochemical localization of μ-opioid receptors in the central nervous system of the rat. J Comp Neurol 367: 375-402, 1996
10) Vanderhorst VG, Gustafsson JA, Ulfhake B: Estrogen receptor-alpha and -beta immunoreactive neurons in the brainstem and spinal cord of male and female mice: relationships to monoaminergic, cholinergic, and spinal projection systems. J Comp Neurol 488: 152-179, 2005
11) Lawson KP, Nag S, Thompson AD, et al: Sex-specificity and estrogen-dependence of kappa opioid receptor-mediated antinociception and antihyperalgesia. Pain 151: 806-815, 2010
12) Tashiro A, Bereiter DA, Nishida Y: Estrogen Status Gates Effects of Kappa-Opioid Receptor on Temporomandibular Joint-Responsive Neurons at the Spinomedullary Junction in Female Rats. J Oral Facial Pain Headache 31: 275-284, 2017
13) Fillingim RB, Kaplan L, Staud R, et al: The A118G single nucleotide polymor- phism of the mu-opioid receptor gene (OPRM1) is associated with pressure pain sensitivity in humans. J Pain 6(3)：159-167, 2005
14) Mannisto PT, Kaakkola S: Catechol-O-methyltransferase (COMT)：biochemistry, molecular biology, pharmacology, and clinical efficacy of the new selective COMT inhibitors. Pharmacol Rev 51(4)：593-628, 1999
15) Mogil JS, Wilson SG, Chesler EJ, et al: The melanocortin-1 receptor gene mediates female-specific mechanisms of analgesia in mice and humans. Proc Natl Acad Sci USA 100(8)：4867-4872, 2003
16) Fillingim RB, King CD, Ribeiro-Dasilva MC, et al: Sex, gender, and pain: a review of recent clinical and experimental findings. J Pain 10(5)：447-485, 2009
17) Stewart SH, Asmundson GJ: Anxiety sensitivity and its impact on pain experiences and conditions: a state of the art. Cogn Behav Ther 35(4)：185-188, 2006
18) Keogh E, Eccleston C: Sex differences in adolescent chronic pain and pain- related coping. Pain 123(3)：275-284, 2006
19) Sanford SD, Kersh BC, Thorn BE, et al: Psychosocial mediators of sex differences in pain responsivity. J Pain 3(1)：58-64, 2002
20) Thorn BE, Clements KL, Ward LC, et al: Personality factors in the explanation of sex differences in pain catastrophizing and response to experimental pain. Clin J Pain 20(5)：275-282, 2004
21) Pool GJ, Schwegler AF, Theodore BR, et al: Role of gender norms and group identification on hypothetical and experimental pain tolerance. Pain 129(1-2)：122-129, 2007

22) Wise EA, Price DD, Myers CD, et al: Gender role expectations of pain: relationship to experimental pain perception. Pain 96(3)：335-342, 2002
23) Madland G, Newton-John T, Feinmann C: Chronic idiopathic orofacial pain: I: what is the evidence base ? Br Dent J 191(1)：22-24, 2001
24) Fillingim RB: Sex, gender, and pain: women and men really are different. Curr Rev Pain 4(1)：24-30, 2000
25) List T, Dworkin SF: Comparing TMD diagnoses, clinical findings at Swedish, US TMD centers using research diagnostic criteria for temporomandibular disorders. J Orofac Pain 10: 240-253, 1996
26) Manfredini D, Guarda-Nardini L, Winocur E, et al: Research diagnostic criteria for temporomandibular disorders: a systematic review of axis I epidemiologic findings. Oral Surg Oral Med Oral Pathol Oral Radiol Endod 112(4)：453-462, 2011
27) Johansson A, Unell L, Carlsson GE, et al: Gender difference in symptoms related to temporomandibular disorders in a population of 50-year-old subjects. J Orofac Pain 17(1)：29-35, 2003
28) Bagis B, Ayaz EA, Turgut S, et al: Gender difference in prevalence of signs and symptoms of temporomandibular joint disorders: a retrospective study on 243 consecutive patients. Int J Med Sci 9(7)：539-544, 2012
29) Fejer R, Kyvik KO, Hartvigsen J: The prevalence of neck pain in the world pop- ulation: a systematic critical review of the literature. Eur Spine J 15(6)：834-848, 2006
30) Sjaastad O, Wang H, Bakketeig LS: Neck pain and associated head pain: persistent neck complaint with subsequent, transient, posterior headache. Acta Neurol Scand 114(6)：392-399, 2006
31) Haldeman S, Dagenais S: Cervicogenic headaches: a critical review. Spine J 1(1)：31-46, 2001
32) Lipton RB, Bigal ME, Diamond M, et al: Migraine prevalence, disease burden, and the need for preventive therapy. Neurology 68(5)：343-349, 2007
33) Buse DC, Loder EW, Gorman JA, et al: Sex differences in the prevalence, symptoms, and associated features of migraine, probable migraine and other severe headache: results of the American Migraine Prevalence and Prevention (AMPP) study. Headache 53(8)：1278-1299, 2013
34) Rasmussen BK, Jensen R, Schroll M, et al: Epidemiology of headache in a gen- eral population-a prevalence study. J Clin Epidemiol 44(11)：1147-1157, 1991
35) Lebedeva ER, Kobzeva NR, Gilev D, et al: Prevalence of primary headache disorders diagnosed according to ICHD-3 beta in three different social groups. Cephalalgia 36(6)：579-588, 2016
36) Fischera M, Marziniak M, Gralow I, et al: The incidence and prevalence of cluster headache: a meta-analysis of population-based studies. Cephalalgia 28(6)：614-618, 2008
37) May A: Cluster headache: pathogenesis, diagnosis, and management. Lancet 366(9488)：843-855, 2005
38) Russell MB: Epidemiology and genetics of cluster headache. Lancet Neurol 3(5)：279-283, 2004
39) Katusic S, Beard CM, Bergstralh E, et al: Incidence and clinical features of trigeminal neuralgia, Rochester, Minnesota, 1945-1984. Ann Neurol 27(1)：89-95, 1990
40) Zakrzewska JM, Forssell H, Glenny AM: Interventions for the treatment of burning mouth syndrome. Cochrane Database Syst Rev (1)：CD002779, 2005
41) Bergdahl M, Bergdahl J: Burning mouth syndrome: prevalence and associated factors. J Oral Pathol Med 28: 350-354, 1999

第2部 口腔顔面痛の病態

9 睡眠と痛み

SBO
Ⅰ．痛みと睡眠の双方向性の関係を説明できる．
Ⅱ．痛みの臨床における睡眠の評価方法を説明できる．

　慢性疼痛は急性の侵害受容性疼痛とは異なり，長期にわたる難治性の疼痛により，精神心理的には気分障害，不安障害，認知機能や情動への影響，および破局的思考の形成などが共存する状態を生じやすくさせる．

　このような状態は，睡眠障害のきっかけとなることも多い．実際に慢性疼痛に苦しむ患者にとって，睡眠障害は非常に深刻な問題であり，入眠障害，中途覚醒，早朝覚醒，睡眠の質の低下，および日中の眠気など，生活の質に影響を及ぼすさまざまな病態を呈することが古くから知られている[1]．

　さらに，慢性疼痛や睡眠障害などの状態は，生活の質の低下，医療機関受診機会の増加，医療コストの増加，あるいは就労制限につながることから，社会的にも大きな問題となっていることを考慮しなければならない．しかし，単独の医療者がこれらを総合的に評価して治療介入を行うことは非常に困難である．

　そこで，痛み，特に慢性疼痛が睡眠に及ぼす影響，逆に睡眠が痛みに及ぼす影響についての知識を保有し，専門医への紹介を行う前に，痛みの臨床においてどのように睡眠を評価すべきかについて述べる．

1）痛みが睡眠に及ぼす影響

　Alsaadiら[2]は，腰痛患者80名を対象とした調査から，腰痛が強かった日の夜は，睡眠の質が低下し，睡眠潜時の延長，途中覚醒，および睡眠効率の低下が認められたと報告している．Koffelら[3]は，慢性疼痛の発現が，睡眠に関する訴えの増加に影響することを報告している．このような報告は古くから多く，身体のさまざまな領域で生じた慢性疼痛は，少なからず睡眠に影響を及ぼしているという理解が重要である．

2）睡眠が痛みに及ぼす影響

　Sivertsenら[4]は，睡眠潜時，睡眠効率，および不眠の頻度や程度が疼痛

耐性を低下させ，疼痛感度を上昇させると報告しており，不眠症と慢性疼痛が共存する場合には相乗的に作用することを報告している．Alsaadi ら[2]は，前述の腰痛患者 80 名を対象とした調査から，睡眠の質が低く，寝付きが悪く，中途覚醒があり，睡眠効率が低いと，翌日の腰痛が強くなることも報告している．Heffner ら[5]は，睡眠の質の低さが血中の IL-6 の増加と関連しており，これらが翌日の腰痛強度を高めることを報告している．Harrison ら[6]は，2,493 名のコホート研究で，15 歳の時点における睡眠障害に関する所見の有無が，17 歳時点での筋骨格系の慢性疼痛発現に影響すると報告している．Koffel ら[3]は，睡眠に関する訴えの増加が，慢性疼痛の発現に影響することを報告している．これらを含めた多くの報告から，現在では痛みと睡眠との間には双方向性の関係が存在すると考えられている．

3）痛みの臨床における睡眠の評価

睡眠の評価には，睡眠日誌や質問票を用いる方法[2,5,7]，ポリソムノグラフィー検査による方法，および腕時計型のセンサーを用いる方法[2]，によるものなどがある．

睡眠日誌や質問票に関して，Alsaadi ら[7]は，腰痛患者における不眠症の診断を目的として，Pittsburgh Sleep Quality Index，Insomnia Severity Index，Epworth Sleepiness Scale，および Roland and Morris Disability Questionnaire を評価し，不眠症の検出には Pittsburgh Sleep Quality Index および Insomnia Severity Index が有効であったが，Epworth Sleepiness Scale および Roland and Morris Disability Questionnaire では一定の結果が得られなかったと報告している．

ポリソムノグラフィー検査は睡眠中の異常所見を検出するためのゴールドスタンダードとされている．しかし，痛みと睡眠の双方向の影響を評価しようとした場合，日常環境下での記録計測が困難であることや，連夜の記録測定を行うことができないという制限を有する．

腕時計型のセンサー(図1)は，いくつかのメーカーから販売されている．主要な機能として高精度の加速度センサーを内蔵しており，体動により睡眠と覚醒の判定や，覚醒時の身体活動を定量的に評価することも可能であり，産業分野においても就労管理に利用されている．本センサーの最大の利点は，日常環境下での連続記録計測が可能なことであり，入眠時間，睡眠時間，起床時間などの実生活の状態が把握可能であるため，生活習慣の改善指導や専門医への紹介を行う際の情報としても活用可能である(図2)．また，近年では，おもに加速度センサーと光学式心拍計を備えた手首に装着する多機能なスマートウォッチも市場に出回っており，睡眠を計測して視覚化し，治療に応用することも可能となってきた．

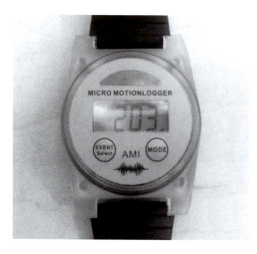

図1　腕時計型センサーの一例
米国AMI社製マイクロ・モーションロガー時計型アクチグラフ

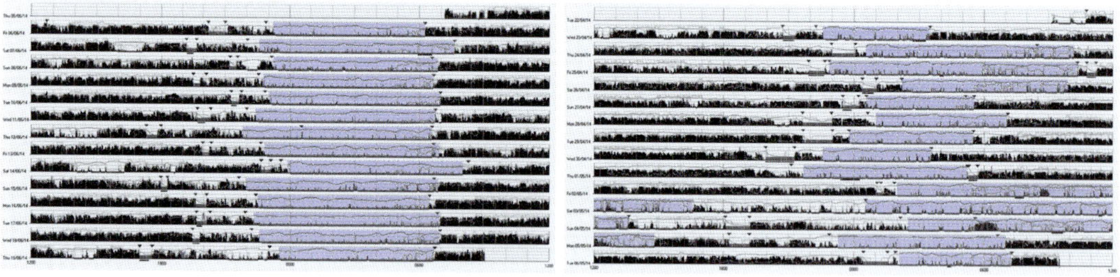

規則的な睡眠　　　　　　　　　　　不規則な睡眠

図2　腕時計型センサーによる2週間連続記録計測データ.
規則的な睡眠が維持できているかどうかが非常に判断しやすい．睡眠は色の区間で示す．

（石垣尚一）

文　献

1) Jarvis S, Toth C: Impact of chronic pain upon anxiety, sleep, and mood dimensions. Toth C, Moulin DE, eds, Neuropathic Pain Cambridge University Press, 322-333, 2013
2) Alsaadi SM, McAuley JH, Hush JM, et al: The bidirectional relationship between pain intensity and sleep disturbance/quality in patients with low back pain. Clin J Pain 30: 755-765, 2014
3) Koffel E, Kroenke K, Bair MJ, et al: The bidirectional relationship between sleep complaints and pain: Analysis of data from a randomized trial. Health Psychol 35: 41-49, 2016
4) Sivertsen B, Lallukka T, Petrie K, et al: Sleep and pain sensitivity in adults. Pain 156: 1433-1439, 2015
5) Heffner KL, France CR, Trost Z, et al: Chronic low back pain, sleep disturbance, and interleukin-6. Clin J Pain 27: 35-41, 2011
6) Harrison L, Wilson S, Munafo MR: Exploring the associations between sleep problems and chronic muscloskeletal pain in adolescents: A prospective cohort study. Pain Res Manag 19: e139-145, 2014
7) Alsaadi SM, McAuley JH, Hush JM, et al: Detecting insomnia in patients with low back pain: accuracy of four self-report sleep measures. BMC Musculoskelet Disord 14: 196-204, 2013

痛みの個人差

SBO
Ⅰ．痛みの個人差が生じる要因を分類して説明できる．
Ⅱ．痛みの個人差が生じる遺伝的要因について説明できる．

　日常の臨床においてしばしば感じるのが，痛みの感じ方や鎮痛薬の効きやすさなどの患者間の違い，すなわち痛みの自覚に対する個人差である．また，疼痛疾患への罹患脆弱性にも個人差があることを感じる．痛みは，主観的，個人的であり，個人差が生じることは容易に推測できる．その個人差を生む要因には，環境や医療行為の影響などの外因性のものと，それ以外に内因性のものとして，生理的要因と遺伝的要因がある．

1）生理的要因

　うつ病に罹患すると脳内のセロトニンやノルアドレナリンの分泌量が減少し，下行性疼痛抑制系の失調や扁桃体の異常反応によって，痛覚過敏になる．そのため，うつ病罹患やうつ傾向へのなりやすさは，痛みの感じやすさの要因であろう．口腔顔面痛患者854名を対象とした慢性疼痛への移行しやすさの要因を調査した研究によると，高い特性不安を有する人，すなわち生来不安が強い人が慢性疼痛に移行しやすいと報告されている[1]．咀嚼筋の筋筋膜痛患者に限定した調査では，PHQ-15（Patient Health Questionnaire-15）によって評価された身体化が高い症例が，病悩期間に影響すると報告されている[2]．これらのうつ，不安，身体化などの根底にあるのは，心理的ストレスと痛みの関係であろう[3]．心理的ストレスの受けやすさは，環境的な要因の影響もあるが，痛みの感じやすさや痛みの長期化しやすさなどの個人差を生む生理的要因と思われる．また，口腔顔面領域の咀嚼筋の筋筋膜痛や神経障害性疼痛は，末梢血行動態に影響を受ける可能性が考えられる．局所の酸素供給不足や各種酵素活性の低下などによって，痛みを伝える神経系に影響を及ぼす可能性がある．すなわち，自律神経系や体温などの生理機能の個人差は痛みの個人差を生むと思われる．口腔顔面領域の筋筋膜痛や神経障害性疼痛にみられる交感神経依存性疼痛は，このような要因を背景として発現の

しやすさに個人差があるのであろう．難治性および長期化する筋筋膜痛にしばしば交感神経依存性疼痛がみられる所以であろう[4]．

2）遺伝的要因

個人差を考えるうえで最も重要なのが遺伝的要因，すなわち遺伝子の違いである．かつては解読が困難であったヒトゲノムの配列が，10年以上に及んだヒトゲノムプロジェクトによって解読され，完全公開された2003年以降，ゲノム科学の医療への応用が急速に進んでいる．

1 ― 遺伝子多型と医療への応用

ある遺伝子のある塩基が，入れ替わったり，欠損したりすることによってヒトの間に個人差が生じる．特にヒトの集団のなかで，この違いが1％以上の頻度で現れるものを遺伝子多型と呼び，これによる差異が個人差の遺伝的要因を決定づけている．遺伝子多型は，さまざまな疾患への罹患しやすさや薬の効果の違いに関わっているとされ，昨今急激に進んだヒトゲノム解析によってデータベース化された遺伝子多型情報が個人の体質的，気質的な傾向を予測できるようになってきている．たとえば，脳梗塞などの血栓塞栓の予防に広く使用されている経口抗凝固薬のワルファリンカリウムは，適正な抗凝固能を維持するためにPT-INRを指標として投与量が調節されるが，その投与量の個人差が20倍以上にもなる．そのため，しばしば過量投与による出血性の合併症が問題となる．その個人差は，薬物感受性と薬物動態に影響するVKORC1（ビタミンKのリサイクルに関係するタンパク質）とCYP2C9（ワルファリンカリウムの代謝に関係する酵素）の遺伝子多型に関連があるとされ，米国ではワルファリンカリウム導入患者に対して事前に迅速遺伝子検査を行い，適切な投与計画が立てられる試みが行われている．このような個別化医療は，日本においても経口分子標的抗がん剤やプロトンポンプ阻害剤などの投与量決定にも行われており，今後多くの治療に導入されることが予想されている．また，三叉神経痛の除痛に使用されているカルバマゼピンの薬剤添付文書には，Stevens-Johnson症候群を引き起こす可能性のあるHLA（ヒト白血球型抗原）分子の多型について注意喚起が記載されている．

2 ― 痛みの感受性と遺伝子多型

末梢で侵害受容器に受容された痛み刺激は，途中でさまざまな修飾を受けながら大脳へと伝達され，痛みとして認識される．この過程において，さまざまな神経伝達物質やその分解酵素，受容体，イオンチャンネルなどが痛み伝達に関与する．これらを形成するタンパク質のベースとなる遺伝子に遺伝子多型がいくつか報告されている．たとえば，アドレナリン，ノルアドレナリン，ドパミンなどのカテコールアミンの代謝酵素であるCOMT（catechol-

O-methyltransferase）は，カテコールアミン作動性神経伝達の調節に大きく関連する．COMT の阻害によって痛みの感受性は増加する．ヒトの COMT 関連の遺伝子多型は，rs4680（遺伝子多型の世界共通 ID 番号）の G から A への置換によって痛みの感受性は下がる[5]．また，いくつかの COMT 関連の遺伝子多型の組み合わせによって，顎関節症の痛みの感受性に個人差を生じさせることも報告されている[6]．さらに，COMT の遺伝子多型 $val^{158}met$ は，脳内において μ オピオイド神経伝達の反応性に影響することも報告されている[5]．数種類の内因性オピオイドペプチドが作用する μ オピオイド受容体の遺伝子多型 rs1799971（A118G）においても，AA と比較して稀少な AG と GG タイプが，咬筋や僧帽筋の圧刺激に対する疼痛閾値が高いことが報告されている[7]．アデノシン三リン酸（ATP）の受容体である $P2X_7$ 受容体の遺伝子多型[8]やカプサイシンを生じさせる TRPV1 というイオンチャンネルの遺伝子多型[9]が，冷感覚に影響することも報告されている．

3 ― 疼痛疾患脆弱性と遺伝子多型

　抜髄，抜歯という歯科治療行為は，日常の歯科臨床で頻繁に行われ，保険請求だけでも日本全国で年間 250 万件以上である．抜髄，抜歯は末梢神経を切断する行為，すなわち三叉神経の末梢端で歯に接続されている歯髄神経を切断する行為である．歯髄神経よりやや中枢側の下歯槽神経を少しでも損傷すると多かれ少なかれ何らかの感覚障害や痛みが必ず出現し，そのほとんどが後遺する．ところが，歯髄神経はほとんどの場合，治療後数日で症状は消失する．だからこそ，抜髄，抜歯は歯科治療行為として確立されている．抜髄や抜歯後に不快な痛みを訴える患者はほとんどいないにもかかわらず，非常に稀少な患者として不快な痛みを訴える者が存在する．非歯原性の神経障害性歯痛であり，古典的には幻歯痛（phantom tooth pain）[10]と呼ばれている．この稀少な症状の出現こそが，個人差であり，すでに溶質キャリアファミリー 17 メンバー 9 の SLC17A9 遺伝子とプリン受容体 P2RY12 遺伝子多型に神経障害性歯痛の疾患脆弱性があることが報告されている[11]．

　顎関節症発症にセロトニントランスポーター遺伝子多型が関連していること[12]，サイトカインのインターロイキン 1-β の遺伝子多型 C3954T が，腰痛や変形性顎関節症発症に関連しているという報告[13]もある．術後にオトガイ部に神経障害性の症状を呈することが多い下顎枝矢状分割術を受けた患者群を対象として，ヒトゲノム全体に散在する数十万もの遺伝子多型を網羅的に判定するゲノムワイド関連解析による末梢神経障害発症の有無についての報告もある．rs502281（ARID1B）遺伝子多型および rs2063640（ZPLD1）遺伝子多型が，術後の感覚鈍麻症状発現と有意な関連を示し，rs2677879（METTL4）遺伝子多型が術後の異常感覚症状と有意な関連を示している[14]．

4─鎮痛薬効果の個人差と遺伝子多型

　顎変形症に対する顎外科手術は，口腔外科手術のなかでは比較的侵襲の大きい手術で，その強い術後痛にはオピオイドなどさまざまな鎮痛薬が応用される．同一手術でありながら患者自己調節鎮痛法（PCA）によるオピオイド使用量は，患者個々で数十倍もの大きな差があることを経験する．その相違には，性別，年齢，肝機能，腎機能，精神心理面などさまざまな影響が考えられるが，個人差の要因の一つとして，オピオイドの鎮痛効果に対する遺伝子的関与がある．モルヒネやフェンタニルなどの標的分子であるヒトμオピオイド受容体遺伝子（OPRM1）上には数多くの遺伝子多型がみつかっており，これら遺伝子多型と痛覚感受性，鎮痛薬感受性や疾患脆弱性との関連解析が多数報告されている．対象患者が10〜30代の若い健常者で，病態，手術侵襲の程度，手術部位，術式，執刀医の技量などをできるだけ一定にした下顎枝矢状分割術において，その術後痛に対するPCAのフェンタニル使用量と遺伝子多型との関連を調査した報告によると，術後24時間のPCAフェンタニル自己投与量にA118G多型（rs17181017とrs1799971）に関連がみられ，GG保有者でAA保有者よりフェンタニル必要量が約2倍多かった[15]．したがって，A118Gがフェンタニルの効果を減弱させ，術後のフェンタニル必要量を増すことが示されている．このようなA118Gがオピオイド感受性に及ぼす影響に関して，同様にPCA法を使って術後一定期間内のオピオイド必要量を定量した他の報告でも，GG保有者はAA保有者またはAG保有者に比較して，オピオイド必要量が多いという類似した結果が報告されている[16]．また，μオピオイド受容体上のA118G以外の遺伝子多型IVS3＋A8449G（rs9384179）も術後のオピオイド必要量に影響する可能性が報告されている[17]．

　オピオイド受容体以外にも，オピオイドの運搬に関与するATP-binding cassette transporter（ABCB1），シトクロムP450（CYP）などのオピオイド代謝酵素，GIRKチャネルなどのオピオイド受容体細胞内伝達系に関連する分子のほか，catechol-O-methyltransferase（COMT），beta-adrenergic receptor（ADRB）など，実にさまざまな分子構造の遺伝子多型がオピオイド感受性に関与する可能性が考えられる[18]．これらがA118GやIVS3＋A8449Gとともに複合的にオピオイドの効果に影響を与える可能性がある．ゲノム解析法の進歩によって，最近は約3万個のヒトの全ゲノム遺伝子上に約100万か所存在する主な多型を網羅的に解析することも可能となってきた．オピオイド感受性の個人差に寄与する遺伝子多型を網羅的に探索するため，ゲノムワイド関連解析（genome-wide association study；GWAS）を施行し，オピオイド必要量と有意な関連を示す多型を複数同定することも可能となった．実際に，前述した下顎枝矢状分割術を受けた患者群の情報にGWASを施行し，FAM119A（rs2952768）多型が同定されている[19]．C（シトシン）C保有者は，T（チミン）T保有者またはTC保有者と比較して，オピオイド必要量が有意に多かった．この結果は，

開腹術を受けた患者群でも，同様の結果であった[19]．

（福田謙一）

文 献

1) Honda Y, Handa T, Fukuda K, Koukita Y, Ichinohe T: Comparison of Risk Factors in Patients With Acute and Chronic Orofacial Pain. Anesth Prog 65: 162-167, 2018
2) 野口智康，柏木航介，野口美穂，半沢 篤，半田俊之，福田謙一：咀嚼筋痛患者の病悩期間に関連する因子の特定．日口顔痛誌 13: 29-35, 2021
3) 仙波恵美子：ストレスにより痛みが増強する脳メカニズム．日緩和医療薬誌 3: 73-84, 2010
4) 野口美穂，野口智康，福田謙一：星状神経節ブロックが有効であった難治性顎関節症（筋膜痛）の治療経験．日口顔痛誌 13: 111-116, 2021
5) Zobieta JK, Heitzeg MM, Smith YR, Bueller JA, Xu Ke, Xu Yanjun, Koeppe RA, Stohler CS, Goldman D: COMT val158met genotype affects μ-opioid neurotransmitter responses to a pain stressor. Science 299: 1240-1243, 2003
6) Diatchenko L, Slade GD, Nackly AG, Bhalang K, Sigurdsson A, Belfer I, Goldman D, Xu K, Shabalina SA, Shagin D, Max MB, Makarov SS, Maixner W: Genetic basis for individual variations in pain perception and the development of a chronic pain condition. Hum Mol Genet 14: 135-143, 2005
7) Fillingim RB, Kaplan L, Staud R, Ness TJ, Glover TL, Campbell CM, Mojil JS, Wallace MR: The A118G single nucleotide polymorphism of the μ-opioid receptor gene (OPRM1) is associated with pressure pain sensitivity in humans. J Pain 6: 159-167, 2005
8) Ide S, Nishizawa D, Fukuda K, Kasai S, Hasegawa J, Hayashida M, Minami M, Ikeda K: Haplotypes of P2RX7 gene polymorphisms are associated with both cold pain sensitivity and analgesic effect of fentanyl. Mol Pain 10: 75, 2014
9) Kim H, Neubert JK, San Miguel A, Xu K, Krishnaraju RK, Ladarola MJ, Goldman D, Dionne RA: Genetic influence on variability in human acute experimental pain sensitivity association with gender, ethnicity and psychological temperament. Pain 109: 488-496, 2004
10) Marbach JJ: Is phantom tooth pain a deafferentation (neuro-pathic) syndrome? Part I: evidence derived from pathophysiology and treatment. Oral Surg Oral Med Oral Pathol 75: 95-105, 1993
11) Soeda M, Ohka S, Nishizawa D, Hasegawa J, Nakayama K, Ebata Y, Fukuda K, Ikeda K: Single-nucleotide polymorphisms of the SLC17A9 and P2RY12 genes are significantly associated with phantom tooth pain. Mol Pain 18: 1-11, 2022
12) Ojima K, Watanabe N, Narita N, Narita M: Temporomandibular disorder is associated with a serotonin transporter gene polymorphism in the Japanese population. Biopsychosocial Medicine 10: 1-3, 2007
13) 金澤 香，柴田孝典：変形性顎関節症に関連する遺伝子多型についてのシステマティックレビュー．北医療大歯誌 24: 99-104, 2005
14) Kobayashi D, Nishizawa D, Takasaki Y, Kasai S, Kakizawa T, Ikeda K, Fukuda K: Genome-wide association study of sensory disturbances in the inferior alveolar nerve after bilateral sagittal split ramus osteotomy. Mol Pain 8; 9: 34, 2013
15) 福田謙一，林田眞和，池田和隆：口腔外科手術の術後痛管理におけるオピオイド必要量の多様性．麻酔 58: 1102-1108, 2009
16) Hwang IC, Park JY, Myung SK, Ahn HY, Fukuda K, Liao Q: OPRM1 A118G gene variant and postoperative opioid requirement: a systematic review and meta-analysis. Anesthesiology 121: 825-834, 2014
17) Fukuda K, Hayashida M, Ide S, Saita N, Kokita Y, Kasai S, Nishizawa D, Ogai Y, Hasegawa J, Nagashima M, Tagami M, Komatsu H, Sora I, Koga H, Kaneko Y, Ikeda K: Association between OPRM1 gene polymorphisms and fentanyl sessitivity in patients undergoing painful cosmetic surgery. Pain 147: 194-201, 2009
18) Kasai S, Hayashida M, Sora I, Ikeda K. Candidate gene polymorphisms predicting individual sensitivity to opioids. Naunyn Schmiedebergs Arch Pharmacol 377: 269-281, 2008
19) Nishizawa D, Fukuda K, Kasai S, Aoki Y, Hayashida M, Ikeda K, et al: Genome-wide association study identifies a potent locus associated with human opioid sensitivity. Molecular Psychiatry 27: 1-8, 2012

第3部

口腔顔面痛の評価と診断

第3部 口腔顔面痛の評価と診断

1 疼痛構造化問診

SBO
Ⅰ．疼痛構造化問診を説明できる．
Ⅱ．疼痛構造化問診を用いて整理した代表的な病態の痛みの特徴を説明できる．

1）疼痛構造化問診とは

　歯痛を訴えているが主訴の部位に痛みに見合う所見がないことや，通常の歯痛や顎関節症では整合性が取れない痛みを訴えられることがある．このような場合，歯原性疾患や顎関節症の精査だけでなく，口腔顎顔面や頭頸部隣接領域，全身疾患までを鑑別診断に含めた包括的な評価を行う必要が生じる．正しい診断を得るためには，まず的確な医療面接による病歴採取を実施する必要があり，Bellの口腔顔面痛[1]や米国口腔顔面痛学会によるガイドライン[2]においては，主訴，医科的病歴，歯科的病歴，心理社会的病歴を順序立てて確認する包括的病歴採取法を推奨している．

　しかし，患者の訴えに応じて自由に方向付けをする一般的な非構造化面接は，必要な情報を得るために専門的な知識と十分な経験，そして多くの時間を要する．そのため痛みの特徴に関しては，あらかじめ構造化された質問票に記入してもらうことで，系統だった情報収集を行い整理すると有用である．この質問票は疼痛構造化問診票と呼ばれ，疼痛に関する情報を正確にシステマティックに確認することで，鑑別診断列挙から確定診断を導く臨床推論の最初のステップに重要なデータを得ることができる．

　疼痛構造化問診票という用語は，前述の包括的病歴採取法と，おもに精神科領域で用いられていた構造化問診（structured interview）を融合させた疼痛に特化した系統的な質問票として，2005年頃から日本で用いられるようになったものである[3]．この質問票を軸に，さらに詳細な痛みに関する質問を追加するといった利用も可能である．

　自己記入型の疼痛構造化問診票は，回答に選択肢を設けた改良版が考案されており，一例を図1に示す．この問診票は，口腔顔面痛の痛みの評価，臨床推論における有力なツールになると考えられる．

【痛みの問診票】

最近，感じている痛みについて細かくおたずねします．
痛みが2種類以上ある場合には，別々に書いてください．

1. 部位：痛む場所はどこですか？
   右 ・ 左 ・ 上 ・ 下 ・ 歯 ・ 歯肉 ・ 舌 ・ あご ・ 顔 ・ こめかみ ・ 頭 ・ 首
   もっと詳しく：
2. 発現状況：痛みが始まるきっかけとなったことがありますか？
   特にない ・ あくび ・ 硬いものを食べた ・ けがをした ・ 多忙であった ・ 歯科治療 ・ ストレス
   もっと詳しく：
3. 経過：今までたどった経過は，痛み始めてからどれくらいですか？
   　　　日／　　　週間／　　　か月／　　　年くらい
4. 痛みの質：どのような種類の痛みですか？
   ズキンズキンと脈打つ ・ ギクッと走るような ・ 突き刺されるような ・ するどい ・ 電気が走ったような
   にぶい ・ しめ付けられる ・ 食い込むような ・ 焼け付くような ・ チクチク ・ ピリピリ ・ うずくような
   重苦しいような ・ さわると痛い ・ 割れるような ・ うんざりするような ・ 気分が悪くなるような
   恐ろしくなるような ・ 耐え難い身の置き所のない痛み
   もっと詳しく：
5. 痛みの程度：痛みの強さはどのくらいですか？
   弱い ・ 中程度 ・ 強い ・ 激痛
   気になる程度 ・ 仕事をするのに支障がある ・ 仕事ができない
   食べている間は気にならない ・ 痛いが食べられる ・ 痛くて食べられない
   10段階だと　0 ・ 1 ・ 2 ・ 3 ・ 4 ・ 5 ・ 6 ・ 7 ・ 8 ・ 9 ・ 10
6. 頻度：どのくらいの頻度で起こりますか？
   1日　　　回／1時間に　　　回／1分に　　　回／1週間に　　　回／1か月に　　　回／ずっと持続している
   もっと詳しく：
7. 持続時間：1回の痛みはどのくらい続きますか？
   　　　秒／　　　分／　　　時間／　　　日間／ずっと持続している
   もっと詳しく：
8. 時間的特徴：痛みの変化の時間的特徴はありますか？
   （起床時 ・ 日中 ・ 夕方 ・ 就寝前）は痛みが（良い ・ 悪い）
   もっと詳しく：
9. 増悪因子：痛みを生じさせたり，悪化させることはありますか？
   食事 ・ 運動 ・ 緊張 ・ 入浴 ・ 就寝 ・ ストレス
   もっと詳しく：
10. 緩解因子：痛みを軽くできることはありますか？
    冷やす ・ 温める ・ 安静 ・ 寝る ・ マッサージ ・ 鎮痛薬の内服
    もっと詳しく：
11. 随伴症状：痛いときに他に一緒に生じる症状はありますか？
    頭痛 ・ 肩こり ・ めまい ・ しびれ ・ 涙が流れる ・ 鼻水が出る ・ 胸が苦しい
    目がチカチカする ・ 吐き気 ・ 嘔吐
    もっと詳しく：
12. 疼痛時行動：痛みのときに決まってする行動はありますか？
    じっとしていられない ・ 横になる ・ さする ・ 押す ・ なるべく動かない
    もっと詳しく：

図1　疼痛構造化問診票

2) 疼痛構造化問診の目的と評価

この質問票における各項目には，その内容を用いて鑑別診断を行うべく目的（意味）がある．たとえば，①部位に関しては，患者の示した疼痛感受部位から，関連痛の可能性も含め，疼痛発生部位を推定する参考となる．②発現状況は，痛みの原因を推測することに役立つ．③痛みの経過，④質，⑤強さ，⑥頻度，⑦持続時間などは，痛みの病態を推測するうえで極めて重要な情報となる．質に関しては，拍動性であれば内臓痛や血管性疼痛，鈍痛であれば筋骨格性疼痛などが推測できる．持続時間は，発作性か，持続性かにより病態診断は大きく異なる．三叉神経痛であれば，数秒間の激烈な鋭い痛みが，1日10回程度生じるといったように，痛みの明確な特徴（fingerprint）を把握することができる．

さらに，⑧時間的特徴や⑨増悪因子，⑩緩解因子といった項目は，夕方から頬の痛みが増し，食事で悪化し，入浴やマッサージで楽になるといった特徴を有すれば，筋筋膜性疼痛

表1 疼痛構造化問診の疾患別一覧

	病態			
	咀嚼筋痛障害	顎関節痛障害	三叉神経痛	帯状疱疹後神経痛（帯状疱疹後三叉神経痛）
①部位	下顎，顎，頬	顎，耳前部，耳	片側，顔面，顎，歯，歯肉	片側，顔面，顎，歯，歯肉，口腔粘膜
②発現状況	徐々に	あくびや硬いものを食べたなど	徐々に悪化	最近の患側の帯状疱疹（または，片側多発性口内炎）の既往，3か月以上持続
③経過	1か月前から徐々に悪化など	1週間前から突然生じたなど	数週間前からなど	帯状疱疹，（または片側多発口内炎）が治癒してから痛みが悪化
④質	にぶい，重苦しい	ズキン，ギクッと走るような	電気が走ったようなするどい	焼け付くような，チクチク，ピリピリ，にぶい
⑤程度	弱い〜強い	痛いが食べられる	激痛，NRS10 痛くて食べられない	中程度〜激痛 NRS5〜10
⑥頻度	持続している	1日数回〜数十回	1日10回くらい	持続している ときどき強い痛み
⑦持続時間	持続している	数秒	数分の1秒〜2分	持続している（＋ときどき発作痛）
⑧時間的特徴	夕方は痛みが悪化	−	就寝中は痛くない	−
⑨増悪因子	食事，ストレス	食事，開口	食事，洗顔，歯磨き	食事，洗顔
⑩緩解因子	温める，入浴，マッサージ	あごを動かさない	顔を動かさない，触らない	−
⑪随伴症状	頭痛，肩こり	—	—	顔や口腔内のしびれ（知覚鈍麻やアロディニアなど）
⑫疼痛時行動	押す	大開口しない	じっと耐える	—

などの病態が想定できる．⑪随伴症状は，感覚障害，自律神経症状や発熱など疼痛以外の症状も含め，口腔顔面以外の領域も確認することが重要であり，⑫疼痛時行動などと併せて，緊急性の高い疾患や悪性疾患といった，見逃してはならない疾患のサイン（red flag）となることもある．

　口腔顔面痛患者は長期で複雑化した経過の場合も多く，この質問票の記入により患者自身が痛みの症状を整理できることや診察時間の短縮につながるといったメリットもある．口腔顔面痛患者の評価には，鑑別診断のための重要なツールとして系統化された疼痛構造化問診票を用いることが推奨されると考えられる．

3）疼痛構造化問診の実際

　表 1 に，代表的な疾患における疼痛構造化問診の特徴を記載した．これらの痛みの特徴から必要な鑑別疾患を列挙し，臨床推論により最終的な病態診断を導き出すためには，疼痛

病　態			
上顎洞炎による歯痛 （上顎洞疾患による歯痛）	心臓疾患（狭心症など） による歯痛	群発頭痛（三叉神経・ 自律神経性頭痛：TACs）	特発性歯痛 （持続性特発性歯痛：PIDAP）
片側または両側 頰，上顎の歯， 特に臼歯部	両側性が60％ 下顎＞上顎	片側，側頭部，眼窩，目の奥， 上顎臼歯	下顎＜上顎 大・小臼歯が多い
数日前から	労作時に発現	突然	さまざま
風邪をひいたなど	ときどき痛みを生じるように なり徐々に悪化	ここ数日，連日生じるなど	3か月以上持続
ズキンズキンと脈打つ， にぶい，うずくような	しめ付けられる，圧迫感， 焼け付くような	するどい，刺すような， 脈打つ	深部の鈍い，押されるような， うずくような，しつこい， うんざりするような
中程度〜強い	強度	激痛	中程度〜激痛
1日数回〜持続	1日数回など	1回/2日〜1日8回	持続痛またはほぼ持続痛
1日数時間〜持続	数分〜20分，それ以上	15分〜180分	1日2時間以上， または持続痛
夜間は痛みが悪化	—	—	—
入浴，下を向く	運動，労作，興奮，食事	アルコール摂取	ストレス，歯科治療で改善し ないまたは悪化
冷やす，鎮痛薬の服用	安静	—	—
頭痛，発熱，頰部圧痛，上顎 多数歯が噛むと痛い	胸痛（ただし半数は胸部痛を伴 わない），胸部不快感，焦燥感， 左腕痛，頸部痛	患側の流涙，鼻汁，顔面発汗 など（自律神経症状）	歯や歯肉に体性感覚変化（アロ ディニアなど）を伴うこともあ る，抑うつ，不安などの精神 症状
冷やす	落ち着かない	じっとしていられない	—

構造化問診を用いて整理した疾患別の痛みの特徴リストを数多く把握しておくことが重要である．

(村岡　渡)

文　献
1) Okeson JP: Bell's Orofacial Pain, the clinical management of orofacial pain sixth edition. Quintessence publishing, Chicago, 2005
2) American academy of orofacial pain: Orofacial pain: Guidelines for assessment, diagnosis, and management. 6th ed., Quintessence publishing, Chicago, 2018
3) 和嶋浩一：歯科領域における慢性疼痛．口腔顔面領域における関連痛，ペインクリニック26(8)：1088-1096, 2005

2 痛みの測定・評価

SBO
Ⅰ. 痛みの強さを表す指標を説明できる．
Ⅱ. 痛みの性状に関わる指標を説明できる．
Ⅲ. 定量的感覚検査の定義，測定項目，測定方法について説明できる．

1）総 論

　疼痛は主観的な症状であり，客観的に評価することは非常に困難である．疼痛には多面性があり，①身体における痛みの感覚的側面，②過去に経験した痛みの記憶，注意，予測などに関連して身体にとっての痛みの意義を分析する認知的側面，③不快に感じる情動・感情的側面である．この多面性が客観的に評価することを難しくしており，一元的に評価を行うだけでなく，多元的に評価することが必要となる．痛みの治療を行ううえで，患者の痛みをできるだけ客観的に評価し分析することが必要である．

　疼痛とは，実際の組織の損傷または潜在的な組織の損傷と関連した，またはそのような損傷によって特徴づけられる情緒的な体験とされている[1]．したがって，評価するうえでは痛みを感覚的・情動的に測定しなければならない．評価方法は，①患者自身による申告(疼痛尺度，各種質問票など)，②患者を客観的に観察する測定(行動，機能評価など)がある[2]．

　本章では，臨床においてよく使用されている痛み評価について解説する．

　1. 痛みの強さによる評価法(図1)
　　① Visual analogue scale(VAS)
　　② Numerical rating scale(NRS)
　　③ Verbal rating scale(VRS)
　　④ Face rating scale(FRS)
　2. 多元的評価法：マギル疼痛質問票(McGill Pain Questionnaire：MPQ)
　3. 機器を用いる評価法

　痛みを的確に評価することは，必要な治療や有効な治療法の選択につながる．心理的・精神的因子の痛みへの関与には，各種の不安，抑うつ度に関

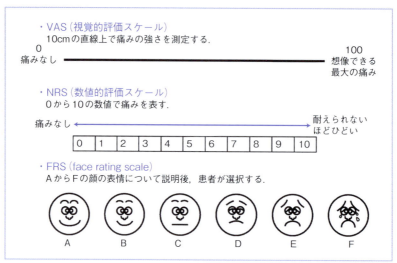

図1 痛みの一元的評価（スケール法）

する評価が行われるが，各種問診票に関しては，第3部5章を参照されたい．

2) 痛みの一元的評価（スケール法）

① 視覚的アナログ尺度（visual analogue scale；VAS）

患者に長さ10cmの水平な直線の横線をみせ，左端が「痛みなし」，右端が「想像できる最大の痛み」であり，現在感じている痛みの程度を線上に示してもらい，その長さをもって数値化する方法である[1]．

② 数値的評価尺度（numerical rating scale；NRS）

最も多く利用されている方法である．0が「痛みなし」，10が「耐えられない痛み」として，痛みの強さを0～10までの11段階として，現在感じている痛みの強さを口頭で数字を用いて答える方法である．

③ Verbal rating scale（VRS）

痛みを4段階に分け，0：痛くない，1：少し痛む，2：痛みあり，3：強い痛みの0～3で答えてもらう段階的スケールである．

④ Face rating scale（FRS）

A～Fの顔の表情を患者にみせて，自分の痛みによる苦痛がどの程度であるかを問いて，その痛みの強度を調べる評価法である．おもに，高齢者や小児において，VASやNRSの方法で答えることが困難な場合に使用される．

3）マギル痛み質問票（McGill Pain Questionnaire：MPQ）

　マギル大学のMelzackが1975年に発表した痛みを評価するための質問票である[2]．MPQは20の群に分けられ，それぞれの群に同じ性質の言葉が程度の軽いものから順に並べられ，そして，それぞれの言葉に点数がつけられている（図2）．この20の群は痛みの感覚的表現（1～10群），感情（情動）的表現（11～15群），評価的表現（16群），混合型表現（17～20群）の四つに大別されている．患者は質問票の自分の痛みを表現している言葉を選ぶ．痛みの強さは20の群の合計および全体の痛みの強さを示す項目（16群）で知ることができる．また，痛みの強さだけでなく痛みの質的側面もあわせてとらえることができ，複雑な痛みを評価するには有用である．

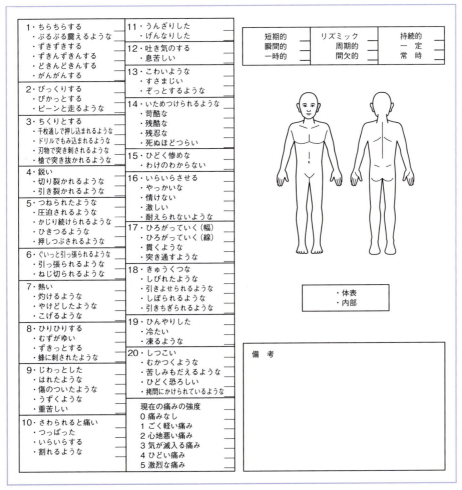

図2　日本語版McGillの質問票（平川，2011[3]）
1～10は感覚的表現，11～15は感情的表現，16は評価的表現，17～20は混合型表現．

4) 定量的感覚検査（QST）

QST（quantitative sensory testing）は，静的QSTと動的QSTに分類される．静的QSTは触覚，振動覚，温・冷覚などのおもに末梢神経の感覚異常を検査する．一方，動的QSTは末梢神経系よりも上位での痛みの調節機能を指標化する検査で，時間的荷重（TS），condition pain modulation（CPM）がおもな構成要素である．TSは上行性の疼痛伝達機能亢進（中枢感作）を，CPMは下行性の疼痛抑制機能不全を反映する指標とされる．

静的QSTである精密触覚機能検査は，口腔顔面領域の感覚神経の障害が疑われる場合に，SWテスターを用いて定量的に測定する（図3）．精密触覚機能検査の閾値の評価は，感覚障害部位と障害を受けていない対照部位の閾値とを比較して行う．神経の障害度をできるだけ早期に診断し，感覚異常の部位と対照部位との閾値の差により重症度の判定を行う．また精密触覚機能検査に加え，必要に応じてpin prick試験，綿棒による刷掃試験，スパチュラによる温度覚検査を組み合わせることで痛覚ならびに異常感覚の検査を行う[4]．感覚障害の程度を評価し，回復傾向を把握するなど経時的な神経機能の評価を行うために用いる．

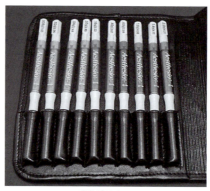

SWテスター

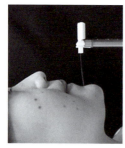 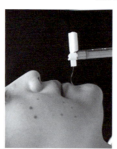 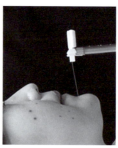 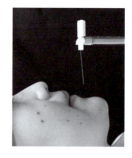

図3　精密触覚機能検査（SWテスト）とSWテスターの使用手技
Von Freyフィラメントを接触させる場合は，フィラメントと皮膚（粘膜）面が垂直になるように接触させる．ゆっくりと垂直に加重をかけ，わずかに撓んだところで2秒間保持する．フィラメントを皮膚面から離すときも，接触時と同様にゆっくり静かに離す．基準とする刺激強度から測定を開始し，触覚を感じなくなるまで刺激強度を下げていき，次いで触覚を感じるまで刺激強度を上げ，触覚の閾値を決定する．

5）測定項目，測定方法

チェアサイドでの補助感覚検査を以下に示す．

1―綿棒による刷掃検査

刷掃検査は健側→患側の順に行う．綿棒は軽く保持し，皮膚面，粘膜面を刷掃する．刷掃は，近遠心方向と頭尾側方向に2〜3cmずつ行い，検査時の感覚を聴取する（図4a）．健常側に比較して（鈍麻or普通or過敏）を聴取する．健側と比較し，検査部位（患側）が鈍い場合は触覚鈍麻（綿棒で触られている感じが対照部位に比べて鈍い），敏感で痛みが生じた場合をアロディニア（通常では痛みを引き起こさない刺激によって生じる痛み）と診断する．

2―爪楊枝によるpin prick検査

Pin prick検査は健側→患側の順に行う．爪楊枝の先端を，皮膚または粘膜面に垂直に位置するように軽く押し当てて，まっすぐ離す（図4b）．健側に加えた刺激と同じ強さの刺激を検査部位（患側）に加えて，感覚を聴取する．健常側に比較して（鈍麻or普通or過敏）を聴取する．健側と比較し，検査部位（患側）が鈍い場合は痛覚鈍麻（通常痛みを感じる刺激によって誘発される反応が通常よりも弱い），敏感な場合を痛覚過敏（通常痛みを感じる刺激によって誘発される反応が通常よりも強い）と診断する．

3―スパチュラによる温冷検査

温冷検査は健側→患側の順に行う．温度覚検査では，スパチュラを温水（40℃）と冷水（5℃）の容器に入れたあと，検査部位に数秒間あて「温かい」か「冷たい」かを答えさせる（図4c）．健側に加えた刺激と同じ強さの刺激を検査部位（患側）に加えて，温冷刺激時の感覚を聴取する．健常側に比較して（鈍麻or普通or過敏）を聴取する．健側と比較し，検査部位（患側）が鈍い場合は温度覚鈍麻，敏感な場合を温度覚過敏と診断する．

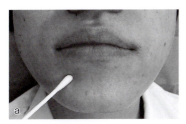 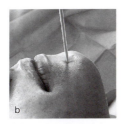 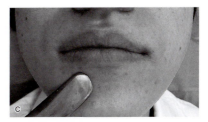

図4　刷掃検査（a），pin prick検査（b），温冷検査（c）

表 1 感覚異常の種類と症状

	感覚の異常の種類	症状
異常感覚	感覚鈍麻 Hypoesthesia	刺激に対する感受性の低下．綿棒で触られている感じが対象部位に比べて鈍い．
	痛覚鈍麻 Hypoalgesia	通常痛みを感じる刺激によって誘発される反応が，通常よりも弱い．Pin prick の刺激が鈍く感じる．
	痛覚過敏 Hyperalgesia	通常痛みを感じる刺激によって誘発される反応が，通常よりも強い．Pin prick の刺激が過剰に痛く感じる．
	アロディニア Allodynia	通常では痛みを引き起こさない刺激によって生じる痛み．綿棒の刷掃で痛みを感じる．SWテスターの刺激が痛い．
	ジセステジア Dysesthesia	自発性または誘発性に生じる不快な異常感覚．ビリビリ，ピリピリとした，あるいは虫が這うような不快な感覚．
	パレステジア 錯感覚 Pareshesia	自発性または誘発性に生じる異常感覚，錯感覚．異常感覚であっても，必ずしも不快な感覚でない．触られたときなどに，通常感じるのとは異なる感覚．ピリッと電気が走るような違和感．

4─感覚の異常の記録

安静時，誘発時で自覚する感覚の異常の有無，種類を**表 1** から選ぶ．

精密触覚機能検査および補助検査は，三叉神経ニューロパチーの診断の一助として役立つ．三叉神経ニューロパチーが口腔疾患に起因しないと考えられる場合や特定ができない場合は，医科専門的な診療科(脳外科，神経内科，耳鼻科等)を紹介する．また同一患者の経時的比較では，感覚重症度，感覚領域の回復などの判定にも役立つ．

(野間　昇)

文　献

1) Huskisson EC: Measurement of pain. Lancet 2: 1127-1131, 1974
2) Melzack R.The McGill Pain Questionnaire: major properties and scoring methods. Pain 1(3)：277-299, 1975
3) 平川奈緒美：ここまで知っておきたい痛みへのアプローチ　痛みの評価　痛みの評価に用いる質問表(解説)．痛みと臨床 6(3)：304-310，2006
4) Svensson P, Drangsholt M, Pfau DB, List T: Neurosensory testing of orofacial pain in the dental clinic. J Am Dent Assoc 143(8)：e37-39, 2012

脳神経の診察

SBO
Ⅰ．脳神経の機能と障害による臨床症状を説明できる．
Ⅱ．脳神経の検査法を説明できる．

1）なぜ脳神経の診察が必要か

　口腔顔面痛は神経学的問題の結果生じる可能性があり，脳神経の機能障害は運動あるいは感覚機能の変化として出現することもある[1]．口腔顔面痛のまれな原因の一つに頭蓋内疾患が挙げられ，診断の遅れが患者の予後を大きく左右する．Moazzamら[2]は最初に歯科を受診し，のちに頭蓋内腫瘍により生じた口腔顔面痛と診断された患者のPubMedによる文献検索を行い，29症例を抽出しレビューを行った．患者の平均年齢は43歳で，女性（59％）がやや優勢であった．歯科医師の初期の診断は37％が三叉神経痛，21％が持続性特発性顔面痛，そして31％がTMDであった．診断時には59％の患者に感覚あるいは運動機能の消失が認められていた．また，頭蓋内腫瘍が診断されるまでの期間の中央値は12か月（0〜40か月）で，診断までに62％の患者に対し抜歯など不必要な歯科治療が行われていたと報告している．したがって，口腔顔面痛歯科医師は，口腔顔面痛のまれな原因であっても除外すべき鑑別診断として知っておく必要があるだけでなく，口腔顔面痛患者の診察においては詳細な医療面接と神経学的診察，特に脳神経機能に注目した包括的診査（comprehensive history and examination）を行えることが求められる．口腔顔面痛歯科医師は神経学の専門家になる必要はないが[3]，スクリーニングで神経系の異常が疑われたら，ただちに脳神経外科や脳神経内科などの神経学の専門家にコンサルテーションを依頼することが望まれる．

2）脳神経の検査法[4,5]

　頭頸部の運動と感覚は12対の脳神経により支配される．脳神経は運動性，感覚性，あるいは混合性に分類され，さらに副交感神経性の機能を含むものがある（表1）．口腔顔面痛患者のスクリーニングではそれぞれの脳神経の大まかな（gross）感覚や運動機能（あるいはその両方）の検査を行うが，嗅覚や

表1 脳神経の機能と障害

	脳神経	運動	感覚	副交感神経	臨床症状
Ⅰ	嗅神経		嗅覚		嗅覚障害
Ⅱ	視神経		視覚		視力障害 視野欠損
Ⅲ	動眼神経	眼球運動 眼瞼挙上		縮瞳,対光反射 調節・輻輳反射	眼球運動障害 複視 眼瞼下垂 散瞳 対光反射消失 調節・輻輳反射消失
Ⅳ	滑車神経	眼球運動			眼球運動障害 複視
Ⅴ	三叉神経	咀嚼運動	顔面・口腔感覚 舌の前方2/3の温痛覚,触覚		口腔・顔面の感覚障害 咀嚼筋筋力低下 角膜反射消失
Ⅵ	外転神経	眼球運動			眼球運動障害 複視
Ⅶ	顔面神経	表情筋の運動	舌の前方2/3の味覚 外耳道・鼓膜の温痛覚	涙・鼻汁・唾液(顎下腺,舌下腺)分泌	表情筋の障害 聴力過敏 角膜反射消失 味覚低下 涙・唾液分泌低下
Ⅷ	内耳神経		聴覚 平衡感覚		聴力障害 平衡障害
Ⅸ	舌咽神経	咽頭の挙上運動	舌の後方1/3の味覚 舌の後方1/3,咽頭,耳の温痛覚,触覚	唾液(耳下腺)分泌	味覚低下 嚥下障害 構音障害 咽頭反射消失
Ⅹ	迷走神経	咽頭・喉頭の運動	喉頭の感覚 内臓感覚	内臓の運動・分泌	嚥下障害 構音障害 咽頭反射消失
Ⅺ	副神経	頭部の回旋 肩の挙上			胸鎖乳突筋,僧帽筋筋力低下
Ⅻ	舌下神経	舌の運動			舌運動障害

■:感覚性, ■:運動性, ■:混合性. Ⅲ,Ⅶ,Ⅸ,Ⅹは副交感神経を含む.

視覚,味覚,聴覚・平衡覚などの特殊感覚に関する訴えに対しては必要に応じてそれぞれの専門家のもとで詳細に行われる必要がある.

1―第Ⅰ脳神経:嗅神経(感覚神経)

嗅覚を検査する.閉眼した状態で,一側の鼻孔を指でふさぎ片側ずつにおいをかいでもらう.刺激の少ない石鹸やコーヒーなどを用いるとよい.左右を比較する.

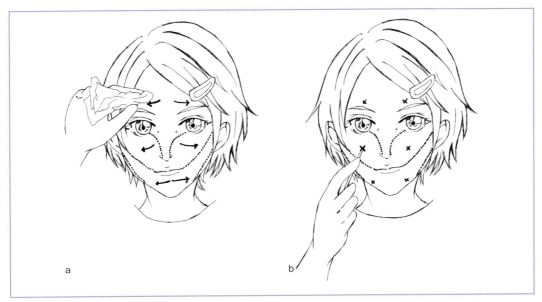

図1 三叉神経の感覚機能の検査
三叉神経の眼神経,上顎神経,下顎神経それぞれの領域の感覚(触覚と痛覚)を対称的に検査する.左右を比較する.
a:ティッシュペーパーなどで触覚を検査する.b:爪楊枝などで痛覚を検査する.

2—第Ⅱ脳神経:視神経(感覚神経)

　視野を検査する.患者と向き合い片眼を手で覆うよう指示し,検者も向かい合った眼を閉じ視野の左上端と右下端で示指を動かし,患者に動いたほうを尋ねる.右上端と左下端も同様に行う.左右行う.

3—第Ⅲ,Ⅳ,Ⅵ脳神経:動眼神経(副交感神経を含む)・滑車神経(純運動性)・外転神経(純運動性)

　同時に眼球運動を検査する.患者の前方に示指を置き,頭部を動かさないように眼で追うよう指示する.左右,上下の4方向に指を動かし,眼球運動の異常,眼振,複視の有無を観察する.必要に応じて左上,左下,右上,右下運動を加え,正面を含めた9方向で検査する.また,瞳孔の大きさと左右差,眼瞼下垂がないか観察する.さらに,対光反射や調節・輻輳反射を検査する.

4—第Ⅴ脳神経:三叉神経(混合神経)

　顔面(口腔)感覚と下顎運動を検査する.閉眼した状態で,額(V1:三叉神経第1枝領域),頬(V2:三叉神経第2枝領域),顎(V3:三叉神経第3枝領域)をティッシュペーパーと爪楊

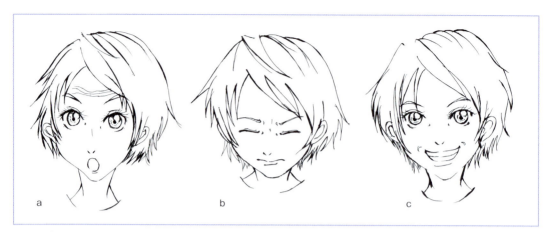

図2　顔面神経の運動機能の検査
顔面神経の運動機能を検査する．左右を比較する．a：額のしわ寄せ，b：閉眼，c：口角挙上．

枝などを用いてそれぞれ触覚と痛覚を検査し，左右を比較する（図1）．口腔粘膜や舌も必要に応じて行う．また，開口と噛みしめを指示し，下顎の偏位や咬筋と側頭筋の収縮を確認する．V1または第Ⅶ脳神経（顔面神経）に異常を疑った場合，こよりを用いて角膜反射を検査する．

5 ― 第Ⅶ脳神経：顔面神経（副交感神経を含む混合神経）

表情筋の運動を検査する．額のしわ寄せ，閉眼，口角挙上を指示し左右を比較する（図2）．必要に応じて味覚検査（甘味：ショ糖，塩味：塩化ナトリウム，苦味：キニーネ，酸味：酒石酸を用いて）を行う．

6 ― 第Ⅷ脳神経：内耳（あるいは前庭蝸牛）神経（感覚神経）

聴覚の検査を行う．左右の耳の横で手指の摩擦音が聞こえるか患者に尋ねる．異常があれば音叉を用いてRinne試験とWeber試験で難聴の鑑別を行う．

7 ― 第Ⅸ・Ⅹ脳神経：舌咽・迷走神経（副交感神経を含む混合神経）

咽頭部の運動を検査する．口を大きく開けて「アー」と発音させ，軟口蓋の挙上，口蓋垂の偏位の有無，カーテン徴候の有無を観察する．また，舌圧子を用いて咽頭反射を観察する．

8 ― 第Ⅺ脳神経：副神経（運動神経）

頭部と肩の運動を検査する．まず，左を向くよう（頭部の左回旋）指示し，左の顎に手を

置き抵抗を加え筋力を確認する．同時に右の胸鎖乳突筋の収縮を触診する．右側も同様に行う．また，肩の高さを観察したのち，患者の肩に両手を置き，抵抗に逆らうように肩の持ち上げを指示し上部僧帽筋の筋力を確認する．

9 ― 第XII脳神経：舌下神経（運動神経）

舌運動を検査する．安静時に舌の萎縮や線維束性収縮の有無を観察し，舌の前方突出を指示し偏位の有無や筋力を観察する．

（大久保昌和）

文献

1) Klasser GD, Romero-Reyes M: Orofacial pain: guidelines for assessment, diagnosis and management. 7th ed, Quintenssence Publishing Co, Inc. Chicago (IL), 2023
2) Moazzam AA, Habibian M: Patients appearing to dental professionals with orofacial pain arising from intracranial tumors: a literature review. Oral Surg Oral Med Oral Pathol Oral Radiol 114: 749-755, 2012
3) Okeson JP: Bell' Oral and Facial Pain. 7th ed, Quintessence, Chicago, 2014
4) 医療情報科学研究所編：病気がみえる vol 7．脳・神経，第2版，メディックメディア，東京，2011
5) 医療系大学間共用試験実施評価機構 医学系OSCE推進会議 医学系OSCE実施管理委員会 医学系OSCE学修・評価項目改訂小委員会：診療参加型臨床実習に必要とされる 技能と態度についての学修・評価項目（第1.0版），2022

第3部 口腔顔面痛の評価と診断

4 口腔顔面痛の分類と臨床推論

SBO
Ⅰ. 口腔顔面痛の分類を説明できる.
Ⅱ. 痛みの診断ステップを説明できる.

1) 口腔顔面痛の分類

2020年に，国際疼痛学会を中心に四つの国際学術団体が協力して国際口腔顔面痛分類（ICOP）が発表された（**表1**）[1]．ここに示された六つの大分類（歯科疾患由来の疼痛，筋筋膜性疼痛，顎関節痛，神経障害性疼痛，一次性頭痛類似の口腔顔面痛，特発性口腔顔面痛）は，口腔顔面痛を理解するうえで最も基本となるものである．第1章の歯科疾患由来の疼痛は口腔粘膜，唾液腺，顎骨の痛み，第2・3章は咀嚼筋と顎関節の痛み，第4章は脳神経の疾患や障害による口腔顔面痛で，三叉神経痛と舌咽神経痛などの発作性神経障害性疼痛や持続性神経障害性疼痛に分類されている．第5章は一次性頭痛に類似した口腔顔面痛で，神経血管性頭痛（片頭痛，群発頭痛など）による口腔顔面痛を指す．第6章の特発性口腔顔面痛は，現時点では一次性口腔顔面痛として，口腔灼熱痛症候群，持続性特発性顔面痛，持続性特発性歯・歯槽痛の3種類に大別している．

このように，口腔顔面痛はICOPでは一次性口腔顔面痛と二次性口腔顔面痛に大別されている．二次性口腔顔面痛とは特定の疾患，病変が原因となり疼痛を呈している場合であり，一次性口腔顔面痛とはその痛みを生じうる他の疾患，病変の存在が説明できない場合を指す．ICOPの診断基準をもとに構造化問診を行い，診査を進めて鑑別診断を行い，確立された治療法によっ

表1　国際口腔顔面痛分類（ICOP）
1. 歯や歯槽部と解剖学的に関連のある組織の疾患による痛み
2. 筋筋膜性口腔顔面痛
3. 顎関節痛
4. 脳神経の疾患，障害による口腔顔面痛
5. 一次性頭痛に類似した口腔顔面痛
6. 特発性口腔顔面痛
7. 口腔顔面痛を有する患者の心理社会的評価

て適切に痛みの管理を行うことが可能となる．

2）臨床推論とは

　歯学教育モデル・コア・カリキュラム令和4年度改訂版では，初めて「臨床診断推論」が含まれた．これは，卒前教育においても臨床診断推論が重要視されているとともに，歯科医師になる前に身につけるべき手法と考えられているからにほかならない．臨床推論では教科書的な知識の暗記よりも，医療面接（問診），身体症状，症候から原因疾患を鑑別診断する思考過程が重視されたことを意味する．

　臨床診断推論の思考過程には，①直観的思考，②分析的思考の二つの方法がある[2]．前者は直観的に診断を行う方法である．単純症例を例に挙げると「親知らずの痛み，顔面の腫脹，開口障害が随伴している症例」であれば，智歯周囲炎と迅速に診断できる．直観的思考法には臨床経験が豊富な医師により主訴，身体症状，症候から鑑別診断を迅速に想起でき，一発診断（snap 診断）が機能することが多い．次に分析的思考法は複雑な症例に対して，時間をかけて分析的に推論を行う方法である．痛みの原因として考えられる局所所見が乏しいことは日常臨床でも多く遭遇する．歯原性か非歯原性か，または急性痛か慢性痛かを診断したいときは，下記の手順で臨床診断推論を行うことが極めて効果的である．特に慢性口腔顔面痛は複雑な症例も多いこと，共存症も合併している可能性もあることから，分析的思考による五つのステップの臨床推論が推奨されている（図1）．

1─包括的病歴採取

　第1ステップでは包括的病歴採取として，主訴，現病歴，既往歴，家族・社会歴などを聴取する．不十分な病歴聴取は診断エラーを起こす．診断エラーを回避するためにも痛みについて詳しく情報を採取し，疼痛構造化問診を活用する．

① 疼痛構造化問診

　痛みは主観的な訴えであり，客観的な評価が難しい．そのため，患者からいかに診断に有用な痛みに関する情報を聞き出せるかが非常に重要となる．第3部1章で述べられたように，痛みの診断の際には「疼痛構造化問診」を行うことで，少なくとも痛みの情報はすべてそろえることができ，訓練することでそれを短時間で入手することができる．

② キーワードを医学用語に置き換える

　患者の言葉を抽象化し医学用語に置き換える作業を行う．このことをsemantic qualifier（SQ）という．この作業は鑑別診断の絞り込みが可能であること，疾患を想起できるというメリットがある．たとえば，①ズキズキとした痛みであれば，拍動痛に置き換えられ，歯髄炎や神経血管性頭痛などの内臓痛は，②ズーンとした痛みであれば，鈍痛に置き換えられ，根尖性歯周炎や筋筋膜性疼痛などの深部痛を，③ビリビリとした痛みであれば，神経障害性

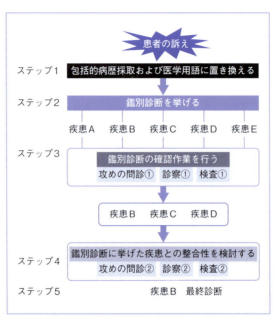

図1 臨床診断推論のステップ

疼痛として鑑別診断に挙げる．臨床推論における経験豊富な歯科医師と若手歯科医師との違いは，同じ情報量が得られたとしても SQ に置き換えられるか否かにある．

2 ― 鑑別診断を挙げる

第2ステップでは，疼痛構造化問診で得た痛みの情報から想起される鑑別診断（疾患 A〜E）をリストアップする．難治性疾患の診断において，鑑別診断リストを利用すると正診率が上昇する．発生頻度の観点からは，「最も可能性が高い疾患」「一般的にこの疾患も考えられる」ほど遭遇する可能性が高いという点から鑑別を考える．「最も可能性が高い疾患」「一般的にこの疾患も考えられる」「ほかにもこの疾患が考えられる」（疾患 A〜C）のほか，可能性が低くても悪性腫瘍などの「見逃してはならない疾患」または「除外すべき疾患」（疾患 D・E）を必ず挙げる．極めて稀な「見逃してはならない疾患」「除外すべき疾患」を最初から最終診断に考えることは推奨されていない．

3 ― 鑑別診断の確認作業を行う

想起した鑑別診断について精査し，矛盾がないかを確認する．鑑別診断を挙げたうえで，① direct question（直接型の質問），closed question（閉鎖型の質問）を用い，攻めの問診をする．診断上，重要な事柄が患者には全く重要でないと思われていることも少なくない．攻めの問診を行うことで，痛みに関連する情報を明確化することができる．②確認のための診

察として脳神経の診察を含む身体診察を行う．③またその原因となりうる疾患の画像検査（CT，MRIなど）や診断的麻酔，検体検査などを行う．第3ステップでは，積極的に除外する問診と身体診察を行い，鑑別診断を絞り込む(例：疾患B・C・E).

4 ― 鑑別診断に挙げた疾患との整合性を検討する

第4ステップでは問診や各種診察・検査で得た所見と鑑別診断に挙げた疾患との間での整合性を確認する．残った鑑別診断が複数存在する場合は，理論的な根拠をもとにして優先順位をつけておく．必要に応じ，追加の問診，診察，検査を行う．

5 ― 最終診断を決定

第5ステップでは疾患Bのように最終診断を決定する．複数の最終診断があれば，優先順位の高いものから治療を開始する．治療効果により最終診断の見直しを必ず行う．最終診断が困難であれば，一定の期間をおいて経過という因子を考慮する．経過観察することで診断上の問題点が解決される場合も少なくない．

3) まとめ

正しい診断を行うためには，口腔顔面領域に生じる疾患についての知識を身に付けることは大前提で，知らない疾患は診断できない．また治療効果がない場合は，診断を再考することが重要である．最終診断までに，患者に最小限の診察と最小限の検査で正しい診断に到達することが望ましい．

（野間　昇）

文献
1) The Orofacial Pain Classification Committee: International Classification of Orofacial pain, 1st edition（ICOP）. Cephalalgia 40: 129-221, 2020
2) Croskerry P: A universal model of diagnostic reasonin. Acad Med 84(8)：1022-1028, 2009

第3部 口腔顔面痛の評価と診断

5 痛みの特徴と評価

SBO
Ⅰ．痛み患者の全人的な捉え方を理解する．
Ⅱ．痛み患者の心理特性，QOLの評価方法を理解する．

これまで，痛みの評価は visual analogue scale（VAS），numerical rating scale（NRS），face rating scale などで強弱を評価することが一般的であった．しかし，慢性疼痛の程度，治療効果は10か0ではなく，介入により健康的な生活を送り，痛みや病はあるものの病人ではなくなった患者も少なくない．痛みは多面的なため身体的な側面からの評価には限界がある．

近年，慢性疼痛の治療は痛みを取り除き「0」にすることを目標には置いていない．医療の介入の副反応とのバランスを図りながら，痛みがありながらもとらわれることなくQOL，ADLの向上と，身体および精神的な幸福を目指すことに重きを置かれている．

古典的にも，痛みと痛み行動は別のものとして捉えられている．「痛みで動けない」と「痛みを訴えて動かない」は似て非なるものである．換言すれば痛みの評価には，痛みそのものの評価と痛みを訴える患者の評価に分けられる．痛み患者の特徴とその評価を理解することは，口腔顔面痛治診療には重要である．

1）痛み患者の心理社会的評価

慢性疼痛患者は痛みに悩んでいる．慢性疼痛患者の病態を評価することは，痛みの強弱，質といった痛みそのものの評価と痛みによる心理社会的因子への影響，生活制限，生活の質の低下の評価を用いて複合的に判断される[1]．したがって，痛みの有無や痛みのVAS，NRSの程度の変化だけでなく多面的，全人的な評価を行う．

慢性疼痛患者では抑うつ状態に代表される気分障害を伴う．特に長期にわたって経過すると，痛みのストレスが抑うつ状態を引き起こしているのか，抑うつ状態が身体症状として痛みを引き起こしているのかはわからなくなってしまう．また，気分障害を生じやすい人格特性もある．

痛みのメカニズムの第三のカテゴリーとして，痛覚変調性疼痛の概念が

提唱された．末梢の侵害受容器の活性化を引き起こす組織損傷や痛みを引き起こす体性感覚系の疾患や神経障害がないにも関わらず生じる痛みと理解されている．より上位中枢機能の変調による痛みの成分である．上位中枢機能の変調による表現型＝フェノタイプの一つが痛みの感じ方，訴えの変調とそれに伴う行動の変調として捉えれば，他の表現系としての気分障害，認知機能障害，パーソナリティ障害など心理社会的因子や人格特性を捉えることは痛覚変調性疼痛とその患者の理解を助けてくれる．

それが原因であろうとも結果であろうとも，心理社会的因子を理解することは痛みの診断と治療に重要である．ここでは，おもに痛み患者の質問票を用いた評価について述べる．それぞれ使用にあたっては無料のものもあれば，有料であったり無料でも登録が必要であったりするため留意する．

2）評価について（表1）

1―痛みの診断・評価

口腔顔面痛には，国際的な診断基準 International Classification of Orofacial Pain（ICOP）が公開されている．ほかにも顎関節症の診断基準 Diagnostic Criteria for Temporomandibular Disorders（DC/TMD），頭痛の診断基準 International Classification of Headache Disorders-3（ICHD-3）などを用いて，口腔顔面痛疾患そのものを鑑別する．

痛みの質の診断質問票には，ほかにも Short-form McGill Pain Questionnaire-2（SF-MPQ2-J）がある．神経障害性疼痛の診断に特化した，PainDETECT，The Leeds Assessment of Neuropathic Symptoms and Signs（LANSS）などもある．

2―QOL・ADLの評価

痛みの程度や，痛みにより障害される気分や行動について，Brief Pain Inventory（BPI）が用いられる．ほかに，全般的な痛みによる QOL・ADL の評価には，Pain Disability Assessment Scale（PDAS），EuroQol 5 Dimensions 5-level（EQ-5D-5L），MOS 36-Item Short-Form Health Survey（SF-36）などがある．しかし，これらは運動器の機能障害による QOL・ADL の評価であるため，口腔顔面痛での評価にはやや不向きである．HIT-6 や MIDAS は頭痛による生活制限の評価である．同じ頭頸部の痛みであることから，評価項目を頭痛から口腔顔面痛へ修正して使用することで口腔顔面痛の生活制限の評価ができる可能性はある．そのほか，DC/TMDでも用いられる Jaw Functional Limitation Scale（JFLS-8，JFLS-20）や口腔機能の評価として Oral Health Impact Profile（OHIP），General Oral Health Assessment Index（GOHAI），Oral Impacts on Daily Performance（OIDP）などがある．これらは機能評価であり，痛みには特化していない．腰下肢痛における PDAS のような，

表1　痛みの診断と評価の基準

痛みに関連する心理社会的因子の評価	
痛みの診断・評価	ICOP (International Classification of Orofacial Pain) DC/TMD (Diagnostic Criteria for Temporomandibular Disorders) ICHD-3 (International Classification of Headache Disorders-3) SF-MPQ2 (Short-form McGill Pain Questionnaire-2) PainDETECT LANSS (The Leeds Assessment of Neuropathic Symptoms and Signs)
QOL・ADLの評価	BPI (Brief Pain Inventory) PDAS (Pain Disability Assessment Scale) EQ-5D-5L (EuroQol 5 dimensions 5-level) SF-36 (MOS 36-Item Short-Form Health Survey) HIT6 (Headache Impact Test-6) MIDAS (Migraine Disability Assessment) JFLS-8, JFLS-20 (Jaw Functional Limitation Scale) OHIP (Oral Health Impact Profile) GOHAI (General Oral Health Assessment Index) OIDP (Oral Impacts on Daily Performance)
睡眠の質	AIS (Athens Insomnia Scale) PSQI (Pittsburgh Sleep Quality Index)
気分障害の評価	HADS (Hospital Anxiety and Depression Scale) SDS (Zung Self-rating Depression Scale) BDI (Beck Depression Inventory) CES-D (The Center for Epidemiologic Studies Depression Scale) HAM-D (Hamilton Depression Rating Scale) PHQ-4, PHQ-9, 15 (The Patient Health Questionnaire) HAM-A (Hamilton Anxiety Rating Scale) STAI (State-Trait Anxiety Inventory) GAD-7 (General Anxiety Disorder-7) FAB (Fear-Avoidance Belief Questionnaire) PCS (Pain Catastrophizing Scale) POMS2 (Profile of Mood States 2) SCL90R (Symptom Check List 90 Revised)
特性の評価	TAS20 (Toronto Alexythimia Scale 20) CSI (Central Sensitization Inventory) PSEQ (Pain Self-Efficacy Questionnaire)
対人交流の評価	RQ (Relationship Questionnaire) PBI (Parents Bonding Inventory)

口腔顔面痛の痛みによる生活制限の評価方法の整備が求められる．睡眠の質も，QOL の評価といえる．Athens Insomnia Scale(AIS)や Pittsburgh Sleep Quality Index(PSQI)などが用いられる．

3─気分障害の評価

痛みに伴うかどうかは問わないが，痛みに関連する上位中枢機能の変調による表現型＝フェノタイプの一つが痛みの変調と捉えるならば，情動・認知の評価は有用である．代表的

なものは抑うつ，不安である．さまざまな質問票があり，痛みには抑うつ，不安両者が評価できる Hospital Anxiety and Depression Scale(HADS)，Zung Self-rating Depression Scale(SDS)，Beck Depression Inventory (BDI)，The Center for Epidemiologic Studies Depression Scale(CES-D)，Hamilton Depression Rating Scale(HAM-D)，DC/TMDでも用いられている The Patient Health Questionnaire(PHQ-4，PHQ-9，15)などがある．

不安は不明瞭な対象に対する情動であり，Hamilton Anxiety Rating Scale(HAM-A)，State-Trait Anxiety Inventory(STAI)，General Anxiety Disorder-7(GAD-7)などがある．また，痛みには恐怖-回避モデルが唱えられているため，Fear-Avoidance Belief Questionnaire(FAB)や痛みによる破局的思考の評価 Pain Catastrophizing Scale(PCS)も有用である．

気分状態を総合的に評価する Profile of Mood States 2(POMS2)，Symptom Check List 90 Revised(SCL90R)を用いることで多面的な気分障害を評価することができる．

4 ― 特性の評価

情動や気分障害を生じるにあたっての中核的な特性の重要性は慢性疼痛に限らない．

失感情症の評価である Toronto Alexythimia Scale 20(TAS20)，中枢性感作傾向の評価である Central Sensitization Inventory(CSI)，痛みへの自己効力感の Pain Self-Efficacy Questionnaire(PSEQ)などがある．

5 ― 対人交流の評価

難治性の患者は痛みに悩んでいるだけでなく，良好な対人交流の構築が困難なために様々な場面でストレスを経験する．それは医療者との関係構築も同様で対人交流のパターンやその基盤となる愛着を育む保護者との被養育スタイルはドクターショッピングなどの医療態度の傾向を推察するうえで有用である．Relationship Questionnaire(RQ)や Parents Bonding Inventory(PBI)などがある．

ほかにも，強迫性の評価，トラウマの評価など痛みに密接な因子と評価が多数あり，ここに挙げている心理社会的因子とその評価はすべてではない．今後，痛みのなかでも口腔顔面痛の特徴とその適切な評価方法が確立されることが望まれる．

(坂本英治)

文 献
1) 慢性疼痛診療ガイドライン作成ワーキンググループ編集：B．診断・評価．慢性疼痛診療ガイドライン，真興交易医書出版部，東京，2021

第 4 部

口腔顔面痛の治療（総論）

第4部　口腔顔面痛の治療（総論）

1　薬物療法

SBO
Ⅰ．NSAIDsとCOX-2選択的阻害薬の作用機序を理解する．
Ⅱ．アセトアミノフェン，麻薬性鎮痛薬，麻薬拮抗性鎮痛薬の特徴を理解する．
Ⅲ．鎮痛補助薬の作用機序を理解する．

1）総論

　口腔顔面痛の治療にはさまざまな薬物が用いられる．近年，術後疼痛，がん性疼痛，神経障害性疼痛といった慢性疼痛に対するペインコントロールが重要視されるようになり，鎮痛薬や鎮痛補助薬を用いた薬物療法の果たす役割は大きくなっている．薬物療法の効果や副作用発現には個人差があり，薬物感受性（pharmacodynamics）と薬物代謝などの薬物動態（pharmacokinetics）との違いによって生じると考えられている．薬物によって効果や副作用発現の個人差はさまざまであるが，鎮痛薬のなかでは特にオピオイド鎮痛薬の作用は個人差が大きいことが知られており[1]，同じ投与量でも，良好な鎮痛効果が得られる患者もいれば，十分な鎮痛効果が得られず副作用を生じる患者もみられる．この個人差には，環境因子や心理的因子などが関与しており[2]，遺伝的因子も大きく影響している．より効率的な鎮痛効果と副作用軽減のため，患者の個人差を認識することが重要になる．ヒトゲノム中のアデニン（A），グアニン（G），シトシン（C），チミン（T）の4塩基からなる塩基配列の個体差すなわち個人差は遺伝子変異と称され，なかでも集団中の発生頻度が1％以上のものは遺伝子多型と呼ばれる．ヒトゲノム間では，99.9％以上の塩基配列が同一であり0.1％未満の塩基配列のみが異なるとされているが，そのわずかな差異が個人差となりさまざまな体質的な遺伝要因を決定づける一つの要素と考えられている．現在では，これまでのヒトゲノム解析により明らかにされた遺伝子多型情報に基づく遺伝子多型のデータベースを用いて，疾患への脆弱性，薬物の感受性などのさまざまな個人差との関連が明らかになりつつある[3]．さらにオピオイド受容体以外にもGIRK

チャネル[4]，R型カルシウムチャネル[5]，アドレナリンβ_2受容体[6]，ドパミンD4受容体[7]などの遺伝子領域における遺伝子多型が，オピオイド鎮痛薬の感受性の個人差に関連することが明らかになっている[3]．オピオイド鎮痛薬は，アデノシン三リン酸(ATP)結合カセット輸送体(ABCB1)によって中枢内の輸送，分布が制御されている．また代謝はUDP-グルクロン酸転移酵素(UGT)によってグルクロン酸抱合されるかシトクロムP450(CYP)によって酸化され，腎臓から尿中に排出される．これらのオピオイド鎮痛薬の運搬，代謝に関する分子群も，遺伝子多型の影響を受けて個人差が生じる．薬物の効果や副作用の個人差は治療を行ううえで考慮すべき事項であり，昨今ではゲノム科学の急速な進歩によって個人の遺伝子情報から治療法を決定するテーラーメード医療も各分野で普及しつつある．

2) 口腔顔面痛治療に用いる薬剤

1―鎮痛薬

① NSAIDsと選択的COX-2阻害薬

非ステロイド性抗炎症薬(nonsteroidal anti-inflammatory drugs；NSAIDs)はステロイド構造以外の抗炎症作用，解熱作用，鎮痛作用を有する薬物の総称である．以下に，NSAIDsおよびシクロオキシゲナーゼ(cyclooxygenase：COX)-2選択的阻害薬について，作用機序，適応，副作用，相互作用をまとめる．

(1)作用機序

NSAIDsのおもな効果は，炎症がある局所におけるプロスタグランジン(prostaglandin；PG)の産生阻害である．組織が損傷を受けた場合，ホスホリパーゼA_2により，細胞膜のリン脂質からアラキドン酸が遊離される．遊離されたアラキドン酸はCOXやペルオキシダーゼを含むPGH(prostaglandin H)合成酵素複合体の基質となり，PGG_2，PGH_2へと変換される．さらに各組織に特異的なPG合成酵素によりPGE_2など種々の化学伝達物質が合成され，損傷組織へ放出される．PG自体に発痛作用はないが，ブラジキニンなどの発痛物質の疼痛閾値を低下させる．また，局所での血流増加作用や血管透過性の亢進，白血球の浸潤増加など炎症を増強させる作用を有する．したがって，NSAIDsは遊離されたアラキドン酸からPGを合成する経路の律速酵素であるCOXの働きを阻害することにより抗炎症・鎮痛作用を発揮する(図1)．COXにはCOX-1とCOX-2の二つのサブタイプがあり，COX-1は血小板，消化管，腎臓などに常時発現しており，臓器の恒常性維持に必要である．COX-2は炎症などで誘導され，血管拡張作用などを有し炎症を促進するPGE_2などを合成する．従来のNSAIDsはそのカルボキシル基がCOX-1とCOX-2に共通してみられる120番目のアルギニンに結合し，反対側の疎水部分はCOXの疎水部に結合する．そのため，COXゲートが閉じられ，アラキドン酸が活性部位に到達できずPG産生ができなくなるが，COX-2選

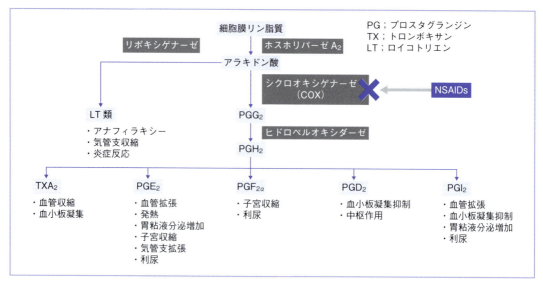

図1 NSAIDsの作用機序

表1 COX阻害の選択性によるNSAIDsの分類(日本緩和医療学会,2020[8])

COX-1阻害が優先	非選択的COX-2阻害薬	COX-2阻害が優先	選択的COX-2阻害薬
フルルビプロフェン インドメタシン	アスピリン ロキソプロフェン イブプロフェン ナプロキセン	ジクロフェナク エトドラク メロキシカム	セレコキシブ

択的阻害薬は炎症と痛みのみに関与するとされているCOX-2を選択的に阻害し(図2),鎮痛効果をもたらし,COX-1阻害による副作用の発現のリスクが少ないとされる.各NSAIDsによってCOX1/2阻害活性は異なる.

NSAIDsのCOX阻害の選択性による分類を表1[8])に示す.

(2)適 応

歯科領域で使用可能なNSAIDsの適応は歯痛,抜歯後疼痛,歯髄炎,骨髄炎,急性炎症性疾患,智歯周囲炎,顎関節症などである.プロピオン酸系のロキソプロフェンやアリール酸系のジクロフェナクは,NSAIDsのなかでも歯科領域で頻用されている.COX-2選択的阻害薬にはエトドラクやセレコキシブがある.

(3)副作用

表2にNSAIDsの一般的な副作用を示す.

a:胃腸障害

消化性潰瘍形成は,ヘリコバクター・ピロリ感染やアルコールの過剰摂取,コルチコステロイドや抗凝固目的の低用量アスピリン併用などの粘膜損傷因子により危険度が高まる.

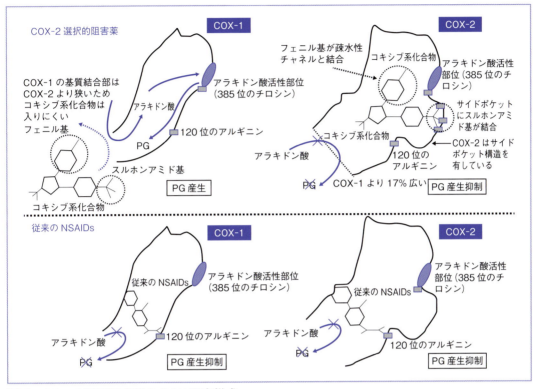

図2 COX-2選択阻害薬のCOX阻害様式

表2 NSAIDsのおもな副作用(川合, 2008)

消化管	腹痛,悪心,食欲不振,胃びらん,潰瘍,胃腸管出血,穿孔,下痢
腎臓	水・電解質貯留,高カリウム血症,浮腫,間質性腎炎,ネフローゼ症候群
肝臓	肝機能検査値異常,肝不全
血小板	血小板活性化阻害,出血リスク増大
不耐(過敏)症	血管(運動)神経性鼻炎,血管浮腫,喘息,蕁麻疹,気管支喘息,潮紅,低血圧,ショック
中枢神経系	頭痛,めまい,錯乱,抑うつ,痙攣の閾値低下
皮膚・粘膜	皮疹,光過敏症,皮膚粘膜眼症候群,中毒性表皮壊死症
妊娠時	妊娠期間の延長,分娩阻害,胎児の動脈管閉鎖

NSAIDsによる胃腸障害には,胃粘膜上皮細胞におけるCOX-1阻害によって粘膜細胞保護効果をもつPGI_2,PGE_2などが減少することが深く関わっている.選択的COX-2阻害薬は従来のNSAIDsより胃潰瘍発症の頻度が低いとされている.また経口投与時には,NSAIDsが胃粘膜に直接接触することでの局所刺激も関与している.胃腸障害の予防薬として,PG製剤,プロトンポンプ阻害薬,H_2受容体拮抗薬などが使用されている.

b：腎機能障害

うっ血性心不全，腹水を伴う肝硬変，慢性腎疾患，または循環血流量が減少している患者では腎血流量と糸球体濾過速度が減少し急性腎不全を起こすことがある．腎機能障害がある患者や高齢者に投与する際は，十分な注意をする必要がある．

c：肝機能障害

肝機能障害の発症は投与開始数か月後に起こるのが特徴とされる．肝細胞酵素の血中の値は増加するが，明らかな黄疸はまれである．使用薬物の中止により可逆的に回復する．

d：血小板，心血管系障害

NSAIDs は COX を阻害し，トロンボキサン A_2 の血小板形成を抑制するため血小板機能が障害され，出血傾向が現れることがある．血小板ではおもに COX-1 が発現しているため，選択的 COX-2 阻害薬では血小板機能障害が軽減される．また，動脈硬化病変部位の血管内皮細胞では COX-2 阻害により，抗血栓性に働くプロスタサイクリンを抑制することから COX-2 選択的阻害薬は一般的に血栓形成を促進し，心血管障害の発症リスクが高いとされていたが，現時点では全ての NSAIDs の長期投与で心血管イベントの発症リスクが上昇し，選択的 COX-2 阻害薬セレコキシブと他の NSAIDs にはリスクに差がないと考えられている．

e：アスピリン不耐(過敏)症

アスピリンやその他の NSAIDs に過敏で，血管浮腫，全身性じんま疹，気管支喘息，咽頭浮腫，ショックなどのさまざまな症状を示す場合がある．アスピリン不耐(過敏)症の症状はアナフィラキシーとも類似しているが，免疫反応ではなくシクロオキシゲナーゼの阻害が関わっていると考えられている．

(4)薬物相互作用

表3[8]に NSAIDs の薬物相互作用を示す．NSAIDs は薬物相互作用が生じやすいとされているため，患者の常用薬を確認し，注意して投与する．

② アセトアミノフェン

(1)作用機序

アセトアミノフェンは古くから使用されている薬であるが，いまだに作用機序が十分に明らかにされていない．抗炎症作用は弱く，おもに中枢神経系を介して鎮痛効果を発現するとされている．現在想定されている作用機序としてアセトアミノフェンは下行性のセロトニン作動神経のセロトニン放出を増加させ(図3)，脊髄後角でのセロトニンが①シナプス前での神経伝達物質の放出を抑制し，②シナプス後での抑制性シナプス後電位の発生により痛みのシナプス伝達を抑制し鎮痛効果を発揮する．

(2)副作用

副作用は一般的な投与量のもとでは生じにくい．アセトアミノフェンは COX 阻害活性が弱く，NSAIDs と比較して消化管障害，腎障害，心血管系障害などの副作用が発生する頻度

表3　おもなNSAIDsの相互作用（日本緩和医療学会，2020[8]）

	セレコキシブ	メロキシカム	ロキソプロフェン	イブプロフェン	フルルビプロフェン	ジクロフェナク	ナプロキセン	予想される臨床症状
ワルファリン	+	+	+	+	+	+	+	CYP2C9の競合阻害によるプロトロンビン時間の延長
メトトレキサート		+	+	+	+	+	+	腎臓におけるプロスタグランジン合成阻害によるメトトレキサートの作用増強
ACE阻害薬/アンジオテンシンII受容体拮抗薬	+	+	+	+		+	+	腎臓におけるプロスタグランジン合成阻害による降圧効果を減弱
ループ利尿薬/サイアザイド系利尿薬	+	+	+	+	+	+	+	腎臓におけるプロスタグランジン合成阻害による降圧効果を減弱
ジゴキシン						+		腎臓におけるプロスタグランジン合成阻害によるジゴキシンの作用増強
SU薬		+	+	+			+	血中蛋白の結合抑制による血糖降下作用の増強
ニューキノロン系抗菌薬			+	+	+	+	+	脳内のGABAの受容体結合の阻害による痙攣誘発
ペメトレキセド	+	+	+	+	+	+	+	腎臓におけるプロスタグランジン合成阻害によるペメトレキセドの作用増強
抗凝血薬/抗血小板薬	+	+	+	+		+	+	血小板凝集阻害のため出血の危険性増大
SSRI	+	+		+		+		血小板凝集阻害のため出血の危険性増大
CYP2C9を阻害する薬剤	+			+	+			CYP2C9の代謝阻害によるNSAIDsの作用増強

は低い．急性の副作用として過剰投与による肝細胞壊死が挙げられる．アルコール常用者，低栄養状態，薬物代謝酵素（CYP2E1）を誘導する薬物との併用ではそのリスクが高まる．

(3) 適　応

歯科におけるアセトアミノフェンの適応は歯痛，歯科治療後の疼痛，変形性関節症，がんによる疼痛である．小児領域における解熱・鎮痛にも用いられる．手術後の術後疼痛に関しては静注用アセトアミノフェン（アセリオ）の適応がある．

(4) 禁　忌

消化性潰瘍，重篤な血流障害，肝機能異常，腎機能異常，心不全，アセトアミノフェン

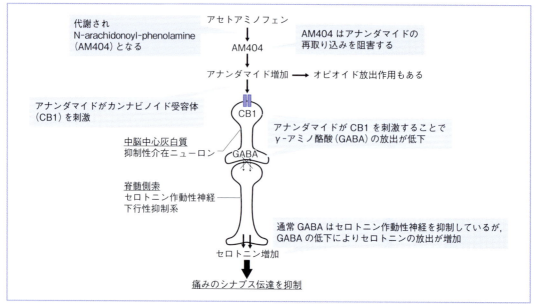

図3 現在想定されているアセトアミノフェンの作用機序

への過敏症などが挙げられる．アスピリン喘息に関しては生じにくいともされ，アスピリン禁忌の際に使用されることもあるが注意が必要である．

(5)用　法

成人では1回300～1,000mgを経口投与し，投与間隔は4～6時間以上で1日総量として4,000mgまで投与可能である．

投与量が少ないと十分な鎮痛効果が得られないことがある．幼児および小児の1回投与量は体重によって増減する．体重：～10kg；100～150mg，20kg；200～300mg，30kg；300～450mgで1日あたりの最大用量は1,500mgである．

③ オピオイド

オピオイドは「中枢神経や末梢神経に存在する特異的受容体（オピオイド受容体）への結合を介してモルヒネに類似した作用を示す物質の総称」とされ，植物由来の天然のオピオイド，化学的に合成・半合成されたオピオイド，体内で産生される内因性オピオイドがある．オピオイド受容体はμ，δ，κ受容体の三つのサブタイプに分類され，末梢神経，脊髄，脳の広範囲の神経系に分布する．μ，δ，κ受容体はすべて7回膜貫通型のG蛋白質共役形受容体であり，その細胞内情報伝達系はG蛋白質を介して進行する．オピオイド受容体を介した細胞内情報伝達系を図4に示す．またオピオイドには表4に示すような共通の副作用があるため投与には注意が必要である．以下に代表的なオピオイドの特徴を示す．

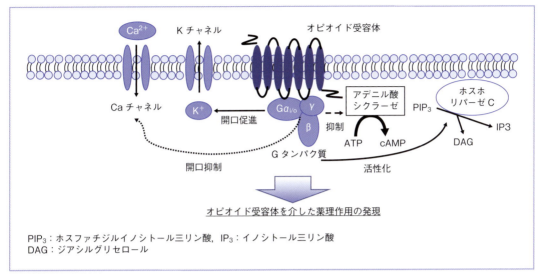

図4 オピオイド受容体を介するさまざまな細胞内シグナル

表4 オピオイドの共通する副作用

消化器系	悪心,嘔気,嘔吐,便秘
中枢神経系	眠気,呼吸抑制,せん妄,痙攣
自律神経系	口渇,尿閉
皮膚	搔痒感,発汗

2 ─ 麻薬性鎮痛薬

① モルヒネ

(1) 作用機序

代表的なオピオイドであるモルヒネは,μオピオイド受容体に対する選択性が比較的高く(δ,κオピオイド受容体の数倍〜数十倍),その作用のほとんどがμオピオイド受容体を介して発現する.

(2) 代謝・吸収・排泄

経口投与されたモルヒネは,胃腸管から吸収される.吸収されたモルヒネは肝初回通過効果により代謝され,生体内利用率は19〜47％とされる.全身循環に到達したモルヒネは,グルクロン酸抱合により,約44〜55％がモルヒネ-3-グルクロニド(M3G)に,約9〜10％がモルヒネ-6-グルクロニド(M6G)に代謝され,8〜10％が未変化体(モルヒネ)として尿中から排泄される.M6GおよびM3Gは腎臓から排泄される.

(3) 特 徴

モルヒネは,多くのがん疼痛緩和ガイドラインにおいて,第一選択薬として推奨されて

いる．また，経口や静脈内，直腸内，皮下，硬膜外，くも膜下腔内へ投与可能である．モルヒネの代謝物である M6G は強力な鎮痛作用を有しており，脳移行性がモルヒネよりも低く，緩徐に血液脳関門を通過するため，作用持続時間が長い．一方，もう一つの代謝物である M3G は，オピオイド受容体に対してほとんど親和性をもたないため，鎮痛作用は示さないが，がん疼痛患者へモルヒネを大量投与した際に認められる痛覚過敏やアロディニアの発現に関与している可能性が示唆されている．

② フェンタニル

(1) 作用機序

フェンタニルは，フェニルピペリジン関連の合成オピオイドであり，麻酔補助薬として使用されてきた．μオピオイド受容体に対する選択性が非常に高く，完全作動薬として作用する．フェンタニルの鎮痛効果は，モルヒネと類似しているが，鎮痛効果は強く，静脈内投与した場合，フェンタニルの鎮痛作用はモルヒネの約 50〜100 倍である．

(2) 代謝・吸収・排泄

フェンタニルはほとんど肝臓で代謝され，おもにシトクロム P450 の CYP3A4 により，ノルフェンタニルに代謝される．ノルフェンタニルは非活性代謝物である．フェンタニルは脂溶性が高く，血液脳関門をすみやかに移行する．

(3) 特　徴

フェンタニルは，経皮，静脈内，皮下，硬膜外，くも膜下腔内へ投与することができる．静脈内投与したフェンタニルが最大鎮痛効果に達する時間は約 5 分とモルヒネや他のオピオイドと比較して速効性がある．脂溶性が高く比較的分子量が小さいため，皮膚吸収が良好であり，貼付剤としても使用されている．

③ オキシコドン

(1) 作用機序

オキシコドンは，半合成テバイン誘導体であり，強オピオイドに分類される．おもにμオピオイド受容体を介して薬理作用を発現する．

(2) 代謝・吸収・排泄

経口オキシコドンの生体内利用率は約 60％である．シトクロム P450 の CYP2D6 および CYP3A4 により，ノルオキシコドンおよびオキシモルフォンに代謝される．ノルオキシコドンは主代謝物であるが，非活性代謝物である．また，オキシモルフォンは鎮痛活性を示すが，その AUC〔薬物血中濃度(時間)曲線下面積〕は，オキシコドン AUC の約 1.4％とごく微量である．オキシコドンはほとんど肝臓で代謝されるが，約 5.5〜19％が未変化体として尿中から排泄される．

④ コデイン
(1)作用機序
　コデインのオピオイド受容体に対する親和性は低く，その鎮痛効果はコデインの一部がO-脱メチル化されたモルヒネによるものである．
(2)代謝・吸収・排泄
　経口製剤は肝初回通過効果が少なく，約0.8時間で最高血中濃度に到達する．コデインのオピオイド受容体への親和性は低いが，コデインが肝臓で代謝されると，約10％がシトクロムP450のCYP2D6によりモルヒネとなり，鎮痛効果をもたらす．
(3)特　徴
　コデインは鎮咳作用を有する．これはコデインそのものの作用である．WHOの分類では弱オピオイドに分類され，中等度までの痛みの治療に使用され，モルヒネの1/6～1/10の鎮痛作用を有している．

⑤ トラマドール
(1)作用機序
　トラマドールはコデイン類似の合成化合物であり，その鎮痛効果はμオピオイド受容体に対する弱い親和性とセロトニン・ノルアドレナリン再取り込み阻害作用を合わせもつことで発揮されると考えられている．トラマドールの代謝物であるモノ-O-脱メチル体は，μオピオイド受容体に対して未変化体よりも高い親和性を有するため，トラマドールの鎮痛作用の一部に寄与していると考えられている．トラマドールには①オピオイド受容体への作用，②ノルアドレナリン・セロトニンの再取り込み抑制による下行性抑制系の賦活作用の二つの作用がある．
(2)代謝・吸収・排泄
　トラマドール経口剤の生体内利用率は約75％であり，中枢移行性も良好である．おもに肝臓においてシトクロムP450のCYP2D6およびCYP3A4で代謝され，O-デスメチルトラマドールおよびN-デスメチルトラマドールに変換され，腎よりトラマドールとして約30％，代謝物として約60％が排泄される．O-デスメチルトラマドールは，μオピオイド受容体に作用し，トラマドールより高い鎮痛効果を発揮する．
(3)特　徴
　トラマドールは，WHO方式がん疼痛治療法の第二段階薬群に分類されている．作用発現時間および持続時間はモルヒネと同程度である．トラマドールはその作用機序から神経障害性疼痛に効果的であることが報告されている．他のオピオイドと同様に便秘，嘔気・嘔吐の発生はあるが頻度は低い．呼吸抑制などの重篤な副作用が少なく，長期投与による耐性や依存性形成が弱い．セロトニンの再取り込みを阻害するため，セロトニン症候群の発生が危惧されるためモノアミン酸化酵素阻害薬との併用は禁忌であり，セロトニン選択的再取り込み

阻害薬との併用には注意が必要である．経口薬はアセトアミノフェン配合錠，口腔内崩壊錠，徐放剤の3種類がある．

3―麻薬拮抗性鎮痛薬

① ペンタゾシン

(1) 作用機序

ペンタゾシンはκオピオイド受容体に対して作動薬として作用し，μオピオイド受容体に対しては拮抗薬もしくは部分作動薬として作用する．ペンタゾシンは鎮痛，鎮静，呼吸抑制を含めモルヒネなどのオピオイドとほぼ類似する作用を示す．その鎮痛作用はおもにκオピオイド受容体を介して発現するが，一部μオピオイド受容体も介している．また，鎮痛作用の天井効果を有する．

(2) 代謝・吸収・排泄

経口製剤は約2時間で最高血中濃度に到達する．未変化体で腎より排泄されるペンタゾシンは5〜8％であるため，ほとんど肝臓で代謝され，おもな代謝経路はグルクロン酸との抱合であり，代謝物には活性は存在しない．

(3) 特　徴

モルヒネを長期間投与されている患者に対して，ペンタゾシンを投与するとμオピオイド受容体拮抗作用により離脱症候や鎮痛効果低下を引き起こす可能性がある．嘔吐などの副作用の発生頻度はモルヒネよりは低いが，不安，幻覚などの精神症状が発現することがある．

② ブプレノルフィン

(1) 作用機序

ブプレノルフィンはμオピオイド受容体に対して作動薬として作用し，κオピオイド受容体に対しては拮抗作用を示す．効力はモルヒネの25〜50倍で，モルヒネと類似する作用を示すが，天井効果を有する．ブプレノルフィンは，オピオイド受容体に対して親和性が高く，かつ高い脂溶性をもつため，受容体からの解離が緩やかであり，長時間の作用（約6〜9時間）を示す．

(2) 代謝・吸収・排泄

坐剤は約1〜2時間で最高血中濃度に到達する．ブプレノルフィンはおもに肝臓で代謝され，シトクロムP450のCYP3A4によりノルブプレノルフィンに代謝される．

(3) 特　徴

ブプレノルフィンは直腸内，静脈内，皮下へ投与することができる．注射において2mg/日で天井効果がみられるため，鎮痛効果が弱い場合には強オピオイドに変更する必要がある．天井効果のため呼吸数を大幅に減少させることなく鎮痛効果が得られるが，ベンゾジアゼピン系薬物やアルコールなどとの併用で呼吸抑制が生じる可能性があるため注意が必要であ

表5　カルバマゼピンのおもな副作用

- めまい，ふらつき
- 肝機能障害，黄疸
- 中毒性表皮壊死融解症（toxic epidermal necrolysis：TEN），皮膚粘膜眼症候群（Stevens-Johnson症候群），多形紅斑，急性汎発性発疹性膿疱症，紅皮症（剝脱性皮膚炎）
- 全身性エリテマトーデス（SLE）様症状
- 再生不良性貧血，汎血球減少，白血球減少，無顆粒球症，貧血，溶血性貧血，赤芽球癆，血小板減少
- 薬剤性過敏症症候群
- 急性腎障害（間質性腎炎等）
- PIE（pulmonary infiltration of eosinophilia）症候群，間質性肺炎
- 血栓塞栓症
- アナフィラキシー
- うっ血性心不全，房室ブロック，洞機能不全，徐脈
- 抗利尿ホルモン不適合分泌症候群（SIADH）
- 無菌性髄膜炎
- 悪性症候群

る[9]．ブプレノルフィンは，μオピオイド受容体に対する親和性がモルヒネよりも強いため，大量にモルヒネを投与している患者にブプレノルフィンを投与すると，μオピオイド受容体に結合できるモルヒネと競合するために，総合的に鎮痛効果が弱まる可能性がある．

4─鎮痛補助薬

　鎮痛補助薬とは，NSAIDsやオピオイド鎮痛薬といった侵害受容性疼痛治療薬以外で鎮痛作用のある薬物の総称である．抗てんかん薬，抗うつ薬，NMDA受容体拮抗薬，抗不整脈薬，局所麻酔薬，$α_2$アドレナリン受容体作動薬，ステロイド，ビスホスホン酸塩などがあるが，ここでは抗てんかん薬，Caチャネル$α_2δ$リガンド，抗うつ薬，NMDA受容体拮抗薬について解説する．

① 抗てんかん薬および関連薬

(1) カルバマゼピン

a：作用機序

　カルバマゼピンは三叉神経痛に特化した除痛効果があり，三叉神経痛と他の顔面痛の鑑別診断の手段として用いられることも多い．神経のNaチャネルに作用し，神経線維の脱分極を可逆的に阻害することで鎮痛効果を生じる．

b：用法，副作用対策

　初回投与量を100 mg/日とし，副作用を確認しながら数日ごとに100 mg/日ずつ増量する．患者が自覚する副作用としては眠気やめまいが多いため，眠前から内服を開始し最大800 mg/日まで増量する．鎮痛効果が得られたら維持量とする．用量依存性に副作用が発現するので，副作用発現量が患者の最大投与量となる．食事が刺激となって三叉神経痛が出る場合は服薬を食事の1時間〜1時間30分前に行い，奏功が十分な時間帯に食事を摂取する

表6　プレガバリンのおもな副作用

- めまい，傾眠，意識消失
- 体重増加
- 心不全
- 肺水腫
- 横紋筋融解症
- 腎不全
- 血管浮腫
- 低血糖
- 間質性肺炎
- ショック，アナフィラキシー
- 劇症肝炎，肝機能障害
- 皮膚粘膜眼症候群(Stevens-Johnson症候群)，多形紅斑

ようにする．

　カルバマゼピンの副作用を**表5**に示す．副作用が生じた場合には投与を中止し，適切な処置を行う．必要に応じて心電図検査，血液検査を行う必要があるため，検査結果を評価できる知識があり，副作用や合併症に対応できる必要がある．また，高齢者では一般的に生理機能が低下しているため，減量するなどの注意が必要である．

② $\alpha_2\delta$リガンド

(1) プレガバリン

a：作用機序

　プレガバリンは中枢神経系において，電位依存性Caチャネルの$\alpha_2\delta$サブユニットと結合することにより興奮性神経伝達物質の遊離を抑制することで鎮痛効果を発現する．プレガバリンが$\alpha_2\delta$サブユニットと結合すると，Ca^{2+}の通過孔であるα_1サブユニットを外部から閉じることで細胞外から細胞内へのCa^{2+}の流入を抑制する．プレガバリンは平時に正常より過剰興奮している神経にあるCaチャネルの$\alpha_2\delta$サブユニットに結合すると効果を示すが，正常な神経には効果を認めないことからカルバマゼピンと同様に鑑別診断に用いることも可能である．

b：用法，副作用対策

　プレガバリンのおもな副作用を**表6**に示す．プレガバリンの副作用としてよくみられるのは，めまいやふらつきであるため，初回量は25 mg/日を眠前から開始する．副作用と効果を観察し，3～7日ごとに25 mgずつ増量していく．1日最高用量は600 mgである．高齢者では腎機能が低下していることが多いため，クレアチニンクリアランスの値を参考に投与量，投与間隔を調節するなど，慎重に投与する必要がある．体重増加もよくみられる副作用の一つである．めまいなどは長期投与で症状が改善することもあるので副作用の説明を十分に行ったうえで投与を開始する．急激な投与中止は不眠，悪心，頭痛，下痢，不安などの症状が現れることがあるので，投与を中止する場合には1週間以上かけて漸減する．

(2)ミロガバリン
a：作用機序

　ミロガバリンは，プレガバリンと同様のCaチャネル$α_2δ$リガンドである．電依存性Caチャネル$α_2δ$サブユニットには，$α_2δ$-1および$α_2δ$-2の二つのサブタイプが存在する[10]．$α_2δ$-1は鎮痛作用に関与し，$α_2δ$-2は中枢神経抑制作用に関与する．ミロガバリンは$α_2δ$-1サブユニットに対する解離半減期が$α_2δ$-2サブユニットに対する解離半減期と比較して長く長時間結合できると考えられている[11]．そのため，プレガバリンよりも$α_2δ$-1に選択的かつ持続的に結合し，血中からすみやかに消失するために，鎮痛効果が持続的に得られ，中枢抑制から生じる傾眠やめまいなどの副作用を回避しやすいと想定されている．

b：用法，副作用対策

　ミロガバリンの副作用として頻度が高いのは傾眠，浮動性めまい，浮腫である．初回投与は2.5〜5mg/日を眠前から開始し，副作用と効果を観察しながら漸増していく．1日最大量は30mgである．高齢者や腎機能低下患者に対して処方する場合は，クレアチニンクリアランス値を参考に投与量，投与間隔を調節する．

(3)ガバペンチン

　ガバペンチンも電位依存性Caチャネルの$α_2δ$サブユニットと結合することにより興奮性神経伝達物質の遊離を抑制することで鎮痛効果を発現する薬物である．欧米をはじめ各国で神経障害性疼痛の第一選択薬となっているが，日本では神経障害性疼痛に対する保険適応がない．初回投与量は100mg/日眠前とし，副作用と効果を観察しながら1〜7日ごとに100mgずつ増量していく．投与量に応じて1〜3回/日投与に切り替え3〜8週間かけて最大用量で2,400mgまで増量する．他のCaチャネル$α_2δ$リガンドと同様に投与初期に眠気やふらつきなどの症状が現れることがあるので注意する．

③抗うつ薬

　抗うつ薬は，脳内の神経伝達系に作用してうつ病・うつ状態を改善させる効果をもつ薬剤の総称である．その化学構造や作用機序の違いによって，三環系抗うつ薬(tricyclic antidepressant：TCA)，選択的セロトニン再取り込み阻害薬(selective serotonin reuptake inhibitors：SSRI)，セロトニンノルアドレナリン再取り込み阻害薬(serotonin noradrenalin reuptake inhibitor：SNRI)，ノルアドレナリン作動性・特異的セロトニン作動性抗うつ薬(noradrenergic and specific serotonergic antidepressant：NaSSA)に分類される．神経障害性疼痛をはじめとする慢性疼痛にはTCAとSNRIの有効性が証明されており，現在広く臨床使用されている．

　抗うつ薬は副作用が比較的強く，効果発現までに時間がかかること，鎮痛作用は抗うつ作用とは別の機序である点を患者に十分説明し，患者が誤解して以後の治療が困難とならないような配慮が必要である．

(1) 三環系抗うつ薬(TCA)

TCAは神経障害性疼痛治療における第一選択薬である[12]．持続性特発性歯痛(persistent idiopathic dento alveolar pain：PIDAP)や口腔灼熱痛症候群(burning mouth syndrome：BMS)などの原因不明の口腔顔面領域の慢性疼痛に対しても使用されることがある．三級アミンであるアミトリプチリンやイミプラミンが頻用されるが，二級アミンは三級アミンと比較して副作用が少ないとされており，ノルトリプチリンが用いられることもある．

a：作用機序

おもな鎮痛作用機序は，ノルアドレナリンおよびセロトニンの再取り込みを阻害することによる下行性疼痛抑制系の賦活化と考えられており，その他，NMDA受容体拮抗作用，Naチャネル遮断作用，Caチャネル遮断作用など作用は多岐に及ぶと考えられている[13,14]．アミトリプチリンは「慢性疼痛におけるうつ状態」と「末梢性神経障害性疼痛」に対して歯科保険診療が認められている．

b：用法，副作用対策

アミトリプチリンは10mg/日を眠前から開始し，効果と副作用を十分に観察しながら，3～7日ごとに10mg/日ずつ増量していく．1日最大投与量は150mgである．三環系抗うつ薬の代表的な副作用は抗コリン作用による口渇，便秘，排尿障害，眼圧上昇および抗ヒスタミン作用による眠気，ふらつきが挙げられる．また，洞性頻脈，脚ブロック，STおよびT波の変化，起立性低血圧などの心機能障害が生じることがあるので，心疾患を有する患者への投与には注意が必要である．自殺念慮，自殺企図が現れることがあるため注意が必要である．急激な減量，服用中止は情緒不安や嘔気等を生じることがあるので投与を中止する際は漸減する．

(2) セロトニン・ノルアドレナリン再取り込み阻害薬(SNRI)

SNRIは日本では神経障害性疼痛の第一選択薬の一つである[12]．デュロキセチンやミルナシプランなどが用いられる．

a：作用機序

SNRIは，脳内の神経伝達物質であるセロトニン濃度とノルアドレナリン濃度を高めることで下行性疼痛抑制系を賦活し，鎮痛作用を発揮する．

b：用法，副作用対策

デュロキセチンは，朝食後1回の服用が原則である．20mgより開始し，効果と副作用を観察しつつ20mgずつ増量していき，1～2週間後に最適投与量(維持量)40～60mgまで増量する．60mg/日を1日2回分割投与でも1日1回投与と同等の鎮痛効果が得られると考えられており，分割投与のほうが副作用は減少する[15]．SNRIの副作用は，三環系抗うつ薬と比較して少ないものの，吐き気，口渇，不眠性機能障害が生じる可能性があり，SNRI投与中に自殺行動のリスクが高くなる可能性が報告されていることから，副作用に十分留意す

ることは三環系抗うつ薬と同様である．

④ NMDA受容体拮抗薬（ケタミン）

(1) 作用機序

ケタミンは視床・新皮質を抑制する一方で，大脳辺縁系は賦活することから解離性麻酔と呼ばれ，日本では2005年から麻薬指定されており，使用には所定の手続きが必要である．イオン型NMDA受容体の拮抗作用によって興奮性伝導を抑制することで作用を発現する．

(2) 用法，副作用対策

ケタミン0.1〜0.2 mg/kgを100 mLの生理食塩水に希釈し，モニター監視下で緩徐に静注する．ケタミンの副作用には浮遊感覚，悪夢，幻覚，せん妄状態などが挙げられる．これらの現象は男性より女性に多いとされ[16]，発生した場合はミダゾラムなどのベンゾジアゼピン系鎮静薬を併用する．

⑤ 筋弛緩薬

咀嚼筋痛に対する治療薬としてエペリゾン塩酸塩やチザニジン塩酸塩などの筋弛緩薬が用いられる．エペリゾン塩酸塩は，脊髄において単および多シナプス反射を抑制するとともに，γ-運動ニューロンの自発発射を減少させ，筋紡錘の感度を低下させることで強力な骨格筋弛緩作用を発揮する．また，中脳毛様体および後部視床下部を介する脳波覚醒反応を抑制する作用や，血管平滑筋のCaチャネル遮断や交感神経活動の抑制を介して，皮膚・筋や脳への血流量を増大させる作用もある．脊髄レベルにおける鎮痛作用も有する．エペリゾン塩酸塩の投与中に脱力感，ふらつき，眠気等が発現することがあるため注意を要する．チザニジン塩酸塩は中枢性筋弛緩薬に属し，脊髄および上位中枢に作用して，脊髄多シナプス反射を抑制することで骨格筋の弛緩をもたらす．チザニジン塩酸塩の投与初期に急激な血圧低下が発現することがある．エペリゾン塩酸塩は150 mg，チザニジン塩酸塩は3 mgを1日3回に分けて食後に経口投与し，年齢，症状に応じて適宜増減する．

⑥ 抗不安薬

ベンゾジアゼピン系薬剤には筋弛緩作用があるため咀嚼筋痛障害に用いられることがある．エチゾラムやクロキサゾラムが用いられるが，習慣性を考慮して使用する必要がある．また，BMSにおける症状の寛解にクロナゼパムが効果をもつと考えられている[17]．BMS患者に対するクロナゼパムの投与法としては1 mgの錠剤を3分間口腔内で溶解させ，吐き出す局所投与[18]や，0.5 mgを眠前に内服させる方法[19]などがある．

⑦ ワクシニアウイルス接種家兎炎症皮膚抽出液含有製剤，カプサイシン

(1) ワクシニアウイルス接種家兎炎症皮膚抽出液含有製剤（ノイロトロピン）

ノイロトロピンはワクシニアウイルスを接種したウサギの炎症皮膚組織から，非タンパク性の活性成分を分離・製剤化したもので，下行性疼痛抑制系の賦活，ブラジキニン産生の抑制，局所の血流改善効果がある．神経障害性疼痛のなかでも特に帯状疱疹後神経痛に対す

る鎮痛効果が示されている[20]．重篤な副作用がなく安全性が高い．1日4錠を朝夕2回に分割投与する．

(2) カプサイシン

カプサイシンは帯状疱疹後神経痛などに効果がある．製剤として市販されていないため，0.025～0.075%の軟膏を薬局で調剤してもらい患部に塗布する．明確な作用機序は不明だが，カプサイシンの刺激が繰り返されることで，TRPV1を介して細胞内に流入したCa^{2+}によりTRPV1が脱感作されて痛みを感じにくくなると考えられている．

（左合徹平）

文献

1) Ikeda K, Ide S, Han W, Hayashida M, Uhl GR, Sora I: How individual sensitivity to opiates can be predicted by gene analyses. Trends Pharmacol Sci 26(6): 311-317, 2005
2) Ip HY, Abrishami A, Peng PW, Wong J, Chung F: Predictors of postoperative pain and analgesic consumption: a qualitative systematic review. Anesthesiology 111(3): 657-677, 2009
3) 池田和隆，添田萌，西澤大輔，小崎芳彦，福田謙一，一戸達也：ゲノムワイド関連解析に基づいたオピオイドのテーラーメイド疼痛治療．日歯麻誌 47(4): 125-129, 2019
4) Nishizawa D, Fukuda K, Kasai S, Ogai Y, Hasegawa J, Hayashida M, Minami M, Ikeda K: Association between KCNJ6 (GIRK2) gene polymorphisms rs2835859 and post-operative analgesia, pain sensitivity, and nicotine dependence. J Pharmacol Sci 126: 253-263, 2014
5) Ide S, Nishizawa D, Fukuda K, Kasai S, Hasegawa J, Hayashida M, Minami M, Ikeda K: Association between genetic polymorphisms in Cav2.3 (R-type) Ca^{2+} channels and fentanyl sensitivity in patients undergoing painful cosmetic surgery. PLoS One 8: e70694, 2013
6) Moriyama A, Nishizawa D, Kasai S, Hasegawa J, Fukuda K, Nagashima M, Katoh R, Ikeda K: Association between genetic polymorphisms of the beta1-adrenergic receptor and sensitivity to pain and fentanyl in patients undergoing painful cosmetic surgery. J Pharmacol Sci 121: 48-57, 2013
7) Aoki Y, Nishizawa D, Kasai S, Fukuda K, Ichinohe T, Yamashita S, Ikeda K: Association between the variable number of tandem repeat polymorphism in the third exon of the dopamine D4 receptor gene and sensitivity to analgesics and pain in patients undergoing painful cosmetic surgery. Neurosci Lett 542: 1-4, 2013
8) 日本緩和医療学会ガイドライン統括委員会編：がん疼痛の薬物療法に関するガイドライン 2020年版
9) Calderon R, Copenhaver D: Buprenorphine for chronic pain. J Pain Palliat Care Pharmacother 27: 402-405, 2013
10) Domon Y, Arakawa N, Inoue T, Matsuda F, Takahashi M, Yamamura N, Kai K, Kitano Y, Binding characteristics and analgesic effects of mirogabalin, a novel ligand for the $\alpha 2\delta$ subunit of voltage-gated calcium channels. J Pharmacol Exp Ther 365, 573-582, 2018
11) Domon Y, Arakawa N, Inoue T, et al: Binding Characteristics and Analgesic Effect of Mirogabalin, a Novel Ligand for $\alpha_2\delta$ Subunit of Voltage-Gated Calcium Channels. J Pharmacol Exp Ther 365: 573-582, 2018
12) 日本ペインクリニック学会神経障害性疼痛薬物療法ガイドライン改訂版作成ワーキンググループ編：神経障害性疼痛薬物療法ガイドライン 改訂第2版．48-53, 真興交易，東京，2016
13) Dick IE, Brochu RM, Purohit Y, et al: Sodium channel blockade may contribute to the analgesic efficacy of antidepressants. J Pain 8: 315-324, 2007
14) Gilon I, Watson CP, Cahill CM, et al: Neuropathic pain: A practical guide for clinician. CMAJ 175: 265-275, 2006
15) Goldstein DI, Lu Y, Detke MJ, et al: Duloxetine vs placebo in patients with painful diabetic neuropathy. Pain 116: 109-118, 2005
16) White PF, Way WL, Trevor AJ, et al: Ketamine-its pharmacology and therapeutic uses. Anesthesiology 56: 119-136, 1982
17) Cui Y, Xu H, Chen FM, et al: Efficacy evaluation of clonazepam for symptom remission in burning mouth syndrome: a meta-analysis. Oral Dis 22(6): 503-511, 2015
18) Gremeau-Richard C, Woda A, Navez ML, et al: Topical clonazepam in stomatodynia: a randomized placebo-controlled study. Pain 108: 51-57, 2004
19) Heckmann SM, Kirchner E, Grushka M, et al: A double-blind study on clonazepam in patients with burning mouth syndrome. Larygoscope 122: 813-816, 2012
20) 山村秀夫，檀健二郎，若杉文吉，他：ノイロトロピン錠の帯状疱疹後神経痛に対する効果—プラセボ錠を対照薬とした他施設二重盲検試験—．医学のあゆみ 147: 651-664, 1988

資料　口腔顔面痛治療に用いる薬剤

薬剤名	代表商品名	用量	おもな保険適応疾患	おもな副作用
非ステロイド性抗炎症薬（NSAIDs）とアセトアミノフェン				
ロキソプロフェン	ロキソニン	60mg/日	疼痛全般	消化管障害，腎機能障害，浮腫，心血管イベント，喘息
ジクロフェナク	ボルタレン	25-100mg/日		
セレコキシブ	セレコックス	200mg/日		
アセトアミノフェン	カロナール	600-4000mg/日		肝機能障害
抗てんかん薬				
カルバマゼピン	テグレトール	開始量 100mg/日 最大量 800mg/日	三叉神経痛	眠気，めまい，肝機能障害
Caチャネルα₂δリガンド				
プレガバリン	リリカ	開始量 25-50mg/日 最大量 600mg/日	神経障害性疼痛	眠気，めまい，浮腫，体重増加
ミロガバリン	タリージェ	開始量 2.5-5mg/日 最大量 30mg/日	神経障害性疼痛	眠気，めまい，浮腫，体重増加
抗うつ薬				
アミトリプチリン	トリプタノール	開始量 10mg/日 最大量 150mg/日	末梢性神経障害性疼痛	眠気，めまい，倦怠感，悪心，口渇
デュロキセチン	サインバルタ	開始量 20mg/日 最大量 60mg/日	（糖尿病性）神経障害変形性関節症に伴う疼痛	悪心，口渇，眠気，倦怠感，頭痛
中枢性筋弛緩薬				
エペリゾン	ミオナール	150mg/日	頸肩腕症候群	眠気，めまい，ふらつき
チザニジン	テルネリン	開始量 3mg/日 最大量 9mg/日	頸肩腕症候群	眠気，めまい，血圧低下，口渇
抗不安薬				
エチゾラム	デパス	開始量 0.25-0.5mg/日 最大量 3mg/日	不眠症	眠気，ふらつき，めまい
クロキサゾラム	セパゾン	開始量 1mg/日 最大量 12mg/日	不眠症	眠気，ふらつき，めまい
ワクシニアウイルス接種兎炎症皮膚抽出液				
ワクシニアウイルス接種兎炎症皮膚抽出液含有製剤	ノイロトロピン	4錠（16単位）/日	帯状疱疹後神経痛 頸肩腕症候群	悪心，発疹
オピオイド鎮痛薬				
トラマドール	トラマール	開始量 50-100mg/日 最大量 300mg/日	慢性疼痛，がん性疼痛	眠気，めまい，悪心・嘔吐，便秘
トラマドール・アセトアミノフェン配合錠	トラムセット	開始量 1錠/日 最大量 8錠/日	慢性疼痛，抜歯後疼痛	眠気，めまい，悪心・嘔吐，便秘
モルヒネ	MSコンチン，オプソ	開始量 10-30mg/日 最大量 90mg/日	慢性疼痛，がん性疼痛	眠気，めまい，悪心・嘔吐，便秘，呼吸抑制，精神依存
フェンタニル貼付剤	フェントステープ	開始量 12.5-25μg/日 最大量 37.5μg/日	慢性疼痛，がん性疼痛	眠気，めまい，悪心・嘔吐，便秘，呼吸抑制，精神依存
オキシコドン	オキシコドン徐放錠	開始量 10mg/日 最大量 80mg/日	慢性疼痛，がん性疼痛	眠気，めまい，悪心・嘔吐，便秘，呼吸抑制，精神依存

（左合徹平　作）

第4部 口腔顔面痛の治療（総論）

2 局所麻酔薬

SBO
Ⅰ．局所麻酔薬の生体での作用機序を正しく説明できる．
Ⅱ．局所麻酔薬の生体への局所作用と全身作用を詳しく説明できる．
Ⅲ．局所麻酔薬を用いた鑑別診断の種類と内容を説明できる．

　局所麻酔薬は，基本的にベンゼン環をもつ芳香族（aromatic group）と三級アミンが結合した構造をもつ．結合の仕方の違いにより，プロカイン（ノボカイン）を代表とするエステル型と，リドカイン（キシロカイン）を代表とするアミド型に大別される．

　局所麻酔薬は，局所組織に投与されることによって神経細胞膜内からNaチャネルを遮断し，Na^+が細胞内に流入することを阻害して活動電位が発生するのを抑制する．その結果として，侵害刺激の伝達が抑制される．

　また，局所麻酔薬には全身作用もあり，抗不整脈作用，鎮痛作用，鎮静作用（全身麻酔補助薬），血圧低下作用，中毒・痙攣作用などが挙げられる．

　歯科領域においては，局所麻酔薬による神経ブロックによって，歯原性歯痛と各種の非歯原性歯痛の鑑別を行うことができる．すなわち，局所麻酔薬の使用が，場合によっては診断の補助的役割を担うこともある．

1）局所麻酔薬の作用機序

1─神経線維内の興奮伝導

① 静止膜電位

　興奮性細胞の一種である神経線維の一般的な性質として，静止時の細胞膜または軸索膜の内側はマイナス（$-70 \sim -90$ mV）に帯電している．これを分極（polarization）といい，このときの電位を静止膜電位（resting membrane potential）と呼ぶ．静止時にはKチャネルは開いているのに対し，Naチャネルは閉じており，Na^+は細胞内に流入することができない．この状態では，K^+を細胞内に引き寄せる電気的な力と細胞外へ拡散しようとする力が釣り

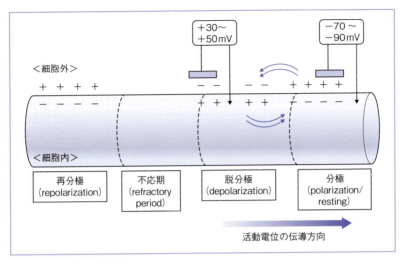

図1 神経線維の興奮伝導様式

合っており，K^+ の平衡電位に近い値を示している．

② 興奮伝導

細胞膜が刺激されて興奮すると，Na チャネルが開口（活性化）し，細胞内に Na^+ が流入して，膜電位は Na^+ の平衡電位に近づく（オーバーシュート）．この現象を脱分極（depolarization）という．Na^+ の流入に伴って，K^+ は細胞外へ流出する．脱分極はすぐ隣の膜に脱分極を起こさせて伝播する．Na^+ の内向きの流れがピーク（+30〜+50 mV）に達すると，今度は Na-K ポンプの作用によって流出した K^+ は細胞内へ，流入した Na^+ は細胞外へと汲み出され，膜電位は静止膜電位に戻る（再分極）．その後，Na チャネルは不活性化し（不応期，refractory period），一度活動電位が生じると，その直後に興奮は起こらない．以上の現象が次々に伝えられることにより，興奮伝導が行われる（図1）．

2 ― 局所麻酔薬の性質

局所麻酔薬は基本的にベンゼン環をもつ芳香族と三級アミンが結びついた構造をもつ（図2）．結びつき方の違いにより，プロカイン（ノボカイン）を代表とするエステル型と，リドカイン（キシロカイン）を代表とするアミド型に大別される．

局所麻酔薬は非水溶性であるため，塩酸塩として四級アミンの形で水溶液となっている．これにより，芳香族は脂溶性として，三級アミンは水溶性として存在する．

生体内に注入された局所麻酔薬は，組織内のアルカリにより酸が中和され，麻酔薬の塩酸塩（活性型）が生じる．

$$R\text{-}NH^+ + Cl^- + NaHCO_3 \leftarrow R\text{-}N + NaCl + H_2CO_3$$

　　塩酸塩　　　　　　　　　　遊離塩

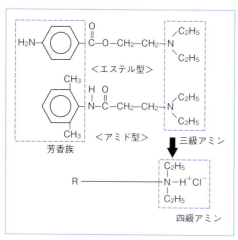

図2　局所麻酔薬の基本構造

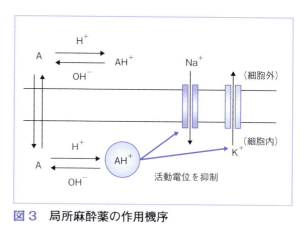

図3　局所麻酔薬の作用機序

3 ― 局所麻酔薬の作用機序

　局所麻酔薬は組織に取り込まれると，遊離塩が生じる．遊離塩は脂溶性で，リポイド二重構造をもつ神経線維膜を通過し，細胞膜の内側からNaチャネルに入り込み，神経線維を遮断する（図3）．局所麻酔薬が結合すると，Naチャネルは不活性化と同じような状態になり開かなくなる．

　局所麻酔薬の結合は神経線維の不活性化には必須ではないとされ，活性化したNaチャネルに結合しやすいとされる．しかし，脱分極が長く持続する心筋活動電位では，不活性化したチャネルに局所麻酔が結合し，抗不整脈作用を示す．よって，局所麻酔薬の麻酔作用と抗不整脈作用では神経線維に対する作用機序が異なると考えられている．

4 ― 最近の局所麻酔に関する知見

　局所麻酔薬はすべての神経細胞内の活動電位を遮断するため，鎮痛作用のほかにも麻痺や痺れなどの神経障害を伴う．しかし，2007年にWoolfやBeanらは，カプサイシンとリドカイン誘導体QX-314の併用投与により，侵害受容性ニューロンの活動電位のみが遮断されることを発表した[1]．QX-314単独では細胞膜を通過できないため，Naチャネルをブロックできない．しかし，カプサイシンを併用すると，カプサイシンは侵害受容性ニューロンの細胞膜のみに存在するTRPV1チャネルを開き，QX-314が細胞内に流入することができる．そして，細胞膜の内側からNaチャネルに結合して，侵害受容性ニューロンを選択的に遮断する．この発見により，新しい疼痛管理や難治性の慢性痛治療の開発が期待されている．

表1 抗不整脈のVaughan Williams分類

class	作用機序	抗不整脈薬
Ia	活動電位持続時間延長	キニジン，プロカインアミド，ジソピラミド，シベンゾリン，ピルメノール
Ib	活動電位持続時間短縮	リドカイン，メキシレチン，アプリジン，ジフェニルヒダントイン
Ic	活動電位持続時間不変	プロパフェノン，フレカイニド，ピルジカイニド

2）局所麻酔薬としての局所作用とNaチャネル阻害薬としての全身作用

1─局所麻酔薬の局所作用

　局所麻酔薬は局所組織に投与されることによりNaチャネルを遮断し，Na^+の細胞内への流入を阻害して活動電位の発生を抑制する．その結果，感覚情報が中枢へ伝達されず，痛みや痒さを感じなくなる．

2─局所麻酔薬の全身作用

　Naチャネル抑制作用の局所麻酔薬を静脈内に投与することにより，以下のような全身作用を引き起こす．

① 抗不整脈作用
　心筋，特に刺激伝導系の抑制作用により，抗不整脈薬として用いられる（**表1**）[2]．

② 鎮痛作用
　点滴静注により，Naチャネルが関与する神経細胞の異所性活動電位の発生，侵害性興奮のシナプス伝達や異常興奮を抑制することにより，鎮痛作用を示す．

③ 鎮静作用
　少量で軽度の鎮静作用を示すため，全身麻酔の補助薬として用いられたこともあるが，一般的でない．

④ 血圧低下作用
　局所麻酔薬の多くは，末梢の血管平滑筋を弛緩させ，軽度の血圧低下を示す．

⑤ 中毒，痙攣
　局所麻酔薬が大量に脳神経系に達すると，中毒症状，痙攣，呼吸停止を引き起こす．

表2 診断的局所麻酔術(Reny de Leeuw 編，杉崎ほか訳，2009[3])を改変)

麻酔ブロック法	鎮痛効果発現時に考えうる疾患
浸潤麻酔・伝達麻酔など(歯科麻酔)	歯原性歯痛
トリガーポイント注射	筋筋膜痛および筋・筋膜からの関連痛
トリガーゾーン浸潤麻酔	三叉神経痛
顎関節腔注射・耳介側頭神経ブロック	顎関節痛
翼口蓋神経節ブロック	神経血管性疼痛
大後頭神経ブロック	頸部原性痛
星状神経節ブロック	交感神経依存性疼痛

3) 局所麻酔薬を用いた鑑別診断

1 ― 診断的局所麻酔

局所麻酔薬を用いた神経ブロックにより，表2 の補助的診断ができる[3]．

歯科領域では特に，歯原性歯痛と非歯原性歯痛の鑑別が必要とされる[4]．非歯原性歯痛には表2 の筋筋膜痛および筋・筋膜からの関連痛，三叉神経痛，顎関節痛，神経血管性疼痛，頸部原性痛，交感神経依存性疼痛などが含まれる．これらの鑑別を行ううえで，局所麻酔薬の使用は診断の補助的役割を担う．

① 浸潤麻酔・伝達麻酔など

歯や歯周組織由来の疼痛では，その領域を支配している神経への局所麻酔により痛みは緩和される．

② トリガーポイント注射

筋筋膜痛や，筋・筋膜からの関連痛が生じている場合，筋筋膜トリガーポイントへ局所麻酔注射を施し，疼痛が緩和されるかを確認する．特に，歯への関連痛を引き起こしている場合，歯原性歯痛と非歯原性歯痛の鑑別に有効である．

③ トリガーゾーン浸潤麻酔

皮膚，口腔粘膜の接触による疼痛の誘発が確認された場合，トリガーゾーンに 8% キシロカインスプレーを噴霧して，その誘発発作が消失するかを確認する．

④ 顎関節腔内注射・耳介側頭神経ブロック

顎関節腔内や下顎顆後面の耳介側頭神経の関節包外ブロックにより，顎関節痛が緩和されるかを確認する．

⑤ 翼口蓋神経節ブロック

群発頭痛などの神経血管性疼痛患者に翼口蓋神経節ブロックを施行し，疼痛が緩和されるかを確認する．顔面深部の疼痛を引き起こす翼口蓋神経痛にも奏効する．

表3 ドラッグチャレンジテストによる痛みの発生機序の鑑別

試験薬剤	痛みの発生機序					
	中枢性	心因性	交感神経やカテコールアミンの関与	神経の異所性異常活動	NMDA受容体の関与	侵害受容性疼痛
チアミラール チオペンタール	●	●				
フェントラミン			●			
リドカイン				●		
ケタミン	●				●	
モルヒネ						●

⑥ 大後頭神経ブロック

　第二頸神経の後枝であり，後頭部から頭頂部にかけて分布する大後頭神経をブロックすることにより，各種頭痛や頸椎疾患による口腔痛などが緩和されることがある．

⑦ 星状神経節ブロック

　交感神経が関与している持続性の疼痛に奏効する．疼痛だけでなく，顔面神経麻痺，突発性難聴，多汗症の治療などにも用いられる．

⑧ その他

　鼻粘膜に局所麻酔薬軟膏を貼付して疼痛が緩和されることにより，上顎洞性歯痛を鑑別できる．

2―ドラッグチャレンジテスト(drug challenge test: DCT)

　チアミラール，フェントラミン，リドカイン，ケタミン，モルヒネを静注し，それぞれの薬物による痛みの軽減の度合いを患者がペインスコア(VASやNRS)で評価することにより，痛みの発生や維持に関与している機構を推定する方法である(**表3**)．おもに神経障害性疼痛の発生機序を判別し，適切な治療法を選択するために用いられる．特にリドカインは，Naチャネルの増加や正常では認められないNaチャネルの発現など，Naチャネルの変化が関与する神経の異所性興奮が原因とされる神経障害性疼痛に効果を示すことが考えられる．リドカインで鎮痛が得られた症例への治療法としては，メキシレチンの経口投与やリドカインの静脈内投与が用いられる．実際は，DCTで疼痛のすべてを解明するのは不可能とされる．

(岡田明子)

文献

1) Binshtok AM, Bean BP, Woolf CJ: Inhibition of nociceptors by TRPV1-mediated entry of impermeant sodium channel blockers. Nature 449: 607-610, 2007
2) 日本循環器学会，日本小児循環器学会，日本心臓病学会，日本心電学会，日本不整脈学会：不整脈薬物治療に関するガイドライン(2009年改訂版)．4，2009
3) Reny de Leeuw編，杉崎正志，今村佳樹監訳：口腔顎顔面痛の最新ガイドライン(改訂第4版)．クインテッセンス出版，東京，2009
4) 日本口腔顔面痛学会診療ガイドライン作成委員会編：非歯原性歯痛診療ガイドライン．日口腔顔面痛会誌4(2)：1-88，2012

第4部 口腔顔面痛の治療（総論）

3 神経ブロック

SBO
Ⅰ．歯科領域で行われる神経ブロックを列挙できる．
Ⅱ．神経ブロックの適応疾患を説明できる．
Ⅲ．神経ブロック手技の概要を説明できる．

　神経ブロックは，歯科医師が行うことのできる高度な専門治療であるが，他の侵襲的治療と同様，多くの神経ブロックでは，それを行うための正確な解剖学的知識とスキルが要求される．神経ブロックをマスターするには，実際に臨床経験を積む必要があり，実際にこの治療を必要とする患者数を考えると，一度に多数の歯科医師が神経ブロックの知識とスキルを得ることは不可能である．若い世代の歯科医師への知識と技術の伝承を考えると，シミュレーションシステムの開発が課題であるといえる．神経ブロックは，侵襲的な治療法であり，疼痛コントロールの第一選択となる治療法ではないが，薬物療法などが奏効しない場合には，歯科医師に与えられた重要な治療手段となる．

　神経ブロックの利点は，施術までに時間を要さないこと，治療を行った直後から治療効果が得られることにある．目的とする治療効果が得られれば，即座に患者を痛みから解放することができるので，夢のような治療法であるが，神経破壊薬や高周波熱凝固法など，組織破壊を目的とした神経ブロックでは，必然的に長期の神経機能障害（感覚においては感覚脱失や異常感覚，運動においては麻痺）をきたす．神経ブロックの場合，神経ブロック後に治療目的の感覚神経に神経麻痺が生じることはあらかじめわかっているので，術前に十分に説明を行って承諾を得ることで，下顎智歯抜歯の際の神経損傷のようなトラブルに発展することはない．とはいえ，異常感覚の事前説明は難しいとしても，感覚鈍麻に関しては，患者にあらかじめ局所麻酔薬を用いた試験ブロックを経験させることによって感覚の変化を体験させ，患者の了解を得る等の努力は必要である．非常に優れた治療法ではあるが，残念ながら多くの場合，種々の合併症と背中合わせであるので，手技に精通していない者にとっては選択しにくい治療法である．

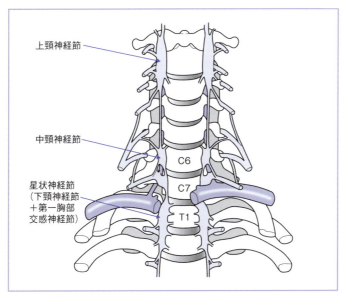

図1　星状神経節の位置

1）星状神経節ブロック

　星状神経節は下頸神経節が第一胸部交感神経節と癒合したものであり，第一胸椎の高さで肋骨頭に接する位置にあるものが多い（図1）．口腔顔面領域の疾患によく用いられる第六頸椎で行われるものは，正確には胸髄にある起始細胞から上頸神経節に至る節前線維と星状神経節を介した節後神経線維のブロックであるが，広義にはこれも星状神経節ブロック（stellate ganglion block: SGB）と呼ばれる．SGBは頸部交感神経幹の周囲に局所麻酔薬を注入するコンパートメントブロックである．

1―目的

　SGBは自律神経系・免疫系・内分泌系の中枢である脳の視床下部の機能を正常にすることでさまざまな疾病に対する治療法として用いられる（図2）．交感神経ブロックであるSGBの治療目的は，大きく三つ挙げることができる．

① 交感神経が関与する痛みの治療

　神経障害性疼痛の一部では，交感神経の活動が痛みを増悪させる病態があることが知られており，このような病態では交感神経の機能を抑えることで痛みが軽減する．交感神経の活動が感覚神経に影響する機序として，損傷を受けた感覚神経線維と交感神経線維が短絡を起こすとする説や，交感神経線維から感覚神経の神経節細胞に神経線維が伸びてきて連絡が生じるとする説，損傷を受けた感覚神経の自由神経終末や傷害部位にα_2受容体が出現し，

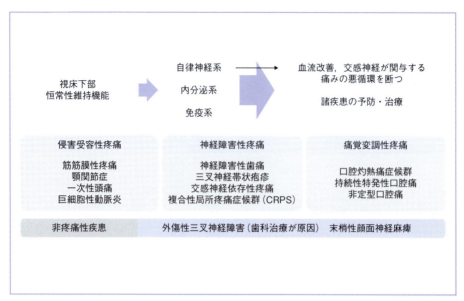

図2 SGBの効果と歯科領域での適応症

交感神経から放出されるノルアドレナリンに感受性をもつようになるとする説などがあるが，いずれも仮説にすぎない．

② 局所の循環障害に伴う病態の改善

交感神経を抑制することで局所の血管が拡張し，循環障害（虚血）に伴う痛みが改善する．痛み以外に，局所の循環を改善する目的でも用いられる．

③ 慢性疼痛に対する効果

詳細な作用機序はわかっていないが，うつ病[1]やPTSD[2]への治療効果の報告がある．高次脳の機能変調が関わっている慢性疼痛に対する効果も期待できる．

2─適応疾患（表1）

交感神経が関与する痛みは疾患間での差異よりも個体間での差異が大きい．実際に星状神経節ブロックを行って，症状がどの程度改善するかをもって効果の判定を行うことになる．交感神経活動が直接，侵害受容性ニューロンを刺激するタイプの神経障害性疼痛，脈管の収縮，拡張に関与すると考えられる侵害受容性疼痛の治療法として用いられる．高次脳機能変調が原因と考えられている痛覚変調性疼痛[3]への治療効果[4,5]の可能性もある．非疼痛性疾患としては局所の循環障害を伴う末梢性顔面神経麻痺や外傷性末梢神経障害が挙げられ，インプラントや下顎智歯抜歯，顎変形症の外科手術に伴う下歯槽神経損傷，舌神経損傷などに対してSGBが行われる．口腔外科手術が原因の三叉神経障害による感覚低下の回復およびアロディニア，痛覚過敏の発症抑制に有効である[6]．これは，神経損傷直後の局所浮腫による

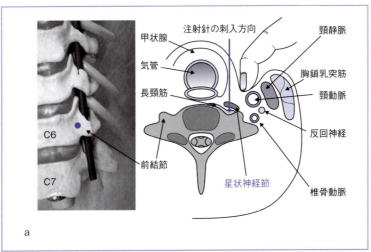
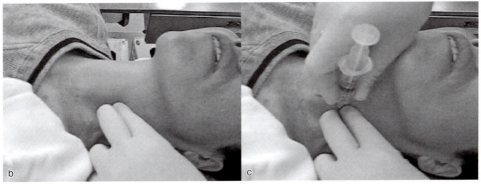

図3　星状神経節ブロックの手技(左側)
a：星状神経節の位置, b：胸鎖乳突筋と頸動脈の圧排, c：前結節を指標に注射針を刺入

二次的神経変性の防止が目的である．いったん変性に陥った神経線維をもとに戻す効果は期待できないので，局所の循環改善ならびに神経変性の予防目的としては，あくまでも急性期のみの適応となる．

3―手技

　第六頸椎か第七頸椎の頸椎横突起の基底部を目標とするが，口腔顔面領域を対象としたブロックは比較的安全な第六頸椎で行うことが多い．ここでは第六頸椎でのSGBの手技を述べる(図3)．
　患者を水平位にし，頭部を軽度に後屈させる．横突起基底部の前結節を指先で触れ，胸鎖乳突筋と頸動脈を指の腹で圧排する．このとき，指の腹では頸動脈の脈拍を触れる．前結節を指標に注射針を横突起前面に垂直に刺入し，針先が横突起基底部の骨に当たるまで進める．吸引試験を行い血液の逆流がないことを確認して局所麻酔薬を注入する．薬剤としては，もっぱら1％リドカインまたは1％メピバカインを用いるが，第六頸椎で行う星状神経節ブロックには3～5mL用い，その場合の効果は30～90分程度持続する．近年，エコーガイド

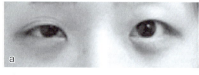

図4 星状神経節ブロックの効果(右側)
a：眼瞼下垂，b：縮瞳

表1 星状神経節ブロックの合併症

- 局所麻酔薬が周囲の組織に作用して生じるもの
  - 反回神経麻痺（嗄声）
  - 頸腕神経叢麻痺（頸部・上肢運動障害）
  - 迷走神経麻痺（血圧上昇，頻脈）
- 不適当な組織への誤注によるもの
  - 総頸・椎骨動脈内誤注；急性局所麻酔薬中毒
  - 硬膜外・クモ膜下誤注；全身麻酔，呼吸循環抑制
- 組織の損傷・感染によるもの
  - 頸神経障害（感覚運動障害，疼痛）
  - 深部動静脈損傷（血腫形成，縦隔出血）
  - 頸部リンパ管損傷（リンパ浮腫）
  - 深部感染（膿瘍形成）

下に行われることが多い[7]．

4 ― 効果の判定

　星状神経節ブロックの効果は，交感神経の遮断状態で判定する（図4）．他覚的には，施術側の眼瞼下垂，縮瞳，眼球陥凹（Horner 3徴候），眼球結膜の充血，顔面紅潮，発汗停止などがみられる．自覚的には，顔面の温感，鼻閉，流涙などが感じられる．定量的に評価するには，顔面の表面温度の上昇や皮膚血流量の増加，発汗量の減少をもって評価する．

5 ― 合併症（表1）

　致死的な合併症が存在することより，研修施設で十分なトレーニングを受けた者だけが，細心の注意を払って行うべき治療法である．

2) 三叉神経ブロック

　おもに三叉神経痛の治療法である．がん性疼痛治療にも使用される．三叉神経痛は小脳

表2　三叉神経ブロックの種類と特徴

分枝	神経ブロック	対象となる疼痛部位	ブロック部位	特徴	合併症
1	眼窩上神経ブロック	眉毛, 前頭部	眼窩上孔周囲	眼窩上孔にブロック針を刺入することは困難なため, 眼窩上孔周囲の浸潤ブロックである.	アルコールによる穿刺部近傍の浮腫
2	眼窩下神経ブロック（図7）	上口唇, 鼻翼	眼窩下孔に刺入	第2枝領域の神経痛の7割はこの方法で対応可能であるが, 口腔内に効果はない. 使用頻度の高いブロックである.	眼窩内に刺入した際の外眼筋麻痺, 壊死, 上顎洞穿刺
2	上顎神経ブロック	上顎臼歯部, こめかみ	正円孔の入口部	眼窩下神経ブロックで対応困難な第2枝領域（大臼歯, 同部の歯肉）の神経痛に用いる. 他の神経ブロックより合併症が起こりやすく, 成功率が低い. エックス線透視下に行う.	眼窩内を穿刺した際の失明, 視神経障害, 外眼筋麻痺
3	オトガイ神経ブロック	下口唇, オトガイ部	オトガイ孔に刺入	オトガイ神経の支配領域は狭いため, このブロックのみで対応できる症例は少ない.	血腫, アルコールによる浮腫
3	下顎神経ブロック	下顎神経支配領域	卵円孔の入口部	2方向よりのエックス線撮影（三叉神経節と同じ）で針先の位置を三次元的に確認できるため, 成功率は高い. 使用頻度の高いブロックである. エックス線透視下に行う.	出血, 耳管穿刺
1, 2, 3	三叉神経節ブロック（図6）	上下顎神経支配領域	卵円孔より刺入し, 三叉神経節まで	高周波熱凝固による神経ブロックで, 第2・第3枝を選択的にブロックできる. 第2枝の三叉神経痛で眼窩下神経ブロックでは疼痛が軽減しない症例や, 第2・第3枝の合併症例が適応である. エックス線透視下に行う.	角膜炎, 角膜潰瘍, 髄膜炎, 咬筋麻痺, 耳管穿刺, 血管損傷, 血圧上昇, 他の脳神経障害, アネステジアドロローサ（有痛性感覚麻痺）

橋角部で三叉神経根が血管によって圧迫を受けることで起こる. 圧迫により脱髄が起こると各神経線維の絶縁が不完全となる. この部分で洗顔, 歯磨き, 会話, 食事などによる非侵害刺激が侵害刺激を伝える神経に短絡することで痛みを生じるとする説もある. 神経ブロックは末梢からの刺激入力を遮断することで痛みを抑制する. 刺激入力の遮断は神経幹あるいは神経節内にブロック針を刺入し, アルコール, 高濃度局所麻酔薬等の注入, 高周波熱凝固で神経ブロックを行う. 星状神経節ブロック, 下顎孔伝達麻酔などのコンパートメントブロックとは根本的に異なる神経破壊的なブロックである. 疼痛部位によりブロックする神経が異なるが, 5種類の末梢神経幹ブロックと三叉神経節ブロックの計6種類の方法がある（表2, 図5）. 神経ブロックにより即座に痛みは消退するが, 神経支配領域の感覚鈍麻が出現する. 時間経過とともに感覚鈍麻は回復するが, 同時に痛みが再発する. その場合は再ブロックが必要である. 神経ブロックの方法やブロックする神経にもよるが, 有効な期間は眼窩下神経ブロックで1～1年半, 下顎神経ブロックで2～3年とされる.

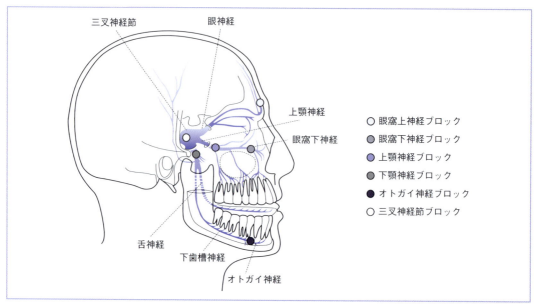

図5 三叉神経ブロックの穿刺部位と神経

　アルコール，高濃度局所麻酔薬による三叉神経ブロックの問題点は，薬液の広がりのコントロールが困難ためブロック範囲を限定できないことにある．特に三叉神経節ブロック（図6）では必要性のない神経まで破壊する可能性がある．高周波熱凝固の利点は穿刺時に電気刺激を行うことで，刺激の放散部位を確認できるため神経選択的にブロックをすることが可能な点である．高周波熱凝固による三叉神経節ブロック，眼窩下神経ブロック（図7）でほとんどの三叉神経痛に対応が可能である．またアルコールブロックと比較して，咬筋運動麻痺と感覚鈍麻の程度が少ない．三叉神経ブロックの手技に関する詳細は文献[4,5]を参考にされたい．

3）トリガーポイント注射

　筋筋膜痛はトリガーポイントの存在とトリガーポイント圧迫により神経支配の異なった部位への放散痛の出現を特徴とする．トリガーポイントとは，腰や肩などの部分にある強く痛みを感じる関連痛を生じる圧痛点のことである．急性筋筋膜障害や筋肉の反復的運動によって，筋肉にはいわゆる「コリ」と呼ばれる硬結が生じる．硬結を圧迫すると痛みが誘発されるが，これがトリガーポイントである（図8）．頭頸部の筋膜にも同様の症状が出現する．
　治療法の一つとしてトリガーポイントに局所麻酔薬やステロイド薬を注射するトリガーポイント注射がある（図9）．トリガーポイント注射の合併症として，皮膚感染，皮下血腫，筋肉のこわばり，気胸，筋肉や皮下脂肪の変性などがある．禁忌としては，出血傾向，抗凝

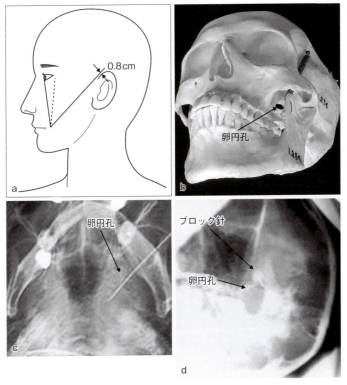

図6 三叉神経節ブロック
ブロックする分枝によって卵円孔の刺入部位，刺入深度が異なる．a：誘導線の作図．刺入点は口角外側3cm．刺入点と瞳孔内側，耳輪前方0.8cmを結んだもの．b：2本の誘導線の両方に直線になる方向から見ると卵円孔が確認できる（金銅英二先生ご提供）．c：ブロック針を透視下に卵円孔に向かって進める．痛み発作が起こる部位に放散痛が得られるまで進める（軸位）．d：卵円孔をブロック針が通過している（斜位）．

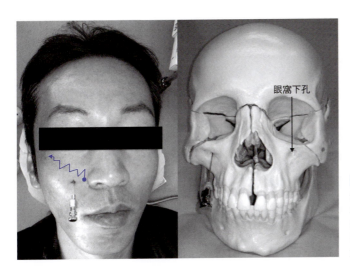

図7 眼窩下神経ブロック
最近はエコーガイド下に行われることが多い．本症例の主訴は右側鼻翼より頬部へ放散する電撃痛である．ブロック針が眼窩下孔より刺入されている．ブロック針が眼窩下孔に進入すると放散痛が誘発される．

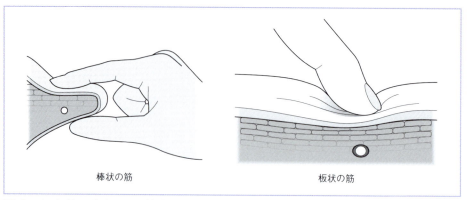

図8 トリガーポイントの触診
患者に痛みがあるおおよその部位を示させる．トリガーポイントは索状あるいは板状の硬結である．強さは1〜2 kg/cm² の圧迫により痛みが誘発される．トリガーポイントには，圧迫しなくても自発的に痛みを発する活動性のものと，圧迫しないと痛みのない潜在性のものがある．

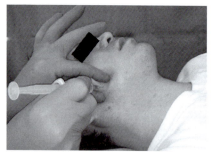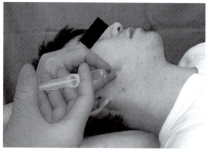

図9 咬筋のトリガーポイント注射
左：注射器はペングリップで保持する．刺入点周囲を圧迫し皮膚を緊張させる．圧迫により刺入時の痛みが軽減する．刺入は速く，抜針はゆっくりと行う．注射針は26 Gを使用．右：トリガーポイントに血管収縮薬無添加の局所麻酔薬を 0.2〜0.5 mL 注入する．注射針を刺すと一過性に筋攣縮が起こることがある．局所麻酔薬注入によって響くような痛みが出現する．注入前は必ず吸引テストを行う．

固療法中，感染の存在，局所麻酔薬アレルギー，外傷直後，注射に対して恐怖感がある人が挙げられる．

　筋筋膜性の痛みの成因には多くの説が存在するが，古典的には痛みの悪循環説がある（図10）．虚血状態での筋収縮により蓄積した発痛物質が感覚神経を刺激して痛みを生じ，その結果，運動神経・交感神経の活動が亢進して，さらに筋収縮と虚血を増強する．トリガーポイント注射は感覚神経の興奮を抑制し痛みを軽減するのみならず，交感神経を抑制し局所の血行を改善することで，痛みの悪循環を断つ効果がある[10]．

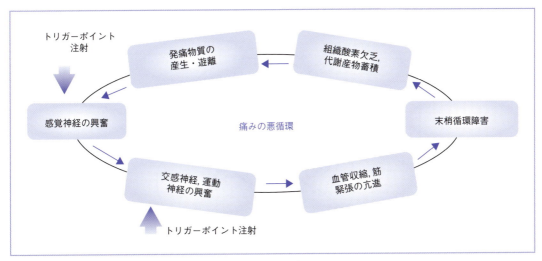

図10　痛みの悪循環とトリガーポイント注射の作用点

4）大後頭神経ブロック

1──目的

　大後頭神経は第二頸神経後枝であり，大部分が感覚神経からなる混合神経である．感覚神経は後頭動脈とともに上項線の近辺で皮下に現れ，後頭から頭頂部までの皮膚の感覚を支配する（図11）．大後頭神経ブロックは後頭神経痛，緊張性頭痛，頸肩腕症候群，外傷性頸部症候群，頸椎症に伴う後頭部痛，大後頭神経三叉神経症候群※に有効とされるが，あらゆる後頭部領域の痛みの治療によく用いられる．

2──手技

　大後頭神経ブロックは神経周囲に局所麻酔薬を注入するコンパートメントブロックである．患者をベッドに腹臥位にして行う．大後頭神経ブロックの刺入点の指標は外後頭隆起の中点より外側に2.5cmの上項線上とする．同部では伴走する後頭動脈の拍動を触れることができる．後頭動脈のすぐ内側に圧痛点が存在するが，その部分が大後頭神経である．注射針は皮膚面に垂直に刺入し後頭から頭頂部に放散痛が得られれば確実であるが，放散痛が得

※大後頭神経三叉神経症候群（great occipital trigeminal syndrome：GOTS）：第二・第三頸神経と三叉神経第1枝（眼神経）の一次求心性ニューロンは三叉神経脊髄路核に収束する．後頭神経領域の病変や椎間板ヘルニア，環軸関節障害などで上位頸神経が刺激されると，目の疲れやまぶしさなどの眼症状と眼窩周囲に関連痛が生じることがある．第2枝，第3枝の収束は比較的少ないため，頸椎性の痛みが上下顎への関連痛として知覚される可能性は少ない．

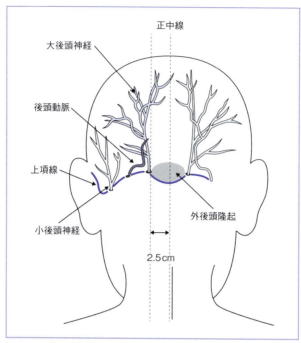

図11　後頭神経の走行と後頭動脈の位置関係

られない場合でも頭蓋骨に針先が当たった部位での局所麻酔薬の注入で十分な効果が得られる．注射針(25G，2.5cm)，局所麻酔薬(1%，2%メピバカイン)1～2mLを用いて行う．頭皮は出血しやすいので十分に圧迫し血腫をつくらないよう注意する．詳しくは文献[11]を参照されたい．近年，エコーガイド下に行われることが多い．

5）翼口蓋神経節ブロック

1―目的

翼口蓋神経節（図12）には，顔面神経からの副交感神経線維や深錐体神経からの交感神経線維，上顎神経からの感覚神経線維が集合しており，翼口蓋神経節ブロック（図13）を行うことによって，鼻粘膜や口蓋の分泌腺からの分泌（副交感神経）ならびに硬口蓋や鼻腔粘膜からの感覚入力を抑制することを目的としている．

2―手技

鼻粘膜，口蓋粘膜からの入力を遮断して間接的に副交感神経の緊張を抑える方法と，大口蓋孔を介してブロック針を進め，翼口蓋神経節に麻酔薬を注入して直接副交感神経線維を抑制する方法がある．前者は末梢からの入力を遮断するだけで，分泌腺に至る副交感神経自

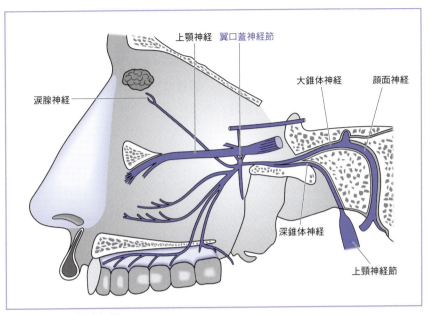

図12　翼口蓋神経節
翼口蓋神経節は上顎神経，顔面神経と交通しており，感覚線維と副交感神経線維を鼻粘膜，口蓋粘膜に分布させている．

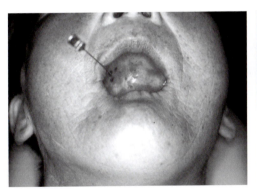 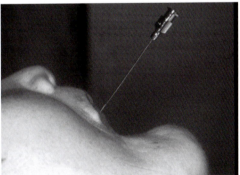

図13　翼口蓋神経節ブロック
この方法では，大口蓋孔から針を進めて翼口蓋神経節に薬液を注入する．用いる針は特殊な針で，この写真でみえている部分の先が鈍角(110°程度)に曲がっていて，大口蓋孔のなかを40mmほど進んでいる．

体は遮断されないので，厳密には翼口蓋神経節ブロックではない．通常，末梢からの入力を抑えるためには，1％ないし2％のリドカイン溶液を鼻粘膜に噴霧する方法が推奨されており，市販の1％リドカインを含んだアレルギー性鼻炎用の鼻腔スプレーや2％リドカイン溶液(キシロカインビスカス)がこの目的で用いられる．後者には，大口蓋孔からブロック針を刺入して局所麻酔薬を注入する方法と，頬骨弓下より針を刺入してエックス線透視下に上顎神経ブロックの手技に準じて針を進める方法がある．

3―適応疾患

　作用機序は明らかではないが，群発頭痛の患者に翼口蓋神経節ブロックを用いると群発頭痛の発作が抑えられることが知られている[12]．頸神経や三叉神経などの感覚神経からの入力が，群発頭痛の発作に関与している可能性がある．

（椎葉俊司）

文　献

1) Wang W, Shi W, Qian H, et al: Stellate ganglion block attenuates chronic stress induced depression in rats. PLoS One 12（8）：e0183995, 2017
2) Lipov EG, Jacobs R, et al: Utility of Cervical Sympathetic Block in Treating Post-Traumatic Stress Disorder in Multiple Cohorts: A Retrospective Analysis. Pain Physician 25（1）：77-85, 2022
3) 今村佳樹，小笹佳奈，他：バーニングマウス症候群とノシプラスティックペイン．日口診誌 33（2）：145-152，2020
4) Younghoon Jeon, Donggyeong Kim: The effect of stellate ganglion block on the atypical facial pain. J Dent Anesth Pain Med 15（1）：35-35, 2015
5) 下坂典立：歯科疾患に対する星状神経節ブロックの治療効果．日口腔顔面痛会誌 13（1）：11-20，2021
6) Sago T, Takahashi O, et al: Effects of stellate ganglion block on postoperative trigeminal neuropathy after dental surgery: a propensity score matching analysis. Sci Rep 10（1）：13463, 2020
7) 椎葉俊司，左合鉄平，他：Ⅱ.慢性口腔顔面痛の治療 2.慢性疼痛への神経ブロック―星状神経節ブロックは口腔顔面領域の痛覚変調性疼痛に効果的か？―超音波ガイド下星状神経節ブロックの有用性―．ペインクリニック 44（4）：356-361，2023
8) 日本ペインクリニック治療指針検討委員会，編：神経ブロックⅠ-10三叉神経ブロック．ペインクリニック治療指針（改訂第4版）．14-15, 真興交易，東京，2013
9) 若杉文吉監，大瀬戸清茂，塩谷正弘，長沼芳和，増田　豊，湯田康正編：ペインクリニック（第2版）．神経ブロック法．6 三叉神経ブロック．医学書院，東京，35-39，2000
10) 森本昌宏，白井　達：日本臨床麻酔学会第33回大会　専門医が伝えるプロの技―ペインクリニックにおける神経ブロック療法―．日本臨床麻酔学会誌 34: 947-951, 2014
11) 若杉文吉監，大瀬戸清茂，塩谷正弘，長沼芳和，増田　豊，湯田康正編：ペインクリニック（第2版）．神経ブロック法．13 後頭神経ブロック．医学書院，東京，74-75，2000
12) Weaver-Agostoni J: Cluster headache. Am Fam Physician 88（2）：122-128, 2013

第4部 口腔顔面痛の治療（総論）

東洋医学的治療法

SBO
Ⅰ．東洋医学の基礎概念が説明できる．
Ⅱ．東洋医学の診察および診断法が理解できる．
Ⅲ．口腔顔面痛に対して行う漢方治療が説明できる．
Ⅳ．歯科領域の疾患に対する鍼灸治療が理解できる．

　世界保健機関（WHO）が2018年6月に公表した国際疾病分類第11版（ICD-11）に，第26章として伝統医学の章が新設された[1]．ICD-11に分類されたことにより，今後国際的に伝統医学の調査が進められると思われる．そのため，東洋医学の概念や診察法の知識に触れておくことは重要である．

1）東洋医学における基礎概念

東洋医学では西洋医学とは異なる概念で病態を捉える．

1―気血水（気血）

　東洋医学における身体の基本となるものは気，血および水である．気とは生命エネルギー，血とは体内の液体で赤いもの，水とは体内の液体で透明なものである[2]．気血と表現される場合もあり，この場合の血には狭義の血と水が含まれる．これらが滞りなく体内をめぐることによって正常な生命活動が保たれると考えられている．

2―経絡・経穴

　気血の体内循環の通り道とされているのが経絡であり，経脈（十二経脈＋奇経八脈）とその分枝である絡脈（十五絡脈）から成る[3]．経脈上にある経穴は一般的に「ツボ」と呼ばれ，身体の病的な状態に反応する点である．そのため経脈の診察上重要な点であり，治療の対象となる点でもある．経絡・経穴は国際的な標準化が検討され，日本では2009年に「WHO/WPRO標準経穴部位日本公式版」が公開されている[4]．

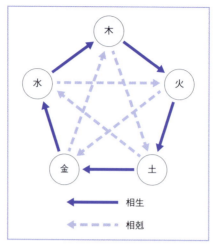

図1　五行説の相生・相剋関係

3―陰陽説

　陰陽説とは，すべての物事を相補・対立する二つの性質に分けて理解しようとする考え方である[2]．特に東洋医学的診察の際，注目されるのは陰陽，虚実，寒熱，表裏の分類である．

4―五行説

　五行説とは，天地万物に五つの基本的属性を想定して，すべての相互的な現象を説明しようとしたものである[3]．さまざまな現象を木・火・土・金・水の性質に分類し，これらが互いに相生・相剋の関係で影響し合うという考え方である．相生とは相手を生み出していく関係で，相剋とは相手を討ち滅ぼしてく関係である．相生・相剋関係には図1のような順序がある．また五行説に五臓を対応させ(木＝肝，火＝心，土＝脾，金＝肺，水＝腎)，人体の生理的・精神的機能を捉える考え方もある．

5―六病位

　中国医学の古典「傷寒論」に由来する発熱性疾患の分類であり，三陰三陽とも呼ばれる．陽病・陰病に分かれ，陽病には太陽病・少陽病・陽明病があり，陰病には太陰病，少陰病，厥陰病がある．

2）診察および診断法

　西洋医学ではさまざまな検査・診察から病名を決定し，それに対応する治療を行う．東洋医学では前述のような概念をもとに，患者の病態の特異性を総合的に捉えて「証」を判定

し，証に従った治療を行う．これを随証治療という．証の判定には望診・聞診・問診・切診の四診が用いられる．四診は器具を用いず，診察する者の五感によって行われる．

1―望　診

　視診のことであるが，望診は患者が診察室に入ってきたときの動作，歩き方，異常運動などの観察から始まる．全体的な観察では栄養状態，体型，体格，姿勢，筋肉や骨格の状態，浮腫，皮膚の色つや，皮膚の乾燥・湿潤，発汗状態などを観察する．局所の観察では顔色，眼光，顔貌，眼や結膜の状態，毛髪・爪の状態，口腔粘膜・歯肉の状態，口腔内・舌の状態を観察する[2]．

　特に舌の状態の観察は舌診といい，証の決定において重要視され，舌体と舌苔に分けて診察する．舌体は色，形，動きと状態などを観察し，舌苔は有無，厚さ，色調，乾湿などを観察する[2,3]．

2―聞　診

　聴診および嗅診がある．聴診で観察するものは患者の声の性状，呼吸音，咳嗽，喘鳴などであり，嗅診で観察するものは体臭，口臭，膿汁臭，帯下臭，便臭，尿臭などである[2]．

3―問　診

　西洋医学における問診（医療面接）と同じく，問答によって情報を得ることである．東洋医学では問診の内容が証の決定に重要な役割を果たすため，細部に渡って問診を行う．既往歴，家族歴，現病歴を聴取し，主訴である症状を詳しく聞く．そのほか，熱の状態，冷え，のぼせ，発汗の状態，食欲，睡眠，排尿・排便の状態，倦怠感，頭痛，耳鳴り，めまい，眼精疲労，喉や胸のつかえ，嘔吐，呼吸状態，口腔内・口唇の乾き，味覚異常，腹の状態（膨満感や腹痛，ガスなど），痛む部位，こりの部位，爪・髪・皮膚の状態などを細かく問う．女性の場合は月経の状態も問う[2,3]．

4―切　診

　触診のことで，患者の身体に触れて診察する方法である．切診には脈診，腹診，背診，切経がある．

①脈　診

　橈骨動脈拍動部を触れて診察する．橈骨茎状突起の内側に中指を置き，これに接するように示指，薬指を置く．中指の位置を関上，示指，薬指の位置をそれぞれ寸口，尺中と呼ぶ[2]．脈診では脈の深さ（浮・沈），脈の回数（数・遅），脈の強さ（実・虚）などを診察する[2]．

② 腹　診

患者の腹部に力が入らないように手足を伸ばし，仰臥位で寝かせる．伝統的には患者の左側から片手，または両手で柔らかく診察する[1]．腹診では，腹壁の硬軟(特に腹直筋の緊張状態)，硬結，圧痛，内部の状態，腹部大動脈の拍動などを診察する[3]．

③ 背　診

後頭部から首，肩，背中，臀部まで広範囲に触診を行い，背部の形状，皮膚の光沢，筋肉の隆起などを診察する[3]．また，脊髄の両側に位置する膀胱経上の兪穴を触診し，硬結や圧痛の有無を診察する．兪穴は臓腑と関係が深く，各臓腑に対応する経絡の異常を予測することができる[3]．

④ 切　経

経絡を直接触診してその異常を察知する方法[3]である．経絡は左右対称にあるため，経絡上の経穴の硬結や圧痛を左右比較して確認する．異常反応のある経穴は，鍼灸治療では治療点となる[2]．

3) 漢方治療

漢方治療は隋証治療であるため，西洋医学と異なり，同じ疾患でも患者の体質や病状によって使用する漢方薬は異なる．つまり四診によって得られた情報を総合的に判断して患者の証を決定し，その証と合致する方剤を選択する．証と方剤は密接に対応しており，この関係を方証相対という[2]．

1 — 治療法

治療法には補法と瀉法，標治法と本治法などがある．

補法とは，「心身の虚弱なところ，機能の衰えているところを補い助ける」[5]方法であり，虚証の治療で使用する．また瀉法とは「病邪を攻める治療法」[5]と定義され，実証の治療で使用する．

標治法とは「病症に従って治療すること」[5]で，急性症状に対する対症療法といえる．また本治法は「病の根本となる症候を目標に治療すること」[5]であり，慢性症状の根本的な原因に対する療法といえる．

2 — 漢方薬

漢方薬は生薬によって構成されている．生薬とは，動植物の薬用とする部分，細胞内容物，分泌物，抽出物または鉱物などである[6]．単独で用いる場合もあるが，多くは複数の生薬を組み合わせて使用する．剤形により煎剤，散剤，丸剤，軟膏剤があるが，現在は漢方エキス剤として使用が簡便になっている方剤もある．口腔顔面領域の疾患に使用される頻度の高い

表1　口腔顔面領域で用いられる漢方薬（嶋田，2019[7]を参考に作成）

疾患	処方
歯痛・抜歯後の痛み	立効散，五苓散
三叉神経痛	桂枝加朮附湯，五苓散，葛根湯，柴胡桂枝湯，加工ブシ末
口腔乾燥症	五苓散，白虎加人参湯，八味地黄丸，麦門冬湯
口内炎	半夏瀉心湯，黄連解毒湯
舌痛症	立効散，半夏厚朴湯，加味逍遙散，抑肝散
顎関節症	桂枝加朮附湯，抑肝散，加味逍遙散
頭痛・筋肉痛	呉茱萸湯，葛根湯，薏苡仁湯
知覚麻痺	牛車腎気丸，五積散

漢方薬は立効散，葛根湯，五苓散，白虎加人参湯，排膿散及湯，半夏瀉心湯などである．そのほか，口腔顔面領域にて使用される漢方薬の例を**表1**に示す．

3─漢方薬の有害作用

漢方独特の反応として，証を誤り発生する「誤治」と，効果が現れる前に一過性に症状が悪化する「瞑眩」がある．これら以外に西洋薬と同様，薬物が直接生体に及ぼす有害作用もある．

① 代表的な有害作用

漢方薬の代表的な有害作用に偽アルドステロン症と薬剤性間質性肺炎がある．

(1)偽アルドステロン症

甘草に関連する副作用で，高血圧症，低カリウム血症，高ナトリウム血症などを発症し，血圧上昇，倦怠感，脱力・しびれ感，浮腫などが発生する．重症例では横紋筋融解症，腎不全，心不全などから死に至ることもある[2]．

(2)薬剤性間質性肺炎

現在，約30種類の漢方処方での発症が報告されている[2]．発症機序が解明しておらず，発症を予見することは困難であるため，服用開始後は発熱，咳嗽，息切れなどの症状に注意する必要がある[2]．

そのほか，薬物性肝障害，薬剤性膀胱炎，薬疹，上部消化管症状（胃痛，食欲不振など），下部消化管症状（腹痛，下痢など），腸間膜静脈硬化症，大腸メラノーシスなどが発生しうる有害作用として挙げられる[2]．

② 注意すべき生薬[2,7,8]

(1)麻　黄

含有成分のエフェドリンには交感神経刺激作用があり，血圧上昇，頻脈，不整脈などを発生させることがあり，高血圧症，虚血性心疾患，高齢者などの患者には注意が必要である．

また胃腸の弱い患者に投与すると，食欲不振や腹痛を発生させる可能性がある．

(2) 甘　草

含有成分のグリチルリチンを多量に摂取することで偽アルドステロン症を発症する．1日量 2.5 g 以上の甘草を含む漢方薬および複数の甘草含有漢方の併用時は注意が必要である．

(3) 大　黄

センノシド類を含むため，過量投与にて腹痛や下痢を発症する．胃腸が虚弱な患者には注意が必要である．また長期服用にて大腸メラノーシスを発症する場合がある．

(4) 地　黄

胃腸の弱いものに投与すると食欲不振，胃痛，胃もたれが発生することがある．

(5) 附　子

含有成分のアコニチン，メサコニチンが過量投与にてアコニチン中毒（吐き気，動悸，不整脈，冷や汗など）を発症する．

(6) 人　参

のぼせ，湿疹，皮膚炎などの皮膚症状を発生する場合がある．長期服用で血圧上昇の可能性もある．

(7) 山梔子

長期服用にて腸管膜静脈硬化症を発生する場合がある．

③ 食物アレルギーに関連するもの

食物アレルギーを有する患者は，生薬でアレルギー反応を起こす場合がある．そのため，投薬時には構成生薬を確認することが望ましい．注意する食物アレルギーとして，シナモン（桂枝・桂皮），米（粳米・膠飴），ヤマイモ（山薬），小麦（小麦・神麹），ゼラチン（阿膠），カキ（牡蠣），黒ゴマ（胡麻，胡麻油），メントール（薄荷），ベニバナ（紅花），ビワ（枇杷葉），よもぎ（艾葉）などがある[2,9]．

4）鍼・灸治療

1―鍼

現在，鍼治療で一般的に使用されているものは毫鍼であり，プラスチック管が付属した単回使用のディスポーザブル鍼が主流である．そのほかに円皮鍼，皮内鍼がある[2]．

鍼の治療法にも漢方治療と同様に補法，瀉法および本治法，標治法がある．補法は経絡の流れに従って呼気時に刺し，吸気時に抜く．瀉法では経絡の流れに逆らって吸気時に刺し，呼気時に抜く．また，本治法では経絡を対象として鍼治療を行い，標治法では病症に従って直接経穴に鍼治療を行う[2]．鍼を適切に取穴された経穴に刺入すると，独特の感覚である得気（ひびき）が得られる．口腔顔面領域の鍼治療で使用する経穴を**表 2** に示す．

表2　口腔顔面領域の鍼治療（嶋田，2019[7]を改変）

疾患	取穴・通電法
三叉神経痛	陽白，下関，四白，顴髎，巨髎，頰車，合谷，手三里，足三里
三叉神経麻痺	・麻痺部にある経穴 ・下関，四白，頰車，大迎，地倉，迎香，合谷，手三里，足三里，内庭，行間
顔面神経麻痺	・二対の電極を顔面皮膚に当てて通電し，筋肉が攣縮する部位をモーターポイントとして鍼を刺入して通電する． ・大迎，四白，頰車，迎香，地倉，陽白，顴髎，糸竹空，など
歯痛	合谷に加え，・上顎には四白，迎香，下関，顴髎 　　　　　　・下顎には頰車，大迎，地倉
顎関節症	下関に加え，合谷，手三里，内庭

　鍼治療では刺入後，鍼に電極を装着し，低周波治療器を用いて電気刺激を行う低周波鍼通電療法がある．通電法には持続的通電法と，刺激に対する慣れを防止するための間欠的通電法がある[7]．

2―灸

　皮膚上に置いたもぐさを燃焼させ，その熱で刺激を与える治療法である．灸には直接皮膚上に艾炷を置く直接灸と，台座などを使用して間接的に熱刺激を加える間接灸がある．さらに皮膚上に火傷を発生させるものを有痕灸，発生させないものを無痕灸という．また刺入した鍼の鍼柄にもぐさを装着し，燃焼させる灸頭鍼という方法もある[2]．

3―鍼・灸の禁忌

　鍼灸安全対策ガイドライン2020年版では，「施術を行うことによって適切な処置を受ける機会を逸し，重篤な病態に陥る危険性がある場合は，施術を行ってはならない」と記されている[10]．また，Guidelines on basic training and safety in acupuncture World Health Organization（1999）では，鍼治療の禁忌として妊婦，救急事態もしくは手術を必要とする場合，悪性腫瘍，出血性疾患が挙げられている[11]．電気刺激を行う場合は妊婦やペースメーカー使用，知覚脱失，循環障害，重篤な動脈疾患，原因不明の発熱，強い皮膚病変の患者が禁忌となる[11]．

（山﨑陽子）

文　献

1) 厚生労働省 報道発表資料："国際疾病分類の第11回改訂版（ICD-11）が公表されました"．厚生労働省，https://www.mhlw.go.jp/stf/houdou/0000211217.html，（参照2022.01.16）
2) 日本東洋医学会漢方医学書籍編纂委員会編：漢方医学大全．静風社，東京，2022
3) 長濱義夫：東洋医学概説．創元社，大阪，1980
4) WHO西太平洋地域事務局原著，第二次日本経穴委員会監訳：WHO/WPRO標準経穴部位日本公式版．医道の日本社，神奈川，2009
5) 日本東洋医学会辞書編纂委員会編：日英対照　漢方用語辞書（基本用語）．メディカルユーコン，京都，2020
6) 厚生労働省告示第220号：第十八改正日本薬局方．厚生労働省，東京，2021
7) 嶋田昌彦：東洋医学的療法．嶋田昌彦他編，歯科麻酔学第8版，491-497，医歯薬出版，東京，2019
8) 花輪俊彦：漢方診療のレッスン．金原出版，東京，2008
9) 緒方千秋：漢方薬の服薬指導．ファルマシア 44(2)：127-129，2008
10) 坂本　歩 監，全日本鍼灸学会学術研究部安全性委員会 編：鍼灸安全対策ガイドライン．医歯薬出版，東京，2020
11) 世界保健機関：鍼治療の基礎教育と安全性に関するガイドライン（翻訳改訂版2000.4.7）．全日鍼灸会誌 50(3)：505-525，2000

第4部 口腔顔面痛の治療（総論）

5 物理療法

SBO
Ⅰ．物理療法の定義・種類を説明できる．
Ⅱ．各種の物理療法について，手法の概要，適用等を説明できる．

　物理療法は理学療法のうち，熱，力，電気，光などの物理的刺激（エネルギー）を罹患した組織または周囲組織に適用する方法であり，口腔顔面領域では筋骨格系の疼痛障害である temporomandibular disorders（TMD）に対して一般的に用いられている．米国歯科研究学会（American Association for Dental Research: AADR）による TMD に関する基本声明にみられるように，TMD の治療に際しては可逆的な保存療法を第一選択とすべきとされている[1]．物理療法はその一翼を担うものであり，認知行動療法や運動療法などの他の保存療法と併用され，感覚入力の変容，可動域の増大，炎症の沈静化，過剰な筋活動の減少および協調性の改善，損傷した組織の修復や再生の亢進によって，筋骨格系の痛みの軽減および機能障害の改善を図るものである．

　物理療法には温熱療法，寒冷療法，マッサージ療法，電気療法，レーザー療法，超音波療法，鍼治療などがある．これらの方法を医療者が患者に対して実施するが，特別な機器を必要とせず比較的安全な方法である前3者については，患者指導のもとで患者自らがホームケアとしても行うことができる．物理療法は顎の痛みを軽減し可動域を増大させることが報告されているが[2,3]，システマティックレビューによれば，TMD に対する物理療法の有効性は十分には証明されていない[4]．

1）温熱療法

　温熱療法は，ホットパックや蒸しタオルなどを咀嚼筋や顎関節部の皮膚上に適用して組織に熱エネルギーを付与し，組織の温度を上昇させることで組織内の血管拡張および血流の増大を図る方法である（図1）．その結果，痛みの軽減，組織の緊張緩和による筋の伸展性の増大や顎関節の可動域の拡大などの効果が期待できるとされている[5]．また，本法とマッサージ療法や運

図1 温熱療法
ホットパックをタオルに包み咬筋部に適用している.

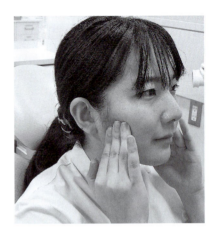

図2 マッサージ療法

動療法とを併用することで効果が増すと考えられている.

温熱療法は診察時に医療者が患者に対して実施するほか,患者指導に基づいて患者自らが自宅等でホームケアとして行う.適用にあたっては,高温の媒体の適用による熱傷に注意する.また,組織に急性炎症,感染,出血性疾患,腫瘍等がある場合には適用すべきではないため,患者指導の際に注意すべきである.

2) 寒冷療法

寒冷療法は,コールドパック,コールドスプレー等を咀嚼筋や顎関節部の皮膚上に適用して組織を冷却し,一時的な疼痛閾値の上昇や血流の低下等を図る方法である.筋筋膜痛などの咀嚼筋痛障害に対しては,寒冷療法を適用して一時的に痛みを軽減し,運動療法と併用することで,筋の伸展性および筋内血流の増大を図り,その結果,痛みの軽減,組織の緊張緩和および顎の可動域の拡大を目指す[6].また,顎関節部への外傷に伴う急性炎症がある場合などでは,炎症による腫脹や痛みの軽減を図るために用いられる.

冷熱療法も診察時に医療者が患者に対して実施するほか,患者指導に基づいて患者自らが自宅等でホームケアとして行う.適用にあたっては,過度の冷却による知覚障害の発生や顎の可動域の低下に留意する.

3) マッサージ療法

マッサージ療法は,手指を用いて患部を機械的に刺激し,その結果,痛みの軽減,組織内の血流の増大,組織の緊張緩和による筋の伸展性の増大等を図る方法である(図2).温熱療法と同様に,組織に急性炎症,感染,出血性疾患,腫瘍等がある場合には適用すべきではないため,患者指導の際に注意すべきである.

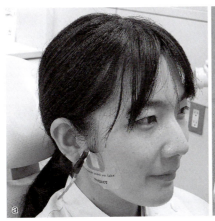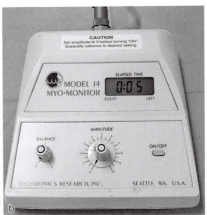

図3　マイオモニター
a：電極の貼付，b：本体

4) 電気療法

　電気療法は，電気刺激によって筋や関節の温度変化，組織化学的変化，および生理学的変化を生じさせ，その結果，痛みの軽減，組織内の血流の増大，組織の緊張緩和などを図る方法である．TMDに対しては，経皮的電気神経刺激(transcutaneous electrical nerve stimulation: TENS)，神経筋電気刺激(neuromuscular electrical stimulation)，ガルバニック電気刺激(electrogalvanic stimulation: EGS)，微小電流刺激(microcurrent stimulation)などが用いられる．経皮的電気神経刺激は感覚神経終末を電気刺激することによって中枢神経系の活動性を低下させ下行抑制系を賦活し，痛みの軽減を図る方法である．一方，神経筋電気刺激は運動神経を電気刺激することで一過性の筋収縮を生じさせる方法であり，両者の意図する作用は異なる[7,8]．

　顎関節症に対する保険適用があるマイオモニター(マイオトロニクス社製)は，経皮的に神経・筋を刺激して咀嚼筋に一過性の筋収縮を生じさせることで筋の緊張緩和をもたらすとされている(図3)[8]．しかし，TMDに対するマイオモニターの効果を検討したランダム化比較試験はなく，その有効性は科学的には証明されていない[4]．

5) レーザー療法

　低反応レベルレーザー治療(low-level laser therapy: LLLT)がTMDに対して用いられている[9,10](図4)．レーザーの出力は，組織を傷害することなく組織・細胞に生化学的な効果をもたらす程度の強さとされており，ソフトレーザーとも呼ばれている．LLLTにより，痛みの軽減，炎症の軽減，および組織の治癒促進効果が期待できるとされている[11]．TMDに対するLLLTの効果に関するシステマティックレビューによれば，LLLTによって短期的

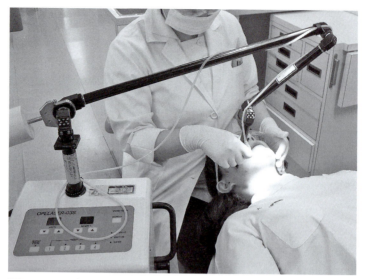

図4　レーザー療法

な鎮痛効果が得られ，レーザーの波長は長いほうが効果的であると報告されている[11]．

6）超音波療法

　超音波療法は筋骨格系の障害に対して用いられてきた．超音波は皮膚表面から5cm程度の深さまで到達するため，より深部の組織へ刺激を与えることができる[12]．また，超音波は組織内を伝達していく際に熱に変換されるため，関節や筋の深部組織への温熱刺激が期待できる．しかし，システマティックレビューによれば，TMDに対する超音波療法の有効性は科学的には証明されていない[13]．

7）鍼治療

　鍼治療は慢性の筋骨格系の障害に対して用いられてきたが，その詳細なメカニズムについては十分にわかっていない．過去の研究ではTMDに対する鍼治療の効果が報告されているものの，システマティックレビューによれば，短期的に痛みを軽減する補助的な療法としては合理的であるが，それを推奨するにはより厳密な臨床試験が必要であるとされている[14,15]．

（築山能大）

文　献
1) 日本口腔顔面痛学会：米国歯科研究学会（AADR）による，TMDの診断と治療に関する方針声明について．日本口腔顔面痛学会雑誌3(1)：3-6，2010
2) Medlicott MS, Harris SR: A systematic review of the effectiveness of exercise, manual therapy, electrotherapy, relaxation

training, and biofeedback in the management of temporomandibular disorder. Phys Ther 86 (7)： 955-973, 2006
3) McNeely ML, Armijo-Olivo S, Magee DJ: A systematic review of the effectiveness of physical therapy interventions for temporomandibular disorders. Phys Ther 86 (5)： 710-725, 2006
4) List T, Axelsson S: Management of TMD: evidence from systematic reviews and meta-analyses. J Oral Rehabil 37: 430-451, 2010
5) Nelson SJ, Ash MM Jr: An evaluation of a moist heating pad for the treatment of TMJ/muscle pain dysfunction. Cranio 6: 355-359, 1988
6) Burgess JA, Sommers EE, Truelove EL, Dworkin SF: Short-term effect of two therapeutic methods on myofascial pain and dysfunction of the masticatory system. J Prosthet Dent 60: 606-610, 1988
7) Dailey DL, Rakel BA, Vance CG, Liebano RE, Amrit AS, Bush HM, Lee KS, Lee JE, Sluka KA: Transcutaneous electrical nerve stimulation reduces pain, fatigue and hyperalgesia while restoring central inhibition in primary fibromyalgia. Pain 154: 2554-2562, 2013
8) Wessberg GA, Carroll WL, Dinham R, Wolford LM: Transcutaneous electrical stimulation as an adjunct in the management of myofascial pain-dysfunction syndrome. J Prosthet Dent 45 (3)： 307-314, 1981
9) Marini I, Gatto MR, Bonetti GA: Effects of superpulsed low-level laser therapy on temporomandibular joint pain. Clin J Pain 26 (7)： 611-616, 2010
10) Öz S, Gökçen-Röhlig B, Saruhanoglu A, Tuncer EB: Management of myofascial pain: low-level laser therapy versus occlusal splints. J Craniofac Surg 21 (6)： 1722-1728, 2010
11) Ren H, Liu J, Liu Y, Yu C, Bao G, Kang H: Comparative effectiveness of low-level laser therapy with different wavelengths and transcutaneous electric nerve stimulation in the treatment of pain caused by temporomandibular disorders: A systematic review and network meta-analysis. J Oral Rehabil 49 (2)： 138-149, 2022.
12) Ziskin MC, McDiarmid T, Michlovits SL: Therapeutic ultrasound, Michlovits SL, ed Thermal agents in rehabilitation, 2nd ed, F. A. Davis, Philadelphia, 1990
13) Ansari S, Charantimath S, Lagali-Jirge V, Keluskar V: Comparative efficacy of low-level laser therapy (LLLT) to TENS and therapeutic ultrasound in management of TMDs: a systematicreview & meta-analysis. Cranio, 22 (1)： 1-10, 2022.
14) La Touche R, Goddard G, De-la-Hoz JL, Wang K, Paris-Alemany A, Angulo-Díaz-Parreño S, Mesa J, Hernández M: Acupuncture in the treatment of pain in temporomandibular disorders: a systematic review and meta-analysis of randomized controlled trials. Clin J Pain 26: 541-550, 2010
15) Fernandes AC, Duarte Moura DM, Da Silva LGD, De Almeida EO, Barbosa GAS: Acupuncture in temporomandibular disorder myofascial pain treatment: A systematic review. J Oral Facial Pain Headache 31 (3)： 225-232, 2017

第4部　口腔顔面痛の治療（総論）

6　運動療法

SBO
Ⅰ．運動療法を理解する．
Ⅱ．口腔顔面痛に対する運動療法を説明できる．
Ⅲ．慢性痛の治療法としての全身運動を説明できる．
Ⅳ．全身運動による痛みの制御機構を説明できる．

1）運動療法の基礎

　運動療法（exercise therapy）は，物理療法および徒手療法とともに，理学療法に含まれる運動機能障害の予防と改善を目的とした治療法である[1]．理学療法の治療体系は，二つのフェーズで構成され，フェーズ1は動きやすい身体条件を整える目的，フェーズ2は能動的な運動学習と体力トレーニングによる動作の実用性の維持・改善を目的とし，指導的介入が実施される．運動療法の基本原則は，①安全であること，②効果的であること，③継続可能であることである[2]．運動療法は，腰痛や頸部痛などcommonな慢性疼痛にも有効とされており，その介入には急性痛と慢性疼痛の鑑別はもちろんのこと，痛みの包括的な評価を行ったうえで実施すべきである[3]．

　痛みにより，筋活動や関節可動域が減少すると不活動に陥り，末梢組織からの刺激入力の減弱および神経系の感作・可塑性変化が生じ，不動性疼痛が誘発されることが近年の研究で明らかとなっている[1,4]．筋骨格系疼痛に対しては，痛みの包括的評価を行った上で，治療オプションとして，患者の病態に合った主体的かつ能動的な運動による運動療法が推奨されている[5]．さらに，恐怖-回避モデル（fear-avoidance model）からの脱却のために運動療法開始前・中の患者教育を行い，基本原則が遵守されるよう留意する必要がある．

2）口腔顔面痛の運動療法

口腔顔面痛に対する運動療法の様式は次のとおりである[6]．
① ストレッチング
　目　的：開口を制限する筋群の粘弾性，伸張性を高めること

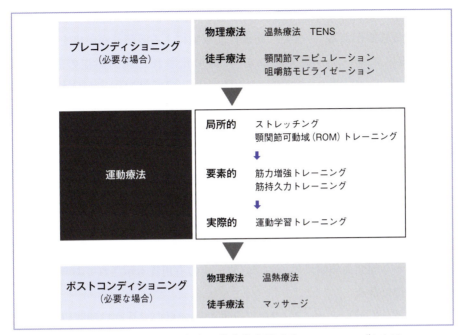

図1 口腔顔面痛に対する運動療法の基本的な進め方(木村,他,2020[1])を改変)

　　方　法：1)咀嚼筋ストレッチング
　　　　　　2)頸部筋ストレッチング
② 顎関節可動域(range of motion：ROM)トレーニング
　　目　的：顎関節の可動域を広げること
　　方　法：1)自動開口トレーニング
　　　　　　2)自動介助開口トレーニング
　　　　　　3)他動開口トレーニング
③ 筋力増強トレーニング(レジスタンス運動)
　　目　的：咀嚼筋の筋力を向上させること
　　方　法：1)開口抵抗運動
　　　　　　2)閉口抵抗運動
④ 筋持久力トレーニング
　　目　的：咀嚼筋の持久力を向上させること
⑤ 運動学習トレーニング(協調運動)
　　目　的：協調的な下顎運動を学習し,適正な咀嚼機能の再獲得すること
　図1のとおり,①および②は運動療法の第1段階で,ROM制限を改善する目的で行われる.ROM制限が認められた場合,まず,それが骨格筋や靱帯,関節包などの軟部組織に起

因する拘縮(contracture)なのか,それとも,骨などの関節構成体に起因する強直(ankylosis)なのかを判断する必要がある[1].また,防御性筋収縮による咀嚼筋痛障害を伴う場合は,疼痛緩和に対するアプローチが優先となる[7].標準化された顎関節症の診断基準であるDiagnostic Criteria for Temporomandibular Disorders(DC/TMD)[8]が日本顎関節学会により改変された「顎関節症治療の指針2020」[9]に基づいた診断により,治療計画を立案することが望ましい.

運動療法の分類のうち,主体性に基づく分類は口腔顔面痛の運動療法を理解するうえで重要である.運動療法は,対象者が自ら行う自動運動,歯科医師(セラピスト)による他動運動,自動運動と他動運動を組み合わせた自動介助運動に分類される[1].

①咀嚼筋ストレッチングは大きく開口する,下顎を前突する,また,頸部ストレッチングは頭部を左右に屈曲させる,回旋するなどの自動運動である.頸部筋痛と咀嚼筋痛障害の関連から顎顔面領域以外へのアプローチの有用性も示されており[10],より高い治療効果が期待できる.

②顎関節可動域(ROM)トレーニングは,介助なしで自力で行う自動開口運動,自身の手指で介助する自動介助開口運動(図2),そして,開口器の使用または術者による徒手的関節受動術である他動開口運動の三つに分類される.また,「顎関節症治療の指針2020」[9]では,顎関節円板障害に含まれる非復位性関節円板前方転位であるクローズドロック症例に対して,顎関節可動化訓練(モビライゼーション)が推奨されており,下顎前歯部に示指,中指,薬指をかけ,開口時痛よりもう少し強い痛みを感じる開口量で10秒間維持するとされている.いずれの場合も,疼痛が増大する場合はただちに中止する[11].

事前準備としての物理療法および徒手療法の実施後に,運動療法①および②により局所的な顎関節の可動性と咀嚼筋の筋収縮力の改善が認められれば,主要な運動療法である③および④を実施する[1].

③筋力増強トレーニング(レジスタンス運動)には,自動介助的あるいは他動的に下顎下縁に上方へ負荷をかけた状態で開口する開口抵抗運動(図3)と,自動介助的あるいは他動的にオトガイ部に下方へ負荷をかけた状態で閉口する閉口抵抗運動(図4)がある.いずれの場合も0.5～1.0kg程度の負荷が適切とされている[12].レジスタンス運動による強収縮後の弛緩によって筋緊張の緩和がもたらされるIB抑制(ゴルジ腱器官反射で,骨格筋に持続的な伸張が加わるとその筋緊張・収縮が抑制される反射)の副次的効果が期待される.

④筋持久力トレーニングは,持続的(回数・時間)に下顎の全方向の運動を繰り返し,咀嚼筋の持久力向上を期待する.

運動療法④まで実施したら,応用的に運動療法⑤を行う.

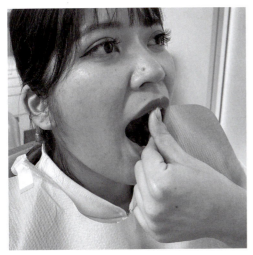

図2　自動介助開口運動
拇指の指腹を上顎歯切縁，示指の指腹を下顎切縁に置き，開口方向へ力を加えながら開口する．痛みが生じない強さの力で行うことが推奨される[11]．

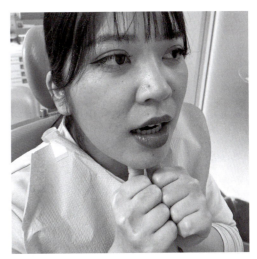

図3　開口抵抗運動
下顎下縁に両手拇指を添え，上方へ負荷を加えながら約5秒間，開口方向に力を発揮する．このとき，上下顎歯列間は数mm開け，開口位を維持する．これを数セット繰り返す[11]．

⑤運動学習トレーニング（協調運動）は，下顎開閉口および側方運動をフィードバックにて修正しながら実施する．

　これらの運動療法の効果を高めるコツとして，姿勢トレーニングを含む顎位の是正や患者教育・認知行動療法（行動科学的アプローチ）を実施前に行うことが望ましい．

　また，口腔顔面痛に対する運動療法を，図2～4に示すとおり，理学療法の基本的な進め方に沿って実施することで，その効果が期待できる．また，必要に応じて，冷罨法・温罨法などの物理療法およびマニピュレーション※などの徒手療法を運動療法実施前に取り入れ（プレコンディショニング），物理療法やマッサージなどの徒手療法を運動療法後に実施する（ポストコンディショニング）ことで，運動療法の効果を高め，また，リスクの軽減が期待できる．

3）推奨される運動療法

　運動療法は，非侵襲的かつ経済的効率のよい有効な保存的療法であり，有害事象がないことが大きな利点の一つであることから，「慢性疼痛治療ガイドライン」で慢性疼痛治療として強く推奨されている[3]．有痛性顎関節症に対する運動療法の効果を検討したナラティブレビュー[13]とシステマティックレビューから，咀嚼筋痛障害および顎関節痛障害患者に対す

※　マニピュレーション：徒手的理学療法．診療ガイドライン（理学療法診療ガイドライン第1版）で，マニピュレーションは関節の緩み（slack）がなくなり緊張（tightness）が得られた状態で，低振幅（low amplitude）で高速度（high velocity）の運動を加えることと定義されている．

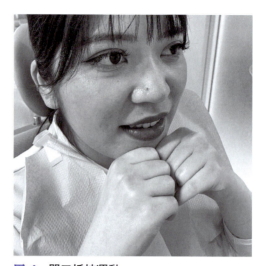

図4　閉口抵抗運動
下顎オトガイ部を両手で把持し，軽く開口する．閉口に抵抗する力を加えながら，努力閉口を行う．開口抵抗運動同様，1回5秒程度，数セット繰り返す[11]．

る運動療法はおおむね弱い推奨度が示されている．「顎関節症治療の指針2020」において，顎関節痛障害の基本治療に運動療法が含まれている[9]．

　咀嚼筋痛障害に対する効果として，患者が自ら行う自動訓練は疼痛強度の低下，最大下顎開口量の増大に推奨されるが，推奨度は低く[14]，また，筋力増強訓練もプラセボと比較して，疼痛強度の経過および咀嚼筋の圧痛閾値の上昇に効果的という報告がある[15]．その一方で，自動あるいは他動訓練および筋力増強訓練は，非介入あるいはカウンセリングのみと比較すると効果はあるが，ボトックス(botox)注射との比較では効果が低く[16]，頸部や全身に対する他動訓練が咀嚼筋痛障害に対する疼痛緩和効果や下顎可動域の改善につながるという報告もあった[17,18]．顎関節痛障害に関して，顎関節痛障害(単独)を有する患者に対する他動訓練は疼痛強度の低下および下顎開口量の増大に対して有効であるという報告があるが[19]，コントロールのない症例集積研究であったため，エビデンスレベルは低いと考える．咀嚼筋痛障害と顎関節痛障害がどちらも存在するケースでは，口腔内装置による治療やその他の療法と比較して，自動あるいは他動訓練，筋力増強訓練，そして，協調性訓練が疼痛緩和や最大下顎開口量の増大に有意に効果的であると報告されていた[20-22]．その一方で，自動あるいは他動訓練や筋力増強訓練の明確な有効性を示さない報告も存在した[23,24]．

　体系化された研究によるエビデンスがないため，運動療法の効果検証は脆弱な結果となっている．今後，多施設共同臨床研究にてエビデンスレベルの高いRCTの実施により，口腔顔面痛に対する運動療法処方の最適化について，エビデンスの確立が期待される．

（島田明子）

4）全身運動と痛み

　適度な全身運動を行うと気分がすっきりする．このことは，全身運動の作用は身体面だけでなく情動や認知機能などを制御する脳神経系に及ぶことを示す．また，全身運動は慢性痛を軽減できる．そして，そのメカニズムは痛みを処理する脳神経機能の調節効果である．一見，全身運動と脳機能は関連性が低そうであるが，密接なつながりをもっている[1]．本項では全身運動が慢性痛に及ぼす影響について考察する．

1―全身運動と慢性痛

　全身運動（以下，運動療法）の目的は，疼痛によって生じる身体機能の低下，それによる生活機能や活動性の低下，さらなる身体機能の低下という悪循環に陥ることを予防し，好循環へ導くことである．現在，効果的な運動プロトコール（以下，運動処方）の確立を目指し，活発に検討がなされている[2]．そしてジョギングなど低強度の有酸素運動は，慢性痛の軽減に有効であることが示されている[3,4]．

　運動療法は口腔顔面痛を制御できる．たとえば毎週一定の運動を行うと，運動をしない場合と比べ，顔面深部の痛みの発生頻度が低下する．舌痛症患者は健常者と比較して日常的な身体活動レベルが低い[5]．日常的に低強度の身体活動を維持している人は，顔面痛の発症リスクを低下させる．一方で，強度の高い運動は，顔面痛のリスクを増大させるという．以上の報告は，運動療法を含む身体的な活動が，口腔顔面痛を軽減できることを示す一方，口腔顔面痛の制御に適した運動処方の確立が重要であることを示す．

2―運動療法が慢性痛を軽減するメカニズム

　運動療法による痛みの軽減は，変調した中枢神経系の機能改善効果や，痛みが発生している末梢器官の構造・機能的な改善による．末梢器官への作用という点では，創傷治癒の促進が挙げられ，その分子機構の解明が進んでいる．たとえばリハビリテーションの現場では，手術直後からの運動療法の実施が創傷治癒を促進し，痛みを軽減すること，さらには慢性痛への移行を予防できることが知られている[6]．

　運動療法は，中枢神経系の機能発現を調節する役割をもつセロトニン，ノルアドレナリン，ドパミン機構を調節する．これらは痛みを制御する脳機構であり，下行性疼痛抑制系や報酬系として知られる．慢性痛ではこれらの脳機能が変調する．下行性疼痛抑制系は，大縫線核や青斑核などを主たる中枢領域とし，セロトニンやノルアドレナリン作動性ニューロンの活性を主体とする．一方，報酬系は中脳から側坐核へのドパミン作動性ニューロンの活性を基盤とする．運動療法は，これら変調した脳機構を改善し，慢性痛を軽減する[6]．

　近年，運動療法による痛みの制御機構として，マイオカインが注目されている[7]．マイオ

カインは骨格筋から分泌される生理活性因子である．数十種類が報告され，脳神経系を含むさまざまな組織や器官に作用し，痛みを軽減させる．マイオカインは運動療法と痛みの制御を連関させる分子群である．

3 ― 運動療法による口腔顔面痛の軽減機構

トレッドミル走などを用いた運動療法は，歯痛，神経障害性疼痛，顔面深部痛を軽減させることが，基礎研究によって示されている．咬筋のストレス痛のモデル動物に，低強度のトレッドミル走を毎日実施させたところ，三叉神経脊髄路核尾側亜核から上部頸髄部の興奮は軽減したが，3日に1回の運動では軽減効果はみられなかった[8,9]．モデル動物を用いた検討は，運動療法による痛みの制御機構を解明できるだけでなく，口腔顔面痛の治療に適した運動処方を確立するうえで有益な情報をもたらす．

4 ― 運動療法を実施するうえでの注意点と展望

運動療法を実施するうえで考慮すべき点がある．たとえば，患者自身が主体的に運動療法に参加できるか否かが挙げられる．慢性痛患者の多くは，自身の痛みは器質的な問題によって発生していると捉え，全身運動は避けるべきだと考えていることが多い[4]．よって，全身運動を行うことで逆に痛みが増悪すると，患者自身の自己効力感が低下し，運動療法へのモチベーションの低下につながる．よって，脳神経生理学的な根拠に基づく運動療法の有効性についての説明と運動処方の確立が重要である．

運動療法は，慢性痛に限らず生活習慣病の予防や治療に有用である．何より生活習慣上で実施でき簡便であるだけでなく，慢性痛の治療に加え，痛みの慢性化への移行を予防する効果がある．さらに，心理ストレスなど痛みを増大させる刺激が脳に加わっても，それらを弾き返すレジリエンスを高める[10]．腰痛や膝関節痛の軽減効果が，運動療法の終了後以降も長期にわたり維持されるという所見は，変調した脳神経機構が運動によって改善できることを示す．以上の点から，運動療法は口腔顔面痛の制御のための選択肢として考慮するに値する手段であるといえる．

（岡本圭一郎，長谷川真奈）

文 献

1)運動療法の基礎～3)推奨される運動療法

1) 木村貞次,髙橋哲也,内 昌之編者：障害別 運動療法学の基礎と臨床実践．金原出版，東京，2020
2) 市橋則明編：運動療法学，第2版．文光堂，東京，2, 2014
3) 厚生労働行政推進調査事業費補助金 慢性の痛み政策研究事業「慢性の痛み診療・教育の基盤となるシステム構築に関する研究」研究班監修, 慢性疼痛治療ガイドライン作成ワーキンググループ編：慢性疼痛ガイドライン．真興交易医書出版部，東京，2021 （https://www.mhlw.go.jp/content/000350363.pdf）
4) 沖田 実：不動による疼痛発生のメカニズムとリハビリテーション戦略．ペインクリニック 39: S51-S60, 2018
5) Lin I, Wiles L, Waller R, et al: What does best practice care for musculoskeletal pain look like? Eleven consistent recommendations from high-quality clinical practice guidelines: systematic review. Br J Sports Med 54: 79-86, 2020
6) 島田明子, 野間 昇：口腔顔面痛に対する運動療法．ペインクリニック 42: 491-496, 2021
7) 福田謙一：顎関節症を見直す：4. 顎関節症と痛み．歯科学報 102: 757-763, 2002
8) Schiffman E, Ohrbach R, Truelove E, et al: Diagnostic Criteria for Temporomandibular Disorders (DC/TMD) for Clinical and Research Applications: recommendations of the International RDC/TMD Consortium Network and Orofacial Pain Special Interest Group. J Oral Facial Pain Headache 28: 6-27, 2014
9) 日本顎関節学会：顎関節症治療の指針 2020．2020（http://kokuhoken.net/jstmj/publication/file/guideline/guideline_treatment_tmj_2020.pdf）Accessed February 14, 2023
10) 原 節宏：咀嚼筋痛の病態生理と治療戦略．日顎関節会誌 32: 121-130, 2020
11) 日本顎関節学会編：新編 顎関節症．永末書店，京都，2018
12) 日本口腔顔面痛学会編：口腔顔面痛の診断と治療ガイドブック．第2版，医歯薬出版，東京，2016
13) Shimada A, Ishigaki S, Matsuka Y, et al: Effects of exercise therapy on painful temporomandibular disorders. J Oral Rehabil 46: 2019
14) Eliassen M, Hjortsjö C, Olsen-Bergem H, Bjørnland T: Self-exercise programmes and occlusal splints in the treatment of TMD-related myalgia-Evidence-based medicine?. J Oral Rehabil 46: 1088-1094, 2019
15) Barbosa MA, Tahara AK, Ferreira IC, Intelangelo L, Barbosa AC: Effects of 8 weeks of masticatory muscles focused endurance exercises on women with oro-facial pain and temporomandibular disorders: A placebo randomised controlled trial. J Oral Rehabil 46: 885-894, 2019
16) de Melo LA, Bezerra de Medeiros AK, Campos MDFTP, Bastos Machado de Resende CM, Barbosa GAS, de Almeida EO: Manual therapy in the treatment of myofascial pain related to temporomandibular disorders: A systematic review. J Oral Facial Pain Headache 34: 141-148, 2020
17) Calixtre LB, Grüninger BL da S, Haik MN, Alburquerque-Sendín F, Oliveira AB: Effects of cervical mobilization and exercise on pain, movement and function in subjects with temporomandibular disorders: a single group pre-post test. J Appl Oral Sci 24: 188-197, 2016
18) Espejo-Antúnez L, Castro-Valenzuela E, Ribeiro F: Albornoz-Cabello M, Silva A, Rodríguez-Mansilla J: Immediate effects of hamstring stretching alone or combined with ischemic compression of the masseter muscle on hamstrings extensibility, active mouth opening and pain in athletes with temporomandibular dysfunction. J Bodyw Mov Ther 20: 579-587, 2016
19) Grondin F, Hall T: Changes in cervical movement impairment and pain following orofacial treatment in patients with chronic arthralgic temporomandibular disorder with pain: A prospective case series. Physiother Theory Pract 33: 52-61, 2017
20) de Felício CM, de Oliveira MM, da Silva MAMR: Effects of orofacial myofunctional therapy on temporomandibular disorders. Cranio 28: 249-259, 2010
21) Paço M, Peleteiro B, Duarte J, Pinho T: The effectiveness of physiotherapy in the management of temporomandibular disorders: A systematic review and meta-analysis. J Oral Facial Pain Headache 30: 210-220, 2016
22) Calixtre LB, Moreira RFC, Franchini GH, Alburquerque-Sendín F, Oliveira AB: Manual therapy for the management of pain and limited range of motion in subjects with signs and symptoms of temporomandibular disorder: a systematic review of randomised controlled trials. J Oral Rehabil 42: 847-861, 2015
23) Armijo-Olivo S, Pitance L, Singh V, Neto F, Thie N, Michelotti A: Effectiveness of manual therapy and therapeutic exercise for temporomandibular disorders: Systematic review and Meta-Analysis. Phys Ther 96: 9-25, 2016
24) Machado BCZ, Mazzetto MO, Da Silva MAMR, de Felício CM: Effects of oral motor exercises and laser therapy on chronic temporomandibular disorders: a randomized study with follow-up. Lasers Med Sci 31: 945-954, 2016

4)全身運動と痛み

1) Won J, Callow DD, Pena GS, Gogniat MA, Kommula Y, Arnold-Nedimala NA, Jordan LS, Smith JC: Evidence for exercise-related plasticity in functional and structural neural network connectivity. Neurosci Biobehav Rev 131: 923-940, 2021
2) 厚生労働行政推進調査事業費補助金 慢性の痛み政策研究事業「慢性の痛み診療・教育の基盤となるシステム構築に関する研究」研究班監修, 慢性疼痛治療ガイドライン作成ワーキンググループ編：慢性疼痛ガイドライン．真興交易医書出版部，東京，2021 （https://www.mhlw.go.jp/content/000350363.pdf）
3) Leitzelar BN, Koltyn KF: Exercise and neuropathic pain: A general overview of preclinical and clinical research. Sports Med Open 7: 21, 2021

4) 下　和弘：疼痛管理のための運動療法．理学療法ジャーナル 52: 624-627, 2018
5) Jedel E, Elfström ML, Hägglin C: Differences in personality, perceived stress and physical activity in women with burning mouth syndrome compared to controls. Scand J Pain 21: 183-190, 2020
6) 仙波恵美子，川西　誠，田島文博，上　勝也：慢性痛に対する運動療法の効果：脳報酬系の役割．日本運動器疼痛学会誌 9: 198-209, 2017
7) Wang Y, Wu Z, Wang D, Huang C, Xu J, Liu C, Yang C: Muscle-brain communication in pain: The key role of myokines. Brain Res Bull 179: 25-35, 2022
8) 長谷川真奈，岡本圭一郎，Piriyaprasath K，藤井規孝，山村健介：エクササイズは顎顔面部の慢性痛を軽減する？．歯界展望 140: 2022-2028, 2022
9) Hasegawa M, Piriyaprasath K, Otake M, Kamimura R, Saito I, Fujii N, Yamamura K, Okamoto K: Effect of daily treadmill running exercise on masseter muscle nociception associated with social defeat stress in mice. European J Oral Science 130: e12882, 2022
10) Nowacka-Chmielewska M, Grabowska K, Grabowski M, Meybohm P, Burek M, Małecki A: Running from stress: Neurobiological mechanisms of exercise-induced stress resilience. Int J Mol Sci 23: 13348, 2022

7 認知行動療法

第4部 口腔顔面痛の治療（総論）

SBO
Ⅰ．認知行動療法を理解する．
Ⅱ．認知行動療法を説明できる．

1）心身相関とストレス

人の「こころ」と「からだ」は必ず相関する．たとえば，ストレスがかかると，脳や自律神経，内分泌，免疫などは身体に影響を与え，胃酸を増やし胃炎を引き起こす．そして，ストレスがかかり続けるとその反応は過敏となり，機能性胃炎のような慢性化した病態へと移行していく．つまり「からだ」を悪くしないためには，「こころ」を悪くしないようにしなければならない．

ストレスとは，元々は物理学用語であり，ねじのなかにあるひずみのことを表していた．これを1935年，生理学者のセンス・ハリエが生体のなかに生じるひずみに置き換え，体外から加えられた各種の有害な原因に応じて体内に生じた障害とこれに対する防衛反応の総和，体に悪い結果となる現象と定義した．「からだ」を悪くしないためには，自身にストレスを与えないようにする必要がある．

ストレスの原因となるストレッサーには寒冷や暑熱，騒音などの物理的刺激やアルコールなどの科学的刺激，細菌やウイルスなどの生物学的刺激もあるが，一番大きくストレスを修飾するのは考え（認知）による心理・社会学的刺激である．たとえば，同じ薬剤の処方を受けたという状況において，効果を前向きに望みながら服用するのと，副作用の恐怖を考えながら服用するのではストレスは大きく異なる．

センス・ハリエはストレスを人生最高のスパイスであると例えている．我々は，考えを上手に変容（認知再構成）することによって悪いストレスのない生活を送ることができる．

2）慢性痛患者の認知行動特性

慢性痛患者は特有の考え方や行動の癖があり，この非適応的な認知行動

特性が悪いストレスとなり，病態も複雑になり難治性となっていることが多い．

① 破局的思考

　常に痛みのことが頭から離れず考えてしまう反芻，痛みに対して自身ではどうすることもできないととらえてしまう無力感，そして，自分ばかりが痛みで悲劇的な状況に追い込まれてしまうと考える拡大視によって構成される．

② 恐怖-回避行動

　痛みの体験をした場合に，怖い病気の情報から悪い状態にあると解釈し不安になる．動作により増悪してしまうと根拠なく予測してしまい，過剰な警戒心から行動を回避してしまう．動作を避けているので運動器は廃用し機能障害を起こす．行動回避をしているので孤立しがちで破局的思考から気分・感情にも影響し抑うつを伴ってくる．こうして認知行動面により自ら痛みを悪循環させてしまうのが恐怖-回避行動である．

③ 過活動

　どんなに多忙でも人を頼ってはならないなどの自身で作ったルールがあり，過剰に行動をしてしまい疲弊する．疲弊により活動が制限され，その間，罪悪感などネガティブな思考に陥り，痛みに囚われやすくもなり症状が増悪する．活動性低下に伴う安静ののち，痛みが軽減すると，疲れと痛みで制限されていた活動時間を取り戻そうとまた過活動になる．こうして過活動と痛み増悪の悪循環を繰り返していく．過活動になってしまうベースには完璧主義や強迫観念などの認知特性がある．

④ 病院巡り，ドクターショッピング

　慢性痛患者は痛みを取りたい，治したいという思いが強すぎる場合が多い．しかし，心身の緊張など，本人のなかに原因，要因があるため，ただちに完治させるのは難しい．そのため，治療の始めのエンドポイントは，原因となる認知行動面も変容しつつ，痛みを上手に受容することにしたほうがストレスも少なく改善に向かう．治したいという強い思いから，次々と病院を受診すると，治してもらう期待と治らない喪失体験の繰り返しとなり，心身が疲弊してしまう．もしも，その間に抜髄や抜歯など，不必要だった可能性のある治療が行われてしまうと，さらに，悲しみ，猜疑，怒りなどの感情からストレスは強くなり痛みは悪循環していく．

3）痛みの悪循環と痛覚変調性疼痛（図1）

　痛みや痺れはその不快感から身体を緊張させ筋筋膜性疼痛を伴うことがある．それらのストレスによる自律神経の緊張は局所の血流低下，組織の酸素欠乏を起こし疼痛発生物質を生成する．こうして痛みは悪循環し病態は複雑となっていく．さらに痛みに対する否定的な解釈，たとえば破局的思考や医原性に引き起こされたかもしれないというような猜疑心，怒りなどは脳を刺激し，可塑性の変化を起こし痛覚変調性疼痛を伴うこともある．

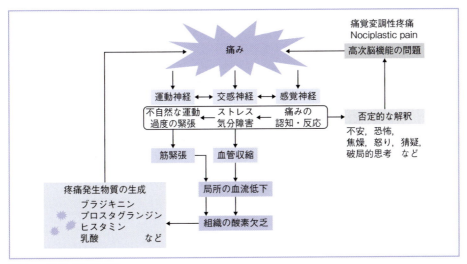

図1 痛みの悪循環

　慢性痛は患者の認知行動特性により悪循環し難治性に移行しているため，治療においては薬物療法や神経ブロックだけでなく，認知行動療法による介入を併用することでより効果的になる．

4）認知行動療法の実際

　患者の認知や行動に働きかけた治療介入はすべて広義に認知行動療法といえるが，狭義には，ストレスになる考え方を変容する認知再構成を指すことが多い．

　また，治療者と患者，一対一の個人に対する形式のほかに，数名の小グループで行われる集団療法の形式が取られることもあり，週1回のペース，90分程度で行われる集団療法が，12セッション，3か月ぐらいで構成されていることが多い．集団で行う利点としては痛みに対する苦痛に共感が得られることや，他者の疼痛時の考えや行動が変容のヒントになることなどが挙げられる．グループセッションでは，まずは痛みの心理教育を行い認知行動的な変化が改善には重要であることを教示し，日記のような練習用紙を用い自身の考え方や行動の特性をセルフモニタリングしていくことから始まる．そののち，以下のような各技法を教示，実践，復習を繰り返していく．

① リラクセーション

　鼻からゆっくり息を吸い込み，口からゆっくり息を吐き出す腹式呼吸法や身体の各部分の筋肉に意識的に力を入れてそのあと緩めることを繰り返す漸進的筋弛緩法は自律神経の安定が科学的に証明されたリラックス方法である．

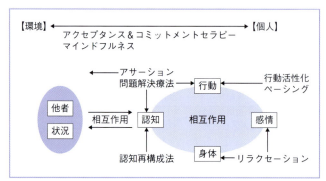

図2　認知行動療法・各技法のアプローチ

② ペーシング

　過活動と痛みの悪循環がある患者や，極端な行動回避をしてしまっている患者に対して，計画的に適度な活動と適度な静養を繰り返すことを促す技法である

③ 行動活性化療法

　楽しく平易にできる活動を生活のなかに取り込んでもらい，その結果から実際に活動中の痛みの軽減などに気付きを与え，適応的な行動パターンや認知を促していく技法である

④ 認知再構成法

　ネガティブな感情に関連する認知(考え)をより現実的なストレスにならない考えに修正する技法である．本人の考え方の癖により自然に浮かんでくる考えを自動思考，修正された考えを適応的思考という．人は誰しも考え方の癖，個性がある．それは育ってきた環境や憧れた人などから影響を受けている．誰しもある意味，信念をもって生きており頑なである．そのため，一方的に適応的思考を提示しても簡単には変容できない．患者自身に気付きを与えるように質問し，どういった認知行動がストレスを軽減するか考えさせるような面接を行っていくと認知再構成は効果的に行うことができる．これをソクラテス式問診法という．

⑤ 問題解決療法

　症状と問題の関連付け，問題の定義付け，達成可能な目標の設定，望ましい解決策の選択と実行，その結果の評価を繰り返すことでストレスを軽減していく心理介入の方法である．

⑥ アサーション

　相手を尊重しつつ，自分の意見を健やかに相手に伝える対人コミュニケーションスキルの一つである．

⑦ アクセプタンス＆コミットメントセラピー(ACT)

　現状をあるがままに受け入れて，問題となる思考とは距離を取るようにする．問題となる思考を思い返し，悩ましくなるのではなく，現在のこの瞬間に注意を向ける．そのうえで，現実的な望ましい目標を考え実行していくものである．勝手に湧き上がるネガティブな思考

に囚われることなく，自分自身が大切にしたい考えを採用し，心身が充実した生活を送るための行動的側面のことを心理的柔軟性という．

⑧ マインドフルネス

瞑想や注意を他に向ける訓練を通じて，痛みとの関係性を変化させる技法である．

考えを操作してストレスを軽減しようとするこれまでの認知行動療法とは異なり，ACTやマインドフルネスなど現状を受容することを目的とした新しい技法は第3世代の認知行動療法や文脈的認知行動療法と称されている(図2)．

（土井　充）

第4部 口腔顔面痛の治療（総論）

8 アプライアンス療法

SBO
Ⅰ．アプライアンス療法の目的，適応症，種類と特徴を理解する．
Ⅱ．スタビリゼーションアプライアンスの使用目的，適応症，製作法，調整法，効果判定を理解する．

1）アプライアンス療法とは

アプライアンスとは本来「装置」を意味し，顎関節症の治療に用いられるアプライアンスはオクルーザルアプライアンスのことを意味する装置である．スプリント，バイトプレート，バイトプレーン，咬合挙上副子などさまざまな呼称があり，歯列全体あるいは一部を硬性あるいは軟性プラスチック材料で暫間的に被覆するものである[1]．

1―目的

アプライアンス療法は顎関節症の基本治療の一つであり，可逆性の保存的治療である．

本治療法は，歯列全体をプラスチック材料で被覆するアプライアンスを装着し，咀嚼筋の緊張緩和および顎関節負荷の軽減などを目的とする[1]．文献的に治療効果は70〜90％ほどといわれ[2]，近年では，ランダム化比較試験においてもアプライアンス療法の効果は示されてはいるが[3,4]，適切な対照群（プラセボ治療群）の設定が困難であることから[5]，その有効性は必ずしも実証されたとはいい切れない．そのため，アプライアンス療法のみならず，病態説明と疾患教育に基づいたセルフケアおよび理学療法，薬物療法を主体とした可逆的治療を基本治療とすることが推奨されている[6,7]．

2―適応症

アプライアンス治療は可逆性の保存的治療であり，一般的に用いられているスタビリゼーションアプライアンスはほとんどの顎関節症患者に適応可能である．また欠損を有する歯列であっても適応は可能である（後述）．

3 ─ 種類と特徴

　種々のアプライアンスが考案されているが，スタビリゼーションアプライアンスが最も代表的である．その他，リポジショニングアプライアンス，リラクセーションアプライアンス，ピボットアプライアンスなどがある．リポジショニングアプライアンスは，下顎を新たな治療顎位に誘導することにより，下顎頭や関節円板の位置を整復する目的で用いられるもので，前方位へ誘導する前方整位型アプライアンスが代表的である．復位性関節円板前方転位やさらに進行した間欠性ロックを呈する症例や，非復位性関節円板前方転位でマニピュレーションによってロックを解除した症例などに適用される．リラクセーションアプライアンスは，閉口筋の緊張が強く，強い噛みしめが認められる症例に対し，前歯部のみに咬合接触を付与し，臼歯部は離開させることにより筋緊張の緩和を狙うものである．ピボットアプライアンスは，最後臼歯部の咬合面にピボット（突起）を付与し，咬合力の作用により下顎頭を機械的に下方に牽引することを目的としたアプライアンスであり，非復位性関節円板前方転位症例に有効とされる．しかしながら，下顎頭の誘導および整位を目的としたこれらのアプライアンスは，治療成果の裏づけとなる臨床知見が十分でないことや不適切な使用による下顎の偏位や咬合関係，歯列の変化などを招く可能性があり，治療の難易度が高く，高度な知識を有する専門医による適応が前提となる．そのため，本書では顎関節症治療の基本治療として一般に用いられるスタビリゼーションアプライアンスについて詳細を解説することとする[1,7]．

2) スタビリゼーションアプライアンス

1 ─ 使用目的

　スタビリゼーションアプライアンスは，アプライアンス治療において最も代表的なスプリントであり，全歯列接触型スプリントとも呼ばれる．その使用目的は，上顎あるいは下顎の歯列全体を被覆し，左右均等な咬合接触を付与することにより，歯の早期接触や咬頭干渉の除去，咀嚼筋の緊張緩和，および顎関節部への過重負荷を軽減することを目的とする[6]．
　スタビリゼーションアプライアンスの有効性について多く臨床知見が存在する一方で，適切な対照群（プラセボ治療群）の設定が困難であることや，咬頭を被覆しないパラタルスプリントでも最大開口域，筋圧痛，などのアウトカムに改善が認められた観察研究も存在する[8]．そのため，総体的にはスタビリゼーションアプライアンスの装着による治療効果はそれほど顕著なものではなく，自然経過でも予後が良好な場合が多いとされている．日本顎関節学会のガイドラインでは[7]，咀嚼筋痛を主訴とする顎関節症患者に対して，適応症・治療目的・治療による害や負担・他治療の可能性も含めて十分なインフォームドコンセントを行

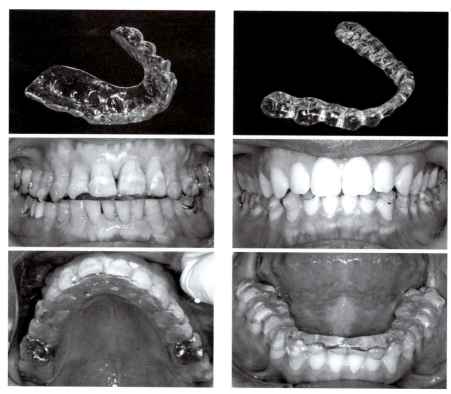

図 1 上顎型(左)と下顎型(右)のスタビリゼーションアプライアンス

うならば，上顎型スタビリゼーションアプライアンス治療を行ってもよい(GRADE 2C：弱い推奨／「低」の質のエビデンス)と示されている．

2―適応症

顎関節症のほとんどの病態に対して，オールマイティーに使用することができる．初期治療で行動療法，薬物療法や理学療法のみで治療が著効しない場合に用いられるが，特に，咬合異常やそれに伴う咀嚼筋の緊張を有する症例が適応となる．顎関節症の増悪因子となる咬合異常としては，①早期接触や咬頭干渉などの咬合接触の異常，②咬合位の水平的，垂直的な偏位(下顎位の偏位)，③咬合平面や咬合彎曲など咬合要素の異常などが挙げられる．

日本顎関節学会のガイドライン[7]では，頻度が高い上顎型のアプライアンスに限局してその有効性を検討しているが，症例によっては下顎型の適用も可能である(図 1)．また，欠損歯列においても可撤性部分床義歯と一体化した形態を付与し適用可能である(コンビネーションアプライアンス)(図 2)．

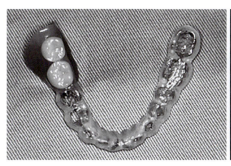 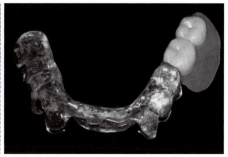

図2　欠損歯列に用いたコンビネーションアプライアンス

3―製作法

　スタビリゼーションアプライアンスの製作には種々の方法，材料が存在するが，ここでは筆者らが用いる従来型のロストワックス法に基づいた方法を紹介する．

　まず，アルジネート印象材もしくはシリコーン印象材にて印象採得を行う．欠損部がある場合は可撤性部分床義歯の印象と同様に欠損部を含めた印象採得を行う．咬頭嵌合位（習慣性閉口位）での咬合採得に基づき上下顎歯列模型を咬合器装着する．重合後にリマウントして咬合調整を行うことを想定し，アプライアンス装着側はスプリットキャストを付与する．

　アプライアンスの装着側には上顎型を選択することが多いが，発音に対する影響，審美性の観点からは下顎型が有利な場合もある．また，欠損部や再補綴が必要となる部位など将来的に補綴処置が見込まれる場合には，それらも考慮して装着側を決定する．

　スプリント製作時の咬合高径の設定は，咬合器上で模型を偏心運動させ，咬頭嵌合位から前方，左右側に約1mmの範囲で咬頭干渉を回避できるように咬合挙上する（大臼歯部で1～1.5mm程度となることが多い）．

　外形線は基本的にサベイラインに一致させ，下顎前歯部舌側は舌感を考慮して基底結節まで覆うよう設定する．上顎型の場合，口蓋側は歯頸部を覆い4～5mm程度口蓋側へ移行的に延ばし強度を確保してもよい．アンダーカットをブロックアウトしパラフィンワックスを軟化後に歯列へと圧接し，歯冠形態に準じた形態に成形していく（図3）．

　アプライアンスに付与する咬合接触は，中心咬合位では前歯部，臼歯部とも均等な接触を与え，対合の臼歯部機能咬頭のみが接触するように付与する．つまり上顎型の場合は下顎頬側咬頭が下顎型の場合は上顎舌側咬頭が接触するようにする．また偏心位では，グループファンクションを付与し，中心咬合位から約1mmの範囲では平坦な面を付与し不必要な咬頭干渉を除外する．

　その後，ロストワックス法に準じてフラスク埋没，填入，重合を行う．重合時のレジン収縮によるアプライアンスの変形を考慮し，咬合器にリマウントし再度咬合調整を実施する

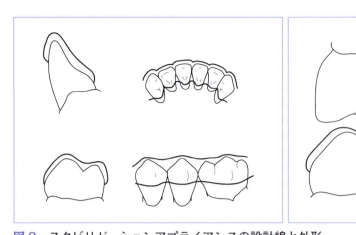

図3 スタビリゼーションアプライアンスの設計線と外形
設計線は基本的にサベイラインとし，前歯部舌側は舌感を考慮し，基底結節まで覆う．前歯部，臼歯部とも均等な接触を与え，臼歯部では対合の臼歯部機能咬頭（上顎舌側咬頭；下顎型の場合）のみが咬合接触する．

ことが望ましい．その後，研磨し完成とする．

4―調整法

① 装着時

　患者口腔内にアプライアンスを試適し，必要に応じてアプライアンス内面の適合を調整し，適合を確認する．アプライアンスには適度な維持力をもとめるが，不足する場合にはクラスプを付与することも可能である．

　咬合調整は，アップライト位にて両側歯列上に咬合紙を介在させ，咬合器上での調整法に準じて行う．患者がリラックスした状態でタッピングした際に臼歯の機能咬頭が均等にアプライアンス上の浅い皿状の中央部に点状に接触するよう調整する（図4，佐々木啓一先生のご厚意による）．この際，患者が左右側で咬む強さを同等にし，片噛みをしない，下顎を後ろに引かない，下顎を前突させない，といったポイントに注意する．偏心咬合位では，側方運動，前方運動時に干渉なくスムーズな運動が行え，かつグループファンクションとなるよう調整する．また，咬合紙による調整を行う際，顎運動時に筋の触診を行い，異常な筋緊張が無いように左右差も確認しながら行うとよい．

　調整終了後，研磨を行い，取り扱いの説明を行う．基本的には装着は夜間とするが，症例の使用目的に応じて，日中も含めて長時間装着する場合もある．非装着時には紛失に注意し，乾燥させないように湿潤状態が保たれる容器で保管するよう指示する．装置の洗浄は歯磨剤を用いず，市販の義歯やマウスピースの洗浄剤の使用を説明する．また，アプライアンス装着に伴い，唾液の自浄作用などが低下するため丁寧なブラッシングなど適切な口腔衛生状態を保つよう心がける[1,2]．

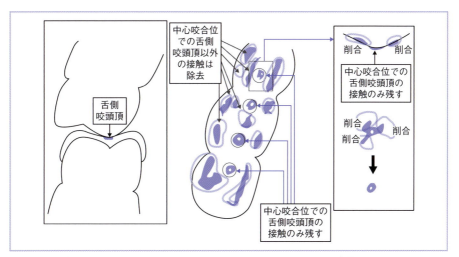

図4 アプライアンス上の咬合調整
中心咬合位：対合する上顎舌側咬頭頂が浅い皿状の中央部に接触
偏心位：ディスクルージョン（小さな干渉も避ける）

② 2回目以降調整方法

アプライアンス装着後は2週間程度の間隔でリコールを行い，症状や使用状況を確認，咬合の変化に応じて上記同様に咬合調整を行う[1,7]．

5—効果判定

前回来院時から咬合の変化が認められなくなった場合，臨床的に下顎位の生理的な安定が得られたと判断する．顎関節症症状の変化，経過をみて治療効果を判定し，その後の治療を検討する．基本治療であるため，長くとも3か月程度で効果判定を行い，効果が得られない場合はその他の治療方法や併用の検討，高次の専門医療機関への紹介を検討する[1,7]．

（小川　徹）

文　献
1) 日本顎関節学会：顎関節症治療の指針2020，40-44，2020
2) Clark GT: A critical evaluation of orthopedic interocclusal appliance therapy: design, theory, and overall effectiveness. J Am Dent Assoc 108: 359-364, 1984
3) de Paula Gomes CAF, Politti F, et al: Effects of massage therapy and occlusal splint therapy on mandibular range of motion in individuals with temporomandibular disorder: a randomized clinical trial. J Manipulative Physiol Ther 37: 164-169, 2014
4) Wahlund K, Nilsson IM, Larsson B: Treating temporomandibular disorders in adolescents: a randomized, controlled, sequential comparison of relaxation training and occlusal appliance therapy. J Oral Facial Pain Headache 29, 41-50, 2015
5) Türp JC, Komine F, Hugger A: Efficacy of stabilization splints for the management of patients with masticatory muscle pain: a qualitative systematic review. Clin Oral Investig 8: 179-195, 2004
6) 鱒見進一：新編　顎関節症．永末書店，京都，155-160，2018
7) 日本顎関節学会初期治療ガイドライン作成委員会編：顎関節症患者のための初期治療診療ガイドライン―咀嚼筋痛を主訴とする顎関節症患者に対するスタビライゼーションスプリント治療について　一般歯科医師編．2010
8) Minagi S, et al: Effect of a thick palatal appliance on muscular symptoms in craniomandibular disorders: a preliminary study. Cranio 19: 42-47, 2001

第5部

口腔顔面痛の治療（各論）

第5部 口腔顔面痛の治療（各論）

1 歯原性歯痛

SBO
Ⅰ．歯に原因がある歯痛の発生メカニズムを説明できる．
Ⅱ．歯原性歯痛の診察・検査と診断を説明できる．
Ⅲ．歯原性歯痛の治療を説明できる．

1）発症機序

　歯原性歯痛は，象牙質知覚過敏症や可逆性歯髄炎による歯痛，不可逆性歯髄炎による歯痛，根尖性歯周炎による歯痛に大別される．

　象牙質知覚過敏症は，主として tooth wear（酸蝕，咬耗），亀裂，歯周疾患の進行に伴う歯根露出等で象牙質が露出することによって生じる．窩洞形成と修復処置後に術後性知覚過敏症として発症することもある．可逆性歯髄炎は象牙質知覚過敏症や齲蝕により歯冠部歯髄に局所的に生じる．

　不可逆性歯髄炎は，主として齲蝕の進行や歯髄に達する破折等による歯髄への細菌感染とそれに伴う炎症の拡大によって生じる．

　根尖性歯周炎は，主として不可逆性歯髄炎に続発し，根尖孔を介して細菌等の刺激因子が根尖孔外歯周組織に広がり，これに対する炎症・免疫応答として生じる．

2）病態生理

　歯髄や歯根膜には三叉神経第2枝・第3枝から，有髄神経であるAβ線維，Aδ線維，無髄神経であるC線維が分布している．歯髄では，象牙質と歯髄の境界にAδ線維，歯髄深部側にC線維が多く分布している．鋭く持続時間の短い痛みにはAδ線維が，鈍く持続時間の長い痛みにはC線維が，歯髄電気診などによる痛みの閾値以下の刺激で生じる不快な感覚にはAβ線維が関与していると考えられている．歯根膜では，Aδ線維とC線維が痛みの伝達に関与し，Aβ線維は触覚・圧覚の伝達に関与すると考えられている[1-4]．

1─象牙質知覚過敏症および可逆性歯髄炎による歯痛

　象牙質知覚過敏症や可逆性歯髄炎による，歯がしみる等の「象牙質の痛み」

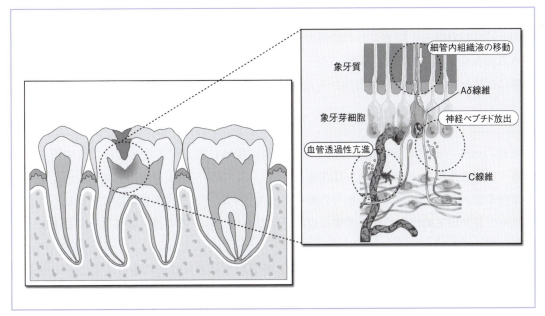

図1 象牙質知覚過敏症および歯髄炎における歯痛

は一過性である．この歯痛は動水力学説で説明されることが多い．齲蝕や窩洞形成などにより象牙質・歯髄複合体が傷害されると，象牙細管が外環境に開口し細管内の組織液が外来刺激により移動することで，細管内および象牙前質付近に存在するAδ線維が刺激を受け興奮する（図1）．局所的に神経線維の密度も増加し，痛みの感受性が亢進する．同時に，神経終末から神経ペプチドが放出され，歯髄炎の初期反応として誘導される炎症性変化（神経原性炎症）が象牙質の痛みに関与する．加えて，神経線維分岐部を介して他の神経線維へと活動電位が伝わる軸索反射も象牙質知覚過敏症における疼痛発症に関わるとされている[1-4]．

近年，疼痛発症に関連するtransient receptor potential（TRP）チャネルが象牙芽細胞に発現しており細管内組織液の移動を伴わない刺激で活性化されることが明らかになっている．このことから，象牙芽細胞のTRPチャネルを介した伝達経路が象牙質の痛みに関与しているという考えが提唱されている[1-4]．

2 ― 不可逆性歯髄炎による歯痛

細菌自体や菌体外毒素，機械的・化学的刺激などが持続すると，歯髄は血管拡張をはじめとする炎症状態に陥り不可逆性歯髄炎へ進行する．局所で産生されるブラジキニン，炎症性サイトカイン，神経ペプチド等の作用で神経終末の閾値が低下し局所が過敏化の状態に陥る（末梢性感作）．末梢性感作の状態ではAδ線維のみならずC線維も反応し，不可逆性歯髄炎で認められる持続時間の長い「歯髄の痛み」が生じるようになる．また，歯髄腔は閉鎖空

間であるため，血管外への血液成分漏出により循環不全と歯髄内圧の上昇が生じる．歯髄内圧の上昇は神経終末を刺激するため侵害情報を伝達する(図1)．

さらに炎症が進行すると，循環不全・低酸素状態によりAδ線維の活性が低下し，低酸素状態に抵抗を示すC線維の活動性が増強され，痛みは増強する[1-4]．

3―根尖性歯周炎による歯痛

歯髄の感染・炎症が根尖孔を経由して根尖歯周組織に拡大することで根尖性歯周炎が生じる．根尖性歯周炎に至った歯では歯髄は失活しているが，複根歯では歯髄が失活していない根管が存在することがある．根尖性歯周炎が進行すると，根尖歯周組織に白血球やマクロファージ等の壊死組織からなる膿瘍形成と骨吸収が生じる．その後，膿瘍は肉芽腫あるいは囊胞に移行する．

慢性に進行した場合，組織液や膿の増大と骨吸収が緩やかに同時進行することで平衡状態が保たれる．その結果，歯痛は違和感程度となる．急性に進行した場合，歯根膜に生じた浮腫に骨吸収が追いつかずに生じる内圧上昇や歯根膜に存在するAδ線維やC線維の末梢性感作により，咬合等の刺激で疼痛を感じる．骨吸収が進むと組織液や膿のための容積が確保され疼痛が減少する．慢性状態から外来刺激や疲労等による患者の全身状態低下により炎症が急性化した場合や，急性化膿性炎として進行した場合は，過度の膿形成による内圧上昇によって歯根膜が圧迫され持続性の疼痛が生じる．瘻管を形成し，粘膜下まで膿が移動して瘻孔形成あるいは切開により排膿されると内圧が低下するため，疼痛も軽減される[1-4]（図2）．

3）診察・検査と診断

1―象牙質知覚過敏症および歯髄炎

象牙質知覚過敏症や歯髄炎における検査・診断の対象は歯髄である．硬組織に囲まれた歯髄は生検等を行うことができないので，患者が訴える痛みを主な診断基準とするしかないが，患者が訴える痛みは主観的で個人差が大きい．

客観的な診査法の一つとして歯髄電気診を行う．歯髄電気診では，歯髄の感覚神経に微小電流による刺激を与え，生じる違和感や痛みを，生活歯髄を有する隣在歯や反対側同名歯と比較することで歯髄の状態や生死を判定する(図3)．

歯髄電気診の反応が不明瞭な場合で症状が明確でない場合（深い齲窩を有しているが疼痛の程度がそれほどではない等）は判断に迷うことになる．このような場合は歯髄保存を第一に考え，まずは覆髄や待機的治療により経過観察して，必要であれば抜髄を行う．

一過性の疼痛，あるいは持続する激しい疼痛等，明確な症状を呈している場合は診断が比較的容易である．一過性の疼痛の場合は歯髄の状態は可逆性と判断して歯髄保存を目的と

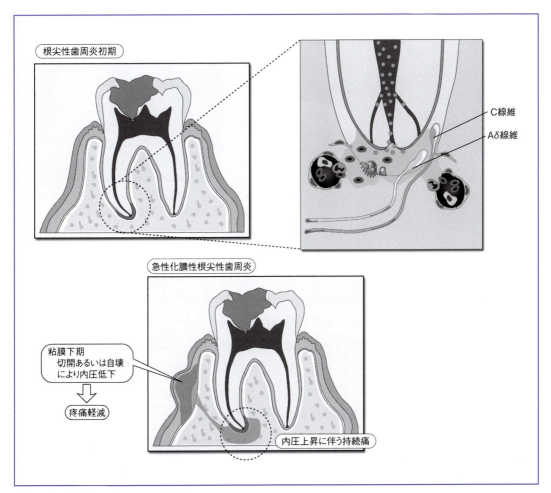

図2 根尖性歯周炎における歯痛

した治療（歯髄鎮痛消炎療法，覆髄，修復処置等）を行う．激しい疼痛が生じている場合は不可逆性と判断して抜髄を行う．

2―根尖性歯周炎（図4）

　根尖性歯周炎の診断は比較的わかりやすい．ほとんどの場合は痛みが患歯に限局していること，歯髄失活が明らかであるか過去に歯内治療が行われていること，エックス線写真上で根尖歯周組織に変化（病変を示す透過像）がみられることなどの各所見から根尖性歯周炎を診断する．

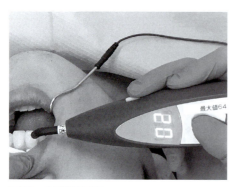

図3 歯髄電気診

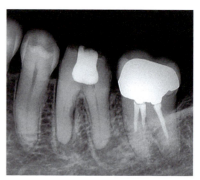

図4 根尖性歯周炎のデンタルエックス線画像（下顎左側第一大臼歯）

3—歯痛錯誤と関連痛

　歯原性歯痛に対する診断で注意を要するのが歯痛錯誤と関連痛である．歯髄炎による痛みは定位が悪いことが多く，ときに患者は患歯以外の隣在歯や対合歯の痛み（歯痛錯誤）を訴えたり，患歯と無関係に思われる顎・顔面領域の痛み（関連痛）を訴えることがある．歯痛錯誤や関連痛は，患歯と別部位のそれぞれに分布している神経線維の収束により，患歯の痛みを別部位の痛みとして感じることで発生するとされている．主観的情報（患者の訴え）と客観的情報（口腔内の状態）をよく分析して診断を行う必要がある[1-4]．

4）治療

　歯原性歯痛に対しては病態に応じた治療法を選択するが，どの治療法においても治療中の汚染を防ぐために防湿を確実に行うことが肝要である．

　象牙質知覚過敏症では，開口した象牙細管の封鎖を目的とした非侵襲的治療から開始し，症状が改善しない場合は侵襲的治療へと移行する．非侵襲的治療としてはプラークコントロールと象牙質知覚過敏処置がある．プラークコントロールでは象牙細管開口部へ唾液中の無機質が沈着できる環境を整える．象牙質知覚過敏処置では簡易防湿後に当該部位へ各種知覚過敏処置剤（材）を塗布し象牙細管開口部の封鎖を試みる．非侵襲的治療により症状が軽減しない場合や明らかな実質欠損がある場合は侵襲的治療として保存修復治療や抜髄を行う．まずは防湿下で保存修復治療を行う．保存修復治療で疼痛が消退しない場合は抜髄に移行する．

　齲蝕等に伴う可逆性歯髄炎では歯髄保存を図る．齲窩が深い場合は，ラバーダム防湿後に歯髄温存療法（覆髄など）を実施し修復処置により窩洞を封鎖する（図5）．症状が改善しない場合は抜髄に移行する．

　不可逆性歯髄炎では浸潤麻酔，ラバーダム防湿後に抜髄を行う．抜髄により感染物質や

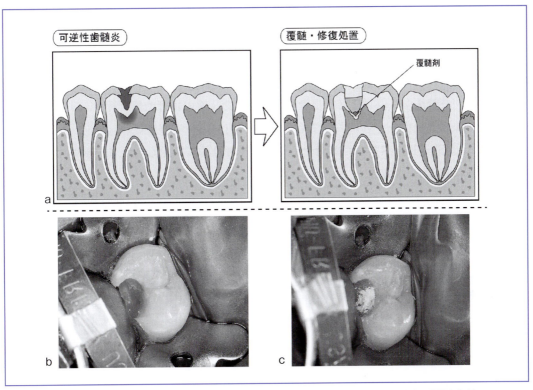

図5 a. 直接覆髄法の流れ. b.間接覆髄法. 感染歯質除去後. c.間接覆髄法. 覆髄直後

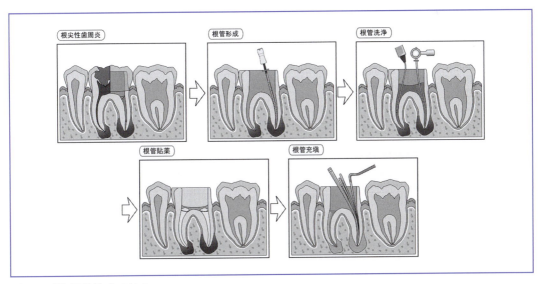

図6 感染根管治療の流れ

炎症に陥った歯髄が除去され内圧上昇の状態からも解放されるので，処置後数日で疼痛は消退する．

根尖性歯周炎では感染根管治療を行うが，排膿が著しい場合は疼痛緩和を目的とした排膿路確保のために根管を開放しておくことがある．排膿減少後は，ラバーダム防湿後に根管拡大・形成，根管洗浄，仮封を伴う根管貼薬といった一連の根管治療を行う．

抜髄，感染根管治療いずれにおいても自覚症状（自発痛や咬合痛等）および他覚症状（打診痛や圧痛等）が消退し，感染した細菌や汚染物質を可及的に排除した後に，根管充填により根管を緊密に封鎖する（図6）．

（北村知昭，鷲尾絢子）

文 献
1) 勝海一郎，興地隆史，石井信之，中田和彦編：歯内治療学第5版，医歯薬出版，東京，2018
2) 興地隆史，石井信之，北村知昭，林美加子編：エンドドンティックス，第6版，永末書店，2022
3) 日本歯科保存学会編：保存修復学専門用語集．第3版，医歯薬出版，東京，2023
4) 日本歯科保存学会，日本歯内療法学会編：歯内療法学専門用語集．第2版，医歯薬出版，東京，2023

非歯原性歯痛

SBO
Ⅰ. 非歯原性歯痛の発症機序, 病態生理を説明できる.
Ⅱ. 非歯原性歯痛の診察・検査と診断を説明できる.
Ⅲ. 非歯原性歯痛の治療を説明できる.

　非歯原性歯痛は, 歯に原因がないにも関わらず発現する歯痛であり, これは疾患名や診断名ではなく, 背後に潜む原疾患から発症するものである. 画像検査などの客観的な診査所見では歯および歯周組織に異常を認めないため, 診断は容易ではないこともある. 歯や歯周組織には問題が存在しないにも関わらず, 抜髄や抜歯などの処置が実施されることも多く, 苦悩する患者や診断・治療に苦慮する歯科医師は多く存在する. 誤診による不可逆的処置を避けるためにも, 非歯原性歯痛の原疾患の臨床症状を理解しておく必要がある. この章では非歯原性歯痛を診療ガイドライン[1,2]に準じて記述する. 非歯原性歯痛は基本的には, 歯髄炎や歯周炎の痛みと類似する臨床症状を呈するが, 多くの場合, 歯周組織に局所麻酔を実施しても歯痛が改善しないことで鑑別されることが多い. ただし, 当該歯に打診痛が出現することも報告されているため, 診断は臨床所見を総合的に判断する必要がある.

1) 発症機序

　非歯原性歯痛には歯痛を引き起こす原疾患が背後に潜んでいるため, 原疾患の特定が重要である. 非歯原性歯痛の原疾患による分類としては, 筋筋膜痛による歯痛, 神経障害性疼痛による歯痛, 神経血管性頭痛による歯痛, 上顎洞疾患による歯痛, 心臓疾患による歯痛, 精神疾患または心理社会的要因による歯痛, 特発性歯痛, その他のさまざまな疾患による歯痛などが挙げられる.

　非歯原性歯痛の発症メカニズムとしては, ①関連痛, ②神経障害による痛み, ③器質的異常が認められない慢性疼痛などが挙げられる. 関連痛により生じる非歯原性歯痛には, 筋筋膜痛による歯痛, 神経血管性頭痛による歯痛, 心臓疾患による歯痛, 上顎洞疾患による歯痛などが包含される. 関連痛は痛みの原因が生じた部位(痛み発生源)と異なる神経支配領域に感じられる

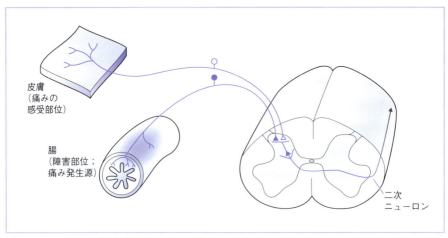

図1 Ruchの収束-投射説(Kandel ER, et al, 2000[2])

痛みと定義される．たとえば，心臓疾患が存在するときに左腕に痛みを感じることがあり，ほかにも内臓，筋肉，関節などの深部組織に何らかの障害が生じたときに，その部位と離れた体表の痛みとして感じられる関連痛が知られている．関連痛の発生メカニズムには古くから諸説があるが，いまだに十分に解明されているわけではない．収束，投射，末梢神経の分岐，軸索反射などにより関連痛が生じることが考えられている．よく説明に用いられている説に，Ruchの「収束-投射説(convergence projection theory)」がある(図1)．神経障害による痛みは，神経障害性疼痛による歯痛の発症機序であり，末梢神経性疼痛と中枢神経性疼痛に分類される．末梢神経性疼痛は，末梢性感作，神経腫，エファプス伝達，交感神経系の関与などがあげられ，中枢神経性疼痛は，発芽，wind-up，長期増強，中枢性感作，内因性痛覚抑制機構の失調などにより発症する．器質的異常が認められない慢性疼痛には，精神疾患または心理社会的要因による歯痛や特発性歯痛の一部などが含まれる．以上の原因による非歯原性歯痛は，歯痛を訴える局所に器質的異常がまったく認められないか，器質的病変が存在するものの，患者の訴える歯痛の説明が不十分なことが診断根拠となる．

2) 病態生理，診察・検査と診断，治療

非歯原性歯痛の原疾患を特定するための診断で重要なことは患者への問診(疼痛構造化問診)であり，臨床症状の把握が大切である[3]．問診では痛みの経過，部位，質，強さ，持続時間，頻度，増悪因子，軽減因子，随伴症状などを聴取する．ただし，これは非歯原性歯痛に限定されることではなく，すべての疾患に当てはまることである．その後，症状に基づき，臨床推論を進め，必要なその他の診査や検査を実施することになる．その他の診査・検査としては視診，筋や皮膚の触診，歯周組織への局所麻酔，局所麻酔薬軟膏，キシロカインスプレー噴霧，デンタルエックス線検査，パノラマエックス線検査，MRI検査，CT検査，脳神

表 1　非歯原性歯痛の鑑別診断に有用な症状

原疾患に基づく分類	鑑別の主な key 症状
筋筋膜痛による歯痛	咬筋，側頭筋(胸鎖乳突筋)の触診による歯痛誘発
神経障害性疼痛による歯痛	電撃様疼痛，誘発部位への些細な刺激で激痛誘発
神経血管性頭痛による歯痛	頭痛(片頭痛，群発頭痛)発作や症状に連動
上顎洞疾患による歯痛	上顎臼歯部の冷水痛や咀嚼時痛，鼻症状
心臓疾患による歯痛	「圧迫感」「灼熱痛」，身体活動による悪化，両側
精神疾患または心理的要因による歯痛	両側性，持続性，遷延性，感情的な要因と関連
特発性歯痛	慢性的な痛み，客観的な所見を認めない

経診査，破折歯の顕微鏡検査，定量的体性感覚試験，心理テスト，サーモグラフィー，赤血球沈降速度計測，生体組織検査，ニトログリセリンの舌下錠，ECG，心エコー，交感神経ブロック，細菌抗体価測定などがあげられる．これらの検査のいくつかならびに非歯原性歯痛の診断においては医科との連携が重要である．非歯原性歯痛を鑑別診断するための有用な症状を原疾患ごとに分類して示す(表1)．前述したが，診査の第一段階は問診であることを忘れてはならない．

1―筋筋膜痛による歯痛

　筋痛に関しては第5部3章を参照していただきたい．
　咀嚼筋の痛みの関連痛として，歯痛が生じることがある[4](図2)．筋筋膜痛が原因の非歯原性歯痛の診断には筋のトリガーポイントを5秒間圧迫することによる歯痛の再現の確認を行う[5,6]．そのほかに，Travell の関連痛パターンを観察することも有効である[4]．ただし，筋筋膜痛のために過敏な状態にある歯には打診反応が出現することがあるため，注意が必要である[7]．頸肩部からの関連痛のため，部位を特定できない歯痛では頸肩部のこりの状態を観察する．
　筋筋膜痛による歯痛の確定のステップとして，トリガーポイント注射(筋のトリガーポイントへの局所麻酔薬注射)による痛みの軽減の観察は有効である[8,9]．また，圧迫・針の刺入による一過性の局所単収縮を観察することも有効である．
　治療としては筋痛に対する治療を行う．概要としては，患者への病態説明，不良習癖除去のための患者教育が最初に選択される．その後，理学療法，薬物療法，トリガーポイント注射，スタビリゼーションアプライアンスなどが選択される．

2―神経障害性疼痛による歯痛

　神経障害性疼痛(三叉神経痛，帯状疱疹性神経痛，帯状疱疹後神経痛など)でも歯痛が生じることが報告されており，各疾患の詳細は第2部2章，第5部7〜9章を参照していただ

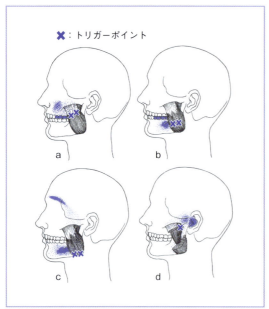 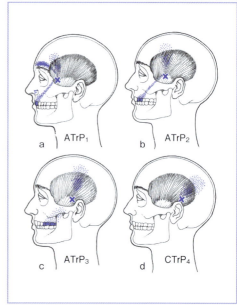

図2　咀嚼筋痛の関連痛(Simons DG, et al, 1999[4])
左：咬筋，右：側頭筋．筋膜痛により歯痛などの関連痛が生じることがある．

きたい．

　三叉神経痛の鑑別では顔面の接触による痛みの誘発を確認し，トリガーゾーンに8%キシロカインスプレーを噴霧して，その誘発発作が消失することで確定する．また，エックス線検査，当該歯への打診を行い，歯に問題がないことを確認する．神経障害性疼痛では痛覚過敏，アロディニアが認められることが多い．帯状疱疹では水疱形成，皮疹により診断する．中枢性脳卒中後痛においては痛みの部位の触覚・温痛覚などの感覚低下が観察される．

　三叉神経根部における血管や腫瘍の圧迫による神経障害性疼痛ではMRI検査が重要である（図3）．幻歯痛患者では痛みの部位から離れた部分を温熱，機械刺激すると，痛み，異痛感覚が誘発されることもあると報告されている[10]．外傷後三叉神経痛患者において，交感神経依存性の場合にはサーモグラフィーによる顔面温度の上昇，交感神経非依存性の場合には低下が観察される[11]．中枢性卒中後痛ではMRIなどで病変を確認する．交感神経依存性疼痛では局所麻酔薬が効果を示さず，交感神経ブロックが効果的である．

　治療としては神経障害性疼痛に準じ，薬物療法，神経ブロック，光線療法，イオンフォトレーシス，鍼灸，東洋医学，認知行動療法などが選択される．

3　神経血管性頭痛による歯痛

　脳血管の神経原性炎症によって生じる一次性頭痛を，神経血管性頭痛と総称する[12]．神経血管性頭痛は片頭痛，および三叉神経・自律神経性頭痛（trigeminal autonomic cephalal-

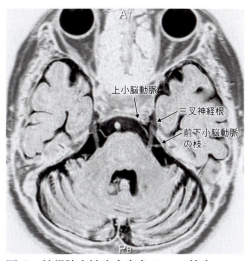

図3　神経障害性疼痛患者のMRI検査
三叉神経の近くを血管が通っていることは確認できるが，どの程度圧迫しているかはMRI上では判定困難である．

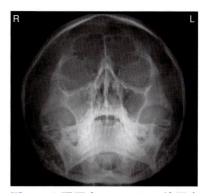

図4　上顎洞炎のエックス線写真（ウォータース法）
右上顎洞に陰影を認め，上顎洞炎と鑑別可能である．

gias：TACs）である．三叉神経・自律神経性頭痛は，①群発頭痛，②発作性片側頭痛，③短時間持続性片側神経痛様頭痛発作（short-lasting unilateral neuralgiform headache attacks with conjunctival injection and tearing：SUNCT）/頭部自律神経症状を伴う短時間持続性片側神経痛様頭痛発作（short-lasting unilateral neuralgiform headache attacks with cranial autonomic symptoms：SUNA），④持続性片側頭痛がある．

　頭痛の診断基準に基づき，病型鑑別のための検査を行うことが重要である．また，治療としては頭痛の治療に準じ，薬物療法がおもな治療となる．詳細は第6部3章を参照していただきたい．

4―上顎洞疾患による歯痛

　上顎洞性疾患による歯痛では，急性上顎洞炎に由来するものが多い．痛みは上顎洞の原疾患による上顎洞内圧亢進，炎症の波及や関連痛により生じるとされる．歯痛を生じる割合は，上顎洞炎18%[13]，術後性上顎嚢胞10%[14]，上顎洞がん36%[15]であると報告されている．また，慢性上顎洞炎では，鼻閉感や頭重感は生じるが通常痛みは生じないと考えられている．

　歯痛の特徴は，上顎洞が原因部位であるため，上顎歯，特に上顎臼歯部に生じやすいことである．持続的な鈍痛，圧迫感，冷水痛，上顎多数歯の咬合時痛（打診痛），噛みしめによる違和感が生じ，両側性の場合もある．

　鼻粘膜に局所麻酔薬軟膏を貼付して痛みが軽減すれば，上顎洞炎による痛みの可能性が考えられる[16]．上顎洞炎はエックス線画像やCT画像などの所見から診断可能である（図4）．上顎洞内の悪性線維性組織球腫はCTならびに組織像で診断する．

治療としては上顎洞の病態にあわせた治療を実施することになる．急性上顎洞炎が原疾患である場合は抗菌薬による薬物療法が行われる．鼻性上顎洞炎による歯痛は，上顎洞炎治療後に改善するが，逆行性歯髄炎を生じる場合には根管治療が必要となる．

5 ― 心臓疾患による歯痛

　心臓疾患による口腔顔面痛に関しては第6部1章も参照していただきたい．

　狭心症や心筋梗塞などの急性冠症候群（acute coronary syndrome：ACS）による虚血性心疾患に関連した歯痛が認められる．虚血性心疾患に限らず，大動脈解離，心膜炎などでも歯痛が生じることもあり，これらの疾患は救急疾患であるため，迅速な対応が必要である．心臓疾患による歯痛のメカニズムは，迷走神経を介した関連痛として生じるとされているが，神経の収束などの解剖学的な観点などからも不明な点は多い．

　心筋からの関連痛では下顎歯に歯痛が生じ，下顎への局所麻酔では消失しない．心臓疾患による歯痛はニトログリセリンの舌下錠により歯痛の軽減が観察される可能性が高い．大動脈解離ではECGは正常であることもあり，心エコーで診断可能であることが報告されている[17]．

　心臓疾患の治療は循環器科での治療になるが，抗狭心症薬，抗血栓薬，血栓溶解療法，冠動脈インターベンション治療，冠動脈バイパス術などが挙げられる．

6 ― 精神疾患または心理社会的要因による歯痛

　精神疾患または心理社会的要因による歯痛に関しては第6部2章を参照していただきたい．

　歯痛を訴える患者のなかには，適切な診察を行っても明らかな原因疾患がみつからない者もいる．これらの患者が訴える痛みは，身体化症状である可能性もある．すべての精神疾患が身体化による痛みを生じる可能性があるが，なかでもうつ病，双極性障害，身体症状症，妄想性障害身体型，パーソナリティー障害などの可能性が高い．

　心身医学的な歯痛では病理所見が痛みの部位に存在せず，精神科的な訴えから判断する．

　うつ病や神経症の診断には質問票による心理テストも有効である．また，うつ病では頬部筋電図をモニタリングしながら，ストレスインタビューを行うこともある．

　精神疾患または心理社会的要因に対する治療は薬物療法，認知行動療法がおもなものになる．

7 ― 特発性歯痛（非定型歯痛を含む）

　特発性（idiopathic）とは原因不明を意味する医学用語であり，特発性歯痛は明らかな原因がみつからない歯痛に対する分類名である．特発性歯痛の旧名である非定型歯痛は，当初は

歯髄炎，歯周炎などの定型的歯痛に該当しない，原因不明であった歯痛に対して用いられていた．歯科医学の発展とともに病態が解明された歯痛は原因不明の非定型歯痛から切り離されてきたという変遷をたどってきた．非定型（定型的ではない）という用語の示す意味合いは時代とともに変化し，混乱を招く可能性があるため，原因不明を意味する特発性(idiopathic)を用いるべきという考えが主流となっている．国際口腔顔面痛分類(International Classification of Orofacial Pain：ICOP)では，特発性口腔顔面痛のなかの持続性特発性歯痛に分類されている[18]．通常実施される診察や検査では，非歯原性歯痛の原疾患を含めて歯痛に見合う異常所見が観察されない場合には特発性歯痛と診断する．

病態生理の詳細は未だ不明である．神経障害性疼痛に起因するという説と精神・心理的要因に起因するという説が主流であったが，最近では，中枢性感作や脳内の疼痛処理過程の変調で生じるとする説も提唱されている．

特発性歯痛では痛みの部位に器質的障害はみられず，画像(CT，MRIなど)にも異常は認められず，打診，温熱診などの歯髄診断は不明瞭である．鎮痛薬，歯科処置，外科処置による改善は認められない．また，局所麻酔薬に対する反応は不明瞭である．定量的体性感覚試験(quantitative sensory testing：QST)では，機械的刺激閾値，機械的疼痛閾値，アロディニア，wind-up比率，圧痛閾値でコントロール群と差があることが報告されている[19]．

非定型歯痛患者ではサーモグラフィーによる顔面温度の上昇が観察される[11]．非定型歯痛の一部では中枢性の交感神経非依存性の痛みがみられ，この場合は交感神経ブロックが効果を示さない．非定型歯痛患者ではカプサイシン塗布後，痛みの増強が観察されることもある．非定型歯痛患者のblink reflexのR2波が健常者と比較して低下する[20]．そのほかに，非定型歯痛では歯や歯周組織に対するコールドテスト，咀嚼筋圧痛検査，シンチグラフィー，脳神経診査，破折歯の顕微鏡検査などの陰性所見が認められる[21-23]．

中枢をターゲットとした薬物療法と認知行動療法などが良好な結果を導くことが多い．薬物療法としては三環形抗うつ薬が効果を示すことが報告されている[24,25]．

8—その他のさまざまな疾患により生じる歯痛

詳細は第6部を参照していただきたい．

その他のさまざまな疾患によっても歯痛が生じることが知られており，血管炎，頸椎の異常，新生物，迷走神経反応，薬物の副作用などにより歯痛が生じる．

巨細胞性動脈炎による歯痛は自発痛，間欠的な電撃痛であるが，冷温水痛や咬合痛は報告されていない[26]．巨細胞性動脈炎の診断には赤血球沈降速度50 mm以上で，側頭動脈の生体組織診断にて鑑別される．また，側頭動脈炎疑いによるステロイド療法で症状が寛解されることで診断することもある．

錐体部の脳腫瘍[27]および橋の梗塞[28]により，三叉神経痛様の痛みと歯肉，頬粘膜の知覚麻

痺が認められ，知覚麻痺の症状出現は注意が必要である．聴神経腫では下顎大臼歯の歯痛と共に，反対側の舌と口唇に痺れが出現する[29]．悪性リンパ腫による歯痛は温熱刺激，冷刺激，咬合，運動，発汗により変化はしないことが観察され，局所麻酔は歯痛の鎮痛には無効である[30]．

　成人T細胞性リンパ腫，顎骨内腫瘍，頸椎椎間板ヘルニア，コレステリン肉芽腫，脳腫瘍（髄膜腫）などではCT，MRIにより確認する．また，コレステリン肉芽腫では切除後の組織検査を行う．ムコール菌症では上顎第二大臼歯の打診痛が初発症状として出現することもあり，吸引診により診断する．ライム病では血中の細菌抗体価を測定する．

（松香芳三）

文　献

1) 今村佳樹，佐々木啓一，和嶋浩一，矢谷博文，松香芳三，井川雅子，苅部洋行，小見山 道，西須大徳，坂本英治，佐藤 仁，土井 充，鳥巣哲朗，野間 昇，村岡 渡，飯田 崇，石垣尚一，島田明子，長縄拓哉，峯 篤史，山﨑陽子，大野由夏，大倉一夫，安陪 晋：非歯原性歯痛の診療ガイドライン　改訂版．日口腔顔面痛会誌12: 39-106, 2019
2) 和嶋浩一，矢谷博文，井川雅子，小見山 道，坂本英治，松香芳三，村岡 渡：非歯原性歯痛診療ガイドライン．日口腔顔面痛会誌4: 1-88, 2012
3) 鱒見進一，矢谷博文 訳：口腔顔面痛患者の一般的評価．Reny de Leeuw編，杉崎正志，今村佳樹　監訳，口腔顔面痛の最新ガイドライン，改訂第4版，クインテッセンス出版，東京，39-62, 2009
4) Simons DG, Travell JG, Simons LS: Travell & Simons' Myofascial Pain and Dysfunction. The trigger point manual, Volume 1. Upper half of body, Lippincott Williams & Wilkins, Philadelphia, 1999
5) Wright EF: Referred craniofacial pain patterns in patients with temporomandibular disorder. J Am Dent Assoc 131: 1307-1315, 2000
6) Farella M, Michelotti A, Gargano A, Cimino R, Ramaglia L: Myofascial pain syndrome misdiagnosed as odontogenic pain: a case report. Cranio 20: 307-311, 2002
7) Konzelman JL Jr, Herman WW, Comer RW: Pseudo-dental pain and sensitivity to percussion. Gen Dent 49: 156-158, 2001
8) Mascia P, Brown BR, Friedman S: Toothache of nonodontogenic origin: a case report. J Endod 29: 608-610, 2003
9) 土井 充，清水慶隆，齊田拓也，鬼塚千織子，永田将昭，三浦完菜，半澤泰紀，向井明里，入舩正浩，谷口省吾，河原道夫：筋・筋膜痛症候群による非歯原性歯痛の治療と診断．広島歯医誌35: 47-53, 2008
10) Tassinari G, Migliorini A, Girardini F, Luzzani A: Reference fields in phantom tooth pain as a marker for remapping in the facial territory. Funct Neurol 17: 121-127, 2002
11) Graff-Radford SB, Ketelaer MC, Gratt BM, Solberg WK: Thermographic assessment of neuropathic facial pain. J Orofac Pain 9: 138-146, 1995
12) Leeuw R, Klasser G: Orofacial Pain Guidelines for assessment, diagnosis, and management, The American Academy of Orofacial Pain, Sixth Edition, 95, Quintessence Publishing Co Inc, Chicago, 2018
13) Okeson JP, Falace DA: Nonodontogenic toothache. Dent Clin North Am 41: 367-383, 1997
14) 飯沼寿孝，田中利善，加藤康弘：術後性上顎嚢胞の類似例について．日耳鼻会報95: 665-673, 1992
15) Yoon JH, Chun YC, Park SY, Yook JI, Yang WI, Lee SJ, Kim J: Malignant lymphoma of the maxillary sinus manifesting as a persistent toothache. J Endod 27: 800-802, 2001
16) Radman WP: The maxillary sinus--revisited by an endodontist. J Endod 9: 382-383, 1983
17) Stollberger C, Finsterer J, Habitzl W, Kopsa W, Deutsch M: Toothache leading to emergency cardiac surgery. Intensive Care Med 27: 1100-1101, 2001
18) 日本口腔顔面痛学会・日本頭痛学会　共同訳：国際口腔顔面痛分類　第1版．日頭痛会誌48: 1-87, 2021
19) List T, Leijon G, Svensson P: Somatosensory abnormalities in atypical odontalgia: A case-control study. Pain 139: 333-341, 2008
20) Baad-Hansen L, List T, Kaube H, Jensen TS, Svensson P: Blink reflexes in patients with atypical odontalgia and matched healthy controls. Exp Brain Res 172: 498-506, 2006
21) Siqueira JT, Lin HC, Nasri C, Siqueira SR, Teixeira MJ, Heir G, Valle LB: Clinical study of patients with persistent orofacial pain. Arq Neuropsiquiatr 62(4): 988-996, 2004
22) 竹之下美穂，渡邉素子，鈴木スピカ，篠原優貴子，三浦杏奈，佐藤佑介，片桐綾乃，佐久間朋美，舌野知佐，吉川達也，豊福 明：アミトリプチリンにアリピプラゾールの追加が奏功した非定型歯痛の2例．日歯心身医会誌29(1): 34-38, 2014
23) Pigg M, List T, Abul-Kasim K, Maly P, Petersson A: A comparative analysis of magnetic resonance imaging and

radiographic examinations of patients with atypical odontalgia. J Oral Facial Pain Headache 28 (3)：233-242, 2014
24) 野間　昇，森蔭直広，今村佳樹：口腔顔面領域における特発性疼痛．ペインクリニック 34 (2)：233-241，2013
25) Thorburn DN, Polonowita AD: Atypical odontalgia-a diagnostic dilemma. N Z Dent J 108 (2)：62-67, 2012
26) 藤田　寛，福田健司，長尾由実子，亀山忠光，庄司紘史：歯痛を伴った側頭動脈炎が疑われた1例．日口腔科会誌 48: 76-79, 1999
27) 福村吉昭，吉田博昭，家森正志，安原豊人，山口昭彦，飯塚忠彦：三叉神経痛様疼痛から脳腫瘍が発見された1例．日口腔外会誌 47 (10)：615-618，2001
28) Kohjiro M, Sato H, Katsuki R, Kosugi T, Takasaki M, Hirakawa N, Totoki T: An effective case of glycerol injection into the trigeminal cistern against trigeminal neuralgia resulting from pontine infarction. Pain Research 20 (1)：35-38, 2005
29) Lam R: Acoustic neuroma manifesting as toothache and numbness. Aust Dent J 61 (1)：109-112, 2016
30) Kant KS: Pain referred to teeth as the sole discomfort in undiagnosed mediastinal lymphoma: report of case. J Am Dent Assoc 118: 587-588, 1989

3 咀嚼筋痛障害

SBO
Ⅰ. 咀嚼筋痛障害の発症機序，病態生理を説明できる．
Ⅱ. 咀嚼筋痛障害の診察・検査と診断，および治療を説明できる．

1) 発症機序

　咀嚼筋の正常な機能が障害されると異常緊張を生じるが，その局所因子としては，咀嚼機構の感覚入力の急激な変化(咬合の高い修復物や義歯の装着など)や，硬固物の過剰摂取，長時間咀嚼(ガム咀嚼など)などの咀嚼機構の過度の使用がある．歯科治療による長時間の大開口[1]，特定の楽器演奏やスキューバダイビングでも咀嚼筋に異常な緊張を生じる．起床時の咀嚼筋痛は夜間のブラキシズム，日中の時間経過に伴う咀嚼筋痛は，くいしばり(クレンチング)，あるいは歯列接触癖(tooth contacting habit: TCH)[2]による咀嚼筋への過剰な負荷を疑う．全身因子も正常な筋機能に障害を生じさせるが，その一つは情動ストレスであり，筋とその関連構造の交感神経活動を介して，あるいは筋紡錘に対するγ遠心性神経システムを通じて筋機能を変化させる[3]．

　障害の多くは速やかに解消され正常機能に戻るが，異常緊張が継続し局所の生化学的変化や構造的な変化を生じると，「局所筋痛」となる．この状態は安静により改善することもあるが，適切に治療しないと改善しない場合が多い(図1)．局所筋痛が改善されない場合には筋組織内の変化が進展し，継続した深部痛入力は中枢神経系に影響を与え，慢性筋痛障害である筋・筋膜痛や中枢介在性筋痛に進行する．中枢神経系は慢性状態を維持するように働き，中枢介在性筋痛として直接的にも関連する．また線維筋痛症は，系統的因子により全身的な筋痛を発生させるが，そのなかには咀嚼筋の痛みも含まれる．

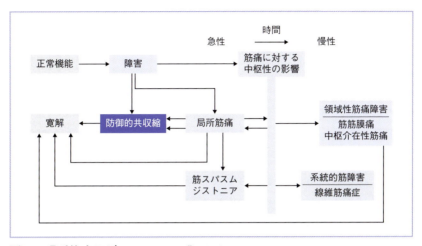

図1 咀嚼筋痛モデル(Okeson, 2013[3])を改変)
病因的考察に基づいたさまざまな筋痛障害間の関連性について示した．

2）病態生理

1―末梢性のメカニズム

　咀嚼筋の活動時には，血液によるエネルギー物質の運搬，蓄積した代謝産物および熱の排出を行う必要があり，血流量は増加する．咀嚼運動時には，活動している咀嚼筋での血管拡張物質の産生，交感神経活動の亢進，筋収縮と弛緩に伴う直接的な筋ポンプ作用により，咀嚼筋の血流は良好にコントロールされている．しかしながら，クレンチングなどの静的運動時には，筋の持続的な収縮によって血管は圧迫され血流は停滞する．さらに筋活動によってアデノシン三リン酸（ATP）やクレアチンリン酸の分解によりリン酸が筋肉内に蓄積する．このリン酸が，筋の収縮・弛緩に重要な役割を果たす筋小胞体内のカルシウムと結合し，筋機能を阻害する．さらに強いクレンチングでは筋グリコーゲンが多く消費されるが，代謝不全とともに疲労が生じる．このような血流量の低下による組織酸素欠乏や代謝産物の蓄積が原因となり，発痛物質〔ブラジキニン（BK），サブスタンスP，ヒスタミン，神経成長因子（NGF），ATP，プロトンなど〕が遊離する結果，侵害受容器が持続的に刺激される自発痛や，感作による閾値低下で圧痛が発生する．近年，伸張性収縮によって筋線維から漏出したATPなどが血管内皮細胞からBKを分泌し，その働きで筋線維から分泌されるNGFと，シクロオキシゲナーゼにより衛星細胞から分泌されるグリア細胞由来神経栄養因子（GDNF）とが，筋内の侵害受容器の感度を上昇させて遅発性筋痛が生じるとする説[4])や，咬筋内のセロトニン，グルタミン酸，ピルビン酸，乳酸の分析と血流量を評価した結果，筋筋膜痛群は健常者群と比較して，実験的クレンチング後に強度の痛みを訴えるとともに，高いセロトニン

レベルと低い血流量を示し，この2因子により発痛物質の放出が修飾される可能性が示唆されている[5]．

2 ─ 中枢性のメカニズム

中枢神経系の活動は，深部痛入力の持続，情動ストレスレベルの増加，感覚入力の変調，下行性疼痛抑制系の変化などによって二次的に筋痛に影響を及ぼす．すなわち，末梢の筋組織内で一次侵害受容ニューロンが受容した疼痛信号は，三叉神経脊髄路核で二次ニューロンに伝達され痛みと認知されるが，慢性的な深部痛入力によりN-メチル-D-アスパラギン酸（NMDA）受容体の感作や，信号の変調が生じると，慢性筋痛としての筋・筋膜痛（関連痛を含む）や中枢介在性筋痛が発生する．中枢介在性筋痛は，脊髄後角や三叉神経脊髄路核の神経細胞による疼痛伝達における下行性疼痛抑制経路での神経伝達物質（セロトニン，ノルアドレナリン）の欠乏が原因とも考えられる．他にも慢性の筋痛は局所的，全身的な多数の因子から構成され，あらゆる可能性に注意が必要である[6]．

3) 診察・検査と診断

1 ─ 診察

診察は，医療面接での主訴の確認から始まる．多種多様な訴えもあり，来院ごとに確認し正確に記録する．現病歴は，来院のきっかけとその変化，期間や通院歴，治療歴や生活上の重篤度を尋ねる．医科的既往歴は，頭頸部の病歴や治療内容，罹患期間を主に尋ねるが，共存疾患としての片頭痛，線維筋痛症などが多く，精神科や心療内科での治療や服薬を含めて治療歴を尋ねる．家族歴は，家族構成や持病，血縁関係者の健康状態を確認する．生活背景は，食事や睡眠の障害状況から尋ね，起床時間，朝食の時間，始業時間など時系列に沿った1日の過ごし方，症状の発現，変化様相を把握する．習癖・習慣は，日中の噛みしめや歯列接触癖（TCH），夜間のブラキシズム，あるいは楽器の演奏，スポーツや趣味などについて尋ねる必要がある．

2 ─ 検査

① 原因場所の確定

まず痛みの部位と自発痛，運動時痛を確認する．運動時痛ならば，下顎運動で痛みを誘発し，部位を特定する．顎関節と咬筋上部や外側翼突筋との判別は困難であり，慎重を期する．外側翼突筋は下顎前方突出に抵抗させる運動によって痛みを再現する．

② 開口量と側方・前方運動量の計測および運動時痛の記録

開口量は中切歯間の距離とし，無痛最大開口量（無痛での自力による最大開口量），自発

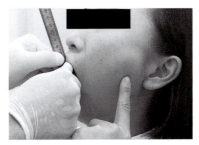

図2 強制最大開口量の計測

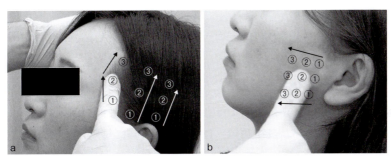

図3 咀嚼筋の触診
a：側頭筋, b：咬筋

最大開口量(有痛の自力による最大開口量)，強制最大開口量(有痛で術者が指でアシストする最大開口量)(図2)の3種類を計測する．無痛最大開口量が25mm，強制最大開口が40mmであれば，ゆっくり力を加えると痛いが徐々に口は開く状態であり，開口末期の感覚的な事象(エンドフィール)が軟らかい(ソフト)ことを示す「ソフトエンドフィール」と呼ばれる．無痛最大開口量と強制最大開口量の差が5mm以上あれば筋性の開口障害を疑う．自発最大開口量と強制最大開口量の差が5mm未満の場合は，「ハードエンドフィール」と呼び，復位を伴わない関節円板前方転位や上関節腔の癒着による開口障害を疑う[5]．開口量の測定と同様に側方運動時，前方運動時の運動量や痛みの有無も記録する．

③ 圧痛検査[7]

触診は患者の痛みを確認するために行う．常に上下の歯列は少し離した状態とする．

まず側頭筋から始める．圧は1kgを目安にして，2秒間圧迫する．側頭筋前部，中部，後部でそれぞれ3点ずつを目安にして触診する(図3a)．それぞれの場所を2秒間圧迫した後「痛いですか？」と尋ね，「はい」の場合さらに3秒間圧迫を続け，「いつもの痛みですか？」と質問を追加して，主訴の痛みと一致するか確認する．また圧迫部以外の痛みを質問し，拡散型あるいは関連痛を伴う筋筋膜痛の診断を確定する．次いで咬筋を同様に触診する(図3b)．咬筋起始部，中部，停止部でそれぞれ3点ずつ行う．その他の筋は必要に応じて行う．

表 1　咀嚼筋痛障害（Ⅰ型）の診断基準(日本顎関節学会[8])

病態説明	顎運動時，機能運動時，あるいは非機能運動時に惹起される咀嚼筋の疼痛に関連する障害で，その疼痛は咀嚼筋の誘発テストで再現される．
診断基準	病　歴：過去 30 日間に次の両方を認める． 　1．顎，側頭部，耳のなかあるいは耳前部の疼痛 　2．顎運動，機能運動あるいは非機能運動によるその疼痛の変化 診　察：次の両方を確認する． 　1．疼痛部位が側頭筋あるいは咬筋である． 　2．次の誘発テストの少なくとも一つで側頭筋あるいは咬筋にいつもの痛みが生じる． 　　a．側頭筋あるいは咬筋の触診（触診圧 1.0 kg/cm^2，2 秒間） 　　b．自力あるいは強制最大開口運動

3―診断

　国際的な顎関節症の診断基準である Diagnostic Criteria/Temporomandibular Disorders（DC/TMD）を基に診断する[7]．**表 1** には，DC/TMD を基にした日本顎関節学会の咀嚼筋痛障害の診断基準を示す．症状質問票の結果と診察用紙に記載された検査結果を用いてフローチャートに沿って検討し，痛みの部位の確認と患者が感じている痛みを再現することで診断が可能となる（**図 4**）．

4）治療

1―患者教育と自己管理（認知行動療法を含む）

　自己管理は，顎運動の自発的な制限，習慣の自覚と改善，ホームケアとしての理学療法などがあるが，痛みの原因や寄与因子あるいは増悪因子などに関する患者教育が不可欠である．

　自己管理は，急性期には痛みを有する筋を安静にする意味で，日常生活における顎運動は制限し（硬固物の咀嚼やガム咀嚼の制限，大あくびや歌唱の回避など），異常機能習癖（ブラキシズム，舌突出癖，咬頬癖，不適切な睡眠姿勢，楽器演奏など）は防止する．問題となる習癖は，患者に自覚させ，これらを防止する動機づけを行い，方法を教示し，自己管理を確約させて修正する．単純なフィードバック，たとえば患者の日常生活において習癖を視覚的に自覚できる目印などを導入する．習癖を助長するような活動や状況の確認を目的とした日記も有用である[9]．

2―理学療法等

　温罨法やマッサージは，最も非侵襲的でかつ効果的な治療として咀嚼筋痛の緩和に推奨

される(図5a, b).また,閉口筋のエクササイズとして開口ストレッチが有効である(図5c)[10].鍼灸や超音波療法,赤外線療法,電気療法には明確なエビデンスがない.治療としてのトリガーポイント注射は慢性の筋筋膜痛に対して,他の保存的治療の補助として用いる[11].スタビリゼーションアプライアンスの有効性はプラセボと有意差がないという報告もあるが,ブラキシズムを一時的に抑制するため,ブラキシズムに起因する急性の咀嚼筋痛には有効とされる[12].部分的に歯列を被覆する装置は,副作用として咬合が変化する可能性があり,推奨されない[12].有歯顎の咬合調整は効果が疑わしく,特に天然歯では慎むべきである[12].

3 ─ 薬物療法

鎮痛薬としてはNSAIDsを用いるが,長期投与における消化管障害や腎障害を考慮して合併症が少ないアセトアミノフェンが選択されることが多い.シクロベンザプリンは,ネットワークメタアナライシスによるシステマティックレビューで顎関節症の筋痛に3週間使用

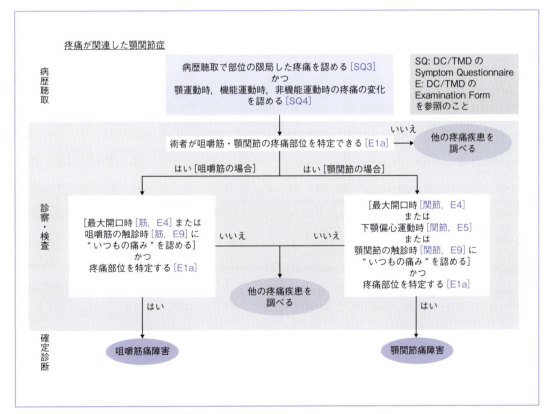

図4 咀嚼筋痛障害と顎関節痛障害の診断決定樹(日本顎関節学会編,2020[8])
SQは日本顎関節学会『顎関節症治療の指針2020』図5のDC/TMD症状質問票(Symptom Questionnaire:SQ)の項目,Eは同指針図6のDC/TMD診察用紙(Examination Form:E)の項目を示す.

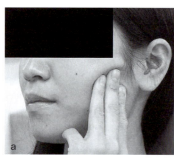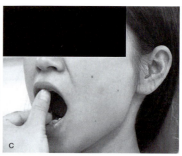

図5　各種理学療法
a：咀嚼筋のマッサージ，b：温罨法，c：開口ストレッチ

での効果が支持されている[13]．チザニジン塩酸塩などの中枢性筋弛緩薬も使われるが，エビデンスは限られており，保存的管理との併用で短期間にする必要がある．ベンゾジアゼピン系薬剤は筋弛緩作用があるが，習慣性を考慮してその使用は2～3週間を超えないようにする．また，中枢関与や末梢性感作を疑う咀嚼筋痛に対して低用量の抗うつ薬が有効とされるが，確実なエビデンスは乏しい[12]．

（小見山　道）

文　献

1) 飯田　崇，渡邉航介，石井優貴，吉田一央，岩﨑正敏，榊　実加，小峯千明，神尾直人，岡部　達，小見山　道：ラバーダム使用における持続的な開口が咬筋に及ぼす影響．日本口腔顔面痛学会雑誌15(1)：13-18，2023
2) Chen CY, Palla S, Erni S, Sieber M, Gallo LM: Nonfunctional tooth contact in healthy controls and patients with myogenous facial pain. J Orofac Pain 21(3)：185-193，2007
3) Okeson JP: Management of Temporomandibular Disorders and Occlusion (7th ed). Elsevier/Mosby, St Louis, 2013
4) Mizumura K, Taguchi T: Delayed onset muscle soreness: Involvement of neurotrophic factors. J Physiol Sci 66: 43-52, 2016
5) Dawson A, Ghafouri B, Gerdle B, List T, Svensson P, Ernberg M: Effects of experimental tooth clenching on pain and intramuscular release of 5-HT and glutamate in patients with myofascial TMD. Clin J Pain 31: 740-749, 2015
6) Dworkin SF, LeResche L: Research diagnostic criteria for temporomandibular disorders: review, criteria, examinations and specifications, critique. J Craniomandib Disord 6: 301-355, 1992
7) Schiffman E, Ohrbach R, Truelove E, et al: Diagnostic Criteria for Temporomandibular Disorders (DC/TMD) for Clinical and Research Applications: recommendations of the International RDC/TMD Consortium Network and Orofacial Pain Special Interest Group. J Oral Facial Pain Headache 28: 6-27, 2014
8) 日本顎関節学会編：顎関節症治療の指針2020．https://kokuhoken.net/jstmj/publication/file/guideline/guideline_treatment_tmj_2020.pdf
9) Reny de Leeuw編，今村佳樹，杉崎正志訳：口腔顎顔面痛の最新ガイドライン（改訂第4版）．クインテッセンス出版，東京，173-192，2009
10) Shimada A, Ishigaki S, Matsuka Y, Komiyama O, Torisu T, Oono Y, Sato H, Naganawa T, Mine A, Yamazaki Y, Okura K, Sakuma Y, Sasaki K: Effects of exercise therapy on painful temporomandibular disorders. J Oral Rehabil 46(5)：475-481, 2019
11) Hong CZ: Treatment of myofascial pain syndrome. Curr Pain Headache Rep 10: 345-349, 2006
12) Kapos FP, Exposto FG, Oyarzo JF, Durham J: Temporomandibular disorders: a review of current concepts in aetiology, diagnosis and management. Oral Surg 13(4)：321-334, 2020
13) Häggman-Henrikson B, Alstergren P, Davidson T, Högestätt E D, Östlund P, Tranaeus S, Vitols S, List T: Pharmacological treatment of oro-facial pain-health technology assessment including a systematic review with network meta-analysis. J Oral Rehabil Oct 44(10)：800-826, 2017

4 顎関節痛障害

第5部 口腔顔面痛の治療（各論）

SBO
Ⅰ．顎関節痛障害の発症機序と病態生理を理解する．
Ⅱ．顎関節痛障害の診断と治療を実施する．

1）発症機序

　外来性外傷（外部からの力により生じる外傷：顎顔面部の殴打，転倒や交通事故による顎頭蓋部の強打，コンタクトスポーツ，気管内挿管など）や内在性外傷（自身の筋力により生じる外傷：硬固物の無理な咀嚼，大あくび，ブラキシズム，長時間の歯科治療，楽器演奏，咬合異常など）によって顎運動時の顎関節痛や顎運動障害が惹起された病態で，そのおもな病変部位は，滑膜，円板後部組織，関節靱帯（おもに外側靱帯），関節包であり，それらの炎症や損傷により生じる．

2）病態生理

1―炎症および損傷

　滑膜は顎関節の下顎窩軟骨面，関節隆起軟骨面，関節円板，円板後部組織を除く関節腔の内面を被う組織である．神経組織，脈管組織ともに豊富に内在する．滑膜の主要な役割は，関節腔への滑液の分泌と関節腔からの老廃物の排除である．異常な外傷力により滑膜組織が損傷し，炎症（滑膜炎）が生じるとさまざまな発痛物質や発痛増強物質が放出され，滑膜組織に豊富に存在する侵害受容器における侵害受容により顎関節痛が生じる（第2部1章参照）．

　円板後部組織は，下顎頭と関節円板の滑らかな回転と移動，前進と後退を補助しており，滑膜と同様に神経組織，脈管組織ともに豊富な組織である．正常な顎関節において円板後部組織に加わる負荷は限定的であるが，関節円板が前方転位すると円板後部組織は下顎頭と下顎窩，関節隆起の関節面に挟まれ，関節負荷が直接加わるようになり，組織損傷とそれに続く炎症（円板後部組織炎）が惹起されると顎関節痛が生じることになる．

異常な外傷力により関節靱帯の損傷や関節包の炎症(関節包炎)が生じることもあり，顎関節痛の発現や増強につながる．また，顎関節円板障害や変形性顎関節症により関節面の潤滑が低下して下顎頭の回転・移動が障害されると，軟骨下骨に存在する侵害受容器が興奮し，顎関節痛の発現につながることがある．

2─感 作

　前述のように顎関節痛の発現には基本的には炎症が関与している．持続する炎症は末梢性感作を生じさせ，疼痛が増大することはよく知られているが，末梢における炎症が著しくなくても患者が強い疼痛を訴えることがあることや中枢作用性の鎮痛薬が著しい鎮痛効果を示すことがあることから，顎関節痛障害の病態生理には末梢性感作だけでなく，中枢性感作が関与している場合も少なくないものと考えられる[1]（第1部6章参照）．

3─エストロゲン

　顎関節症だけでなく，口腔灼熱痛症候群，緊張型頭痛，片頭痛など多くの疼痛性疾患の有病率は明らかに女性が高いことが知られている．これらの疾患の有病率に著しい性差が現れる原因を説明するためにこれまで多くの議論がなされてきたが，その原因の一つとして性ホルモンであるエストロゲンが関与していることが次第に明らかにされてきた[2,3]．エストロゲンが生体に及ぼす影響は単純ではなく，神経系，免疫系，骨格系，循環系の機能を修飾するため，その作用は複雑で，多面的である．しかしながら，エストロゲンは三叉神経の侵害受容過程に末梢性にも中枢性にも影響を及ぼしている[3]．エストロゲンは頭蓋顔面部の組織からの侵害刺激に対する求心性ニューロンの興奮性を修飾したり，三叉神経脊髄路核においてシナプスの機能を修飾したりすることで，顎関節痛の増強に働くと説明されている（第2部8章参照）．

4─遺伝的要素

　患者の訴える主観的な疼痛の強さと疼痛部位における客観的な障害の程度はしばしば一致しないことから，疼痛を有する顎関節症患者のなかには，その疼痛が中枢における疼痛受容機構の変化に由来し，さらにその変化が特定の遺伝子多型に起因している患者がいると考えられるようになった[4]．顎関節痛の発現や感受性に影響を及ぼす候補遺伝子として，αエストロゲン受容体，$\beta 2$アドレナリン作動性受容体，セロトニン受容体，セロトニン輸送体，catechol-O-methyl transferase(COMT)などの多型遺伝子マーカーの関連が指摘されてきている[5]．また最近では，これらの遺伝的要素が中枢性感作を起こしやすい形質につながっているのかどうか，またそうであるとして，その形質が慢性痛に移行するリスクを高めているかどうかに興味がもたれている[6]．

表 1　顎関節痛障害（Ⅱ型）の診断基準（日本顎関節学会[8]）

病態説明	顎運動時，機能運動時，あるいは非機能運動時に惹起される顎関節の疼痛に関連する障害で，その疼痛は顎関節の誘発テストで再現される．
診断基準	病　歴：過去 30 日間に次の両方を認める． 　1. 顎，側頭部，耳のなかあるいは耳前部の疼痛 　2. 顎運動，機能運動あるいは非機能運動によるその疼痛の変化¶ 診　察：次の両方を確認する． 　1. 疼痛部位が顎関節部である． 　2. 次の誘発テストの少なくとも一つで顎関節部にいつもの痛みが生じる． 　　a. 外側極の触診（触診圧 0.5kg/cm^2，2 秒間）あるいは外側極付近の触診（触診圧 1.0kg/cm^2，2 秒間） 　　b. 自力あるいは強制最大開口運動，左側側方，右側側方，あるいは前方（あるいは後方）§ 運動

¶：「疼痛の変化」には，疼痛が増大する場合だけではなく，疼痛が減少したり，性状が変わったりする場合も含まれる．
§：括弧内下線部の条件を加えるかどうかは，今後我が国で行う多施設臨床研究の結果をみて決定する．

5 ── 社会心理学的因子

　社会心理学的因子も顎関節痛障害の発症に影響を及ぼす可能性があるが，その程度は咀嚼筋痛障害と比較すると弱いと考えられている．

3) 診察・検査と診断

　その病態像である滑膜や円板後部組織の炎症や損傷，関節包の炎症，関節靱帯の損傷の存在を，外科的侵襲なしに臨床的に証明することは必ずしも容易ではない．病歴聴取によりこれらの病態を招いた外来性外傷や内在性外傷の既往を確認できれば，診断上有力な情報となるので，顎関節痛発現に先立つ外来性外傷や内在性外傷の既往の有無を調べる．しかしながら，丁寧に聴取しても確認できないことも少なくない．

　表 1 に DC/TMD[7]を基にした日本顎関節学会の顎関節痛障害の診断基準を示す．診察の基本は，疼痛部位が顎関節部であることを確認することである．まず，病歴聴取により過去 30 日間に顎関節付近の疼痛の既往があることを確認し，さらに顎運動によりその疼痛が変化した既往があることを確認する．その上で，次の二つの診察の少なくとも一つで痛みがあることを確認することにより診断を下す．すなわち，顎関節外側極部の圧痛の有無を触診により診察するとともに最大開口時や偏心運動時に顎関節付近の運動痛を覚えるかどうかを調べる．強制最大開口時に顎関節付近に疼痛を認めることが多いので，強制最大開口時の疼痛の有無を必ず調べることが必要である（図 1）．

　顎運動時痛は深部体性痛であり，患者自身による疼痛部位の特定が困難である場合が少なくないため，患者の訴える疼痛発現部位が顎関節であるか咀嚼筋であるか，その鑑別に迷うことも少なくない．両者の確定的な鑑別には，以下の二つの方法がある．

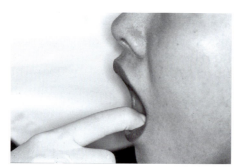

図1　強制最大開口時の疼痛の有無の診断

　顎関節腔穿刺：顎関節腔を穿刺し，局麻剤を注入することにより痛みが消失する場合は顎関節に起因する痛みであると診断できる[9]．

　耳介側頭神経の神経ブロック：耳介側頭神経は顎関節の後方2/3を支配しており，同神経をブロックすることにより痛みが消失する場合は，関節原性の痛みと診断する[10]．

　顎関節円板障害や変形性顎関節症を伴わない場合は，痛みによる軟性の顎運動障害を認める場合があるが，強制開口時の下顎頭移動量には制限を認めない．関節雑音はあってもはっきりしたクリックやクレピタスではない．また，円板転位や骨変形は認めず，画像検査には異常を認めない．顎関節痛障害の関節鏡所見の報告はみられないが，滑膜の発赤やびらんといった外傷性滑膜炎の発症が強く示唆されている．

　日時を特定できる顎顔面外傷とそれに続発する顎関節部の発赤，腫脹，熱感，疼痛などの明らかな急性炎症症状を伴うものは非感染性顎関節炎と診断し，区別する．

4) 治療

1 ― 顎関節円板障害および変形性顎関節症を併存しない場合

　顎関節円板障害および変形性顎関節症を併存していない場合は，下顎頭円板関係は温存されている訳であるから，顎関節部を安静にして治癒機転を生じさせることが第一の治療目標となる．

　病歴聴取の結果，原因としての外来性外傷あるいは内在性外傷が明らかであり，それらの外傷が一過性である場合には，患部を安静に保って消炎を待つ治療で顎関節痛は消失することが多い．この際患部の安静および消炎に用いられる治療としては，大開口などの顎運動制限，硬固物咀嚼の制限，鎮痛薬や鎮痛補助薬の投与，物理療法，スタビリゼーションアプライアンス療法などが挙げられる．

　原因としての外来性外傷あるいは内在性外傷が持続性，回帰性である場合には，原因除

表2 持続性，回帰性の外傷による顎関節痛障害に対して行う患者指導，セルフケア

外来性外傷	・コンタクトスポーツ：マウスガードを作製，装着させる ・頭蓋牽引療法（頚椎症の治療）：牽引中，スタビリゼーションアプライアンスを装着させる
内在性外傷	・睡眠時ブラキシズム：スタビリゼーションアプライアンスを作製，装着させる ・日中の歯の接触癖，舌弄癖：「べろで触るな」などと大書した紙を家のなかに20枚貼り（リマインダー），リマインダーを目にしたらプッと息吹きをして下顎安静位を取らせる（認知行動療法の一種）．この手法はいろいろな習癖の矯正に応用できる． ・長時間の歯科治療：一定時間ごとに下顎安静位を取らせ休憩させる ・楽器演奏：練習中に一定時間ごとに短い休憩を取らせる ・咬合異常：補綴歯科治療を行って咬合を安定させる

去療法として，まずそれらの外傷が繰り返し加わらないように患者教育を行い，セルフケアの方法を指導しなければならない（**表2**）．

薬物療法には非ステロイド性抗炎症薬が最も多く用いられる．屯用として痛みの強いときだけに服用させるのではなく，規則的な間隔で服用させる（通常，毎食後1日3回で，約1週間処方する）（第4部1章参照）．

睡眠時ブラキシズムが内在性外傷の原因になっていることが推察される場合は，スタビリゼーションアプライアンスの装着を考慮する．本アプライアンスによる睡眠時ブラキシズムの軽減効果は装着から数か月間しか得られないことが示唆されているが，顎関節負荷の軽減や保護効果を期待して装着する．

非常にまれではあるが，臼歯部欠損の放置や臼歯部オープンバイトなどの咬合異常により噛みしめ時の同側の顎関節負荷が恒常的に増大し，顎関節痛の原因となっていると考えられる場合には，補綴歯科治療を行って左右の顎関節負荷の均等化を図るようにする．

2─顎関節円板障害や変形性顎関節症を併存する場合

基本的な治療の考え方は，顎関節円板障害や変形性顎関節症を併存しない場合と同様であるが，両病態の併存により下顎頭の著しい運動制限が認められる場合は，述べてきたような患者教育とセルフケア，薬物療法，物理療法，アプライアンス療法だけでは顎関節痛が改善しない場合も少なくない．したがって，開口訓練や顎関節の徒手的顎関節可動化訓練などを行って下顎頭の運動制限の改善を図る必要がある．下顎頭の移動量が改善されてくるにつれ，顎関節内の生化学的環境が炎症機転から脱却して治癒機転へと向かうようになり，それとともに顎関節痛も軽減してくることが期待される[11]．

（小見山　道，矢谷博文）

文 献

1) La Touche R, Paris-Alemany A, Hidalgo-Pérez A, et al: Evidence for central sensitization in patients with temporomandibular disorders: A systematic review and meta-analysis of observational studies. Pain Pract 18: 388-409, 2018
2) Cairns BE: Pathophysiology of TMD pain-basic mechanisms and their implications for pharmacotherapy. J Oral Rehabil 37: 391-410, 2010
3) Bereiter DA, Okamoto K: Neurobiology of estrogen status in deep craniofacial pain. Int Rev Neurobiol 97: 251-284, 2011
4) Visscher CM, Lobbezoo F: TMD pain is partly heritable. A systematic review of family studies and genetic association studies. J Oral Rehabil 42: 386-399, 2015
5) Brancher JA, de Paiva Bertoli FA, Michels B, et al: Is catechol-methyltransferase gene associated with temporomandibular disorders? A systematic review and meta-analysis. Int J Paediatr Dent 31: 152-163, 2021
6) Woolf CJ: Central sensitization: implications for the diagnosis and treatment of pain. Pain 153 (3 Suppl): S2-S15, 2011
7) Schiffman E, Ohrbach R, Truelove E, et al: Diagnostic Criteria for Temporomandibular Disorders (DC/TMD) for Clinical and Research Applications: recommendations of the International RDC/TMD Consortium Network and Orofacial Pain Special Interest Group. J Oral Facial Pain Headache 28: 6-27, 2014
8) 日本顎関節学会：顎関節症の診断基準（2019）．https://kokuhoken.net/jstmj/medical/file/recently/tmd_diag_criteria_2019.pdf
9) Nitzan DW: Rationale and indications for arthrocentesis of the temporomandibular joint. Alpha Omegan 96: 57-63, 2003
10) Okeson JP: Management of temporomandibular disorders and occlusion. 8th ed., Chapter 10 Diagnosis of temporomandibular disorders, Mosby, St. Louis, 226-230, 2020
11) Shimada A, Ishigaki S, Matsuka Y, et al: Effects of exercise therapy on painful temporomandibular disorders. J Oral Rehabil 46: 475-481, 2019

顎関節円板障害

SBO
Ⅰ．顎関節円板障害の発症機序と病態生理を理解する．
Ⅱ．顎関節円板障害の診断と治療を実施する．

1）発症機序

関節円板転位の発症機序に関しては現在のところ不明な点が多く，推測の域を出ていないが，顎関節に加わる急性の過剰な負荷あるいは慢性の持続的な負荷によって関節包や下顎頭円板靱帯が生理学的許容範囲を超えて伸展すると，関節円板下面における下顎頭の回転要素が増して過回転が可能となり，これが引き金となって下顎頭-関節円板の一体性が失われることにより発症するとされている[1]．

顎関節円板障害の好発年齢である 10 歳台から 20 歳台では，欠損歯列や不良補綴装置は少ないことから，その発症には上下顎の成長のインバランス，顎の劣成長による顎関節負荷の方向や大きさの異常，あるいは顎関節構造の脆弱化による顎関節の耐負荷能力の減弱が関与していると考えられている．

2）病態生理

1─顎関節円板障害の分類

関節円板の内方転位，外方転位，後方転位がまれに生じることが報告されているが，ほとんどの場合関節円板は前内方方向へ転位する．

この前方転位は開口時に関節円板が下顎頭上に復位するものと復位しないものに大別される．それぞれ復位性関節円板前方転位および非復位性関節円板前方転位と呼ばれる．前者は，開口時にクリックを生じて下顎頭が関節円板の後方肥厚部を乗り越えて中央狭窄部にすべり込んで下顎頭-円板関係は正常に戻るものの，閉口すると（多くは咬頭嵌合位に戻る直前に）クリックを生じて円板が再転位する（図1）．開閉口時にクリックが一度ずつ生じるため，相反性クリックと呼ばれる．後者は，どのような下顎運動を行っても関節円板が前方へ転位したままであり，下顎頭の運動制限により開口障害が生

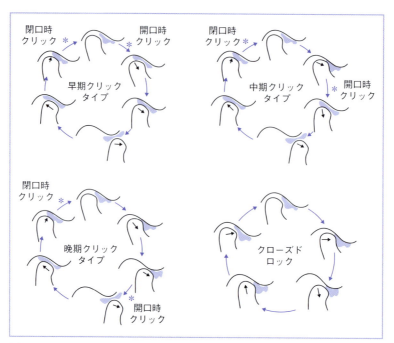

図1 顎関節円板障害の病態の模式図

じる(**図1**).クローズドロックはこの非復位性関節円板前方転位に随伴する開口障害の呼称である.クリック(弾撥音)はコクッという持続時間の短い単音で,クレピタス(捻髪音)のような持続時間の長い摩擦音とは区別される.

さらに厳密に分類すれば,相反性クリックの前段階(間欠クリック)と,ときどき開口途中に引っかかりが生じてそれ以上開口できなくなるクローズドロックの前段階(間欠ロック)の病期が存在する.

このように,顎関節円板障害のなかにも種々の細病態が存在し,顎関節円板障害はそれら細病態をまとめた包括診断名である.

2 ― 顎関節円板障害の病期の進行

関節円板が前方に転位すると,関節に加わる負荷は下顎頭から円板後部組織を経て下顎窩に加わることになる.円板後部組織は圧迫されて次第に弾性を減じ,代償的に脱脈管化,脱神経化,線維化,軟骨細胞の出現等によるいわゆる偽円板化[2]が進行する.これにより大多数の顎関節の病期は進行せず,無痛性の復位性関節円板前方転位のまま経過する.しかしながら,一部の顎関節ではこの代償作用がうまく進行せず,円板後部組織や滑膜に炎症が生じ,滑液中に発痛物質や発痛促進物質が増加して顎関節痛障害を発症したり,関節面の潤滑が低下し,転位円板の変形が進んでやがて非復位性関節円板前方転位へと進行したりするこ

とになる．非復位性関節円板前方転位へ進行すると，より高率で顎関節痛障害を併発するとともに開口障害等の顎機能障害を発症するようになる．

非復位性関節円板前方転位に進行しても，顎関節円板障害は基本的にself-limitingであり，顎関節痛障害，顎機能障害ともに時間の経過とともに消退していくことが多い[3]．しかしながら，非復位性関節円板前方転位の一部には関節円板や円板後部組織の穿孔，関節軟骨の変性や破壊，軟骨下骨の変形が生じ，変形性顎関節症を併発するようになる．

3 ― 臨床症状

復位性関節円板前方転位を有する患者は，顎関節部付近に開閉口運動時のクリックを自覚している．開口時クリックが生じる直前あるいは硬固物咀嚼時に顎関節部付近の疼痛を訴えることが多いが，無痛性のクリックである場合も少なくない．間欠ロックを認める場合がある．

非復位性関節円板前方転位を有する患者の多くは，十分に開口できないことを自覚している．問診によりクリックの既往を認めることが多い．顎関節痛障害を併存していることも多く，患者は，大開口時，あくび時，硬固物咀嚼時，偏心運動時など顎関節負荷が加わるときに顎関節部に疼痛を覚える．大開口時の顎関節部の突っ張り感を訴えることも多い．急性期には自発痛を認めることもある．通常では急性期から2～3か月を経て，徐々に痛みと開口制限は軽快していく場合が多い．若年者ではこの自然消退傾向が顕著である．

3) 診察・検査と診断

1 ― 診察時の臨床所見と診断

復位性関節円板前方転位では，触診により開口時クリックおよび閉口時クリックが触知されるが，閉口時のクリックは触知できない場合も多い．下顎を前方位に位置させた状態から開閉口を繰り返させると関節円板が下顎頭上の正常な位置に復位するため，クリックがただちに消失することが最大の臨床的特徴である．また，開口時クリックが生じたあとの下顎頭-円板関係は正常であることから，最大開口時の下顎頭の前方移動量は正常であり，その結果，最大開口量に制限は認められない．

表1にDC/TMD[4]を基にした日本顎関節学会の顎関節円板障害の定義と病態説明を，表2に復位性関節円板前方転位の病態説明と診断基準を示す．診察の基本は問診と触診によるクリック音の確認である．DC/TMDによれば，表2に示した病歴聴取と診察手順による正診率は，感度0.34，特異度0.92と感度が非常に低く，偽陰性率が高いことがわかる．すなわち，実際には復位性関節円板前方転位に罹患しているにもかかわらず，正常と診断される確率が高いことを意味している．そこで，MRI検査を利用できる場合にはただちに検査を

表 1　顎関節円板障害の定義と説明(日本顎関節学会[5])

定　義	下顎頭－関節円板複合体を含むバイオメカニカルな顎関節内障害.
説　明	顎関節円板障害には，関節円板転位だけではなく，関節円板変形，関節円板重畳，関節円板穿孔などが重複していることも珍しくない．また，関節円板の転位の程度や方向もさまざまである．しかしながら，これらの顎関節円板障害の中では前方転位が生じる頻度が圧倒的に高いことから，前方転位の診断基準だけを定義する．なお，分類 3a と 3b 以外の下顎頭－関節円板複合体の障害も顎関節円板障害に分類される．

表 2　復位性関節円板前方転位(3a)の診断基準(日本顎関節学会[5])

病態説明	多くは閉口位において関節円板は下顎頭の前方に位置し，開口に伴って復位する．関節円板の内方あるいは外方転位を伴う場合がある．関節円板の復位に伴ってクリックが生じることが多い．
診断基準	病　歴：次のうち少なくとも一方を認める． 　　1．過去 30 日間に，顎運動時あるいは顎機能時の顎関節の雑音を認める． 　　2．診察時に患者から雑音があることの報告がある． 診　察：次のうち少なくとも一つを確認する． 　　1．3 回の連続した開閉口運動時のうち少なくとも 1 回，触診により開口時および閉口時のクリックを触知する． 　　2．3 回の連続した開閉口運動時のうち少なくとも 1 回，触診により開口時または閉口時のクリック音を触知し，かつ 3 回の連続した左側側方，右側側方，または前方運動時のうち少なくとも 1 回，触診によりクリックを触知する． 以上の診察の後に MRI 検査を利用できる場合はただちに検査を行う．顎関節 MRI を用いた診断基準は次の両者を満たすこととし，これをもって確定診断とする． 　　1．咬頭嵌合位において関節円板後方肥厚部が 11：30 の位置より前方にあり，かつ関節円板中央狭窄部が下顎頭の前方に位置している． 　　2．最大開口時に，関節円板中央狭窄部が下顎頭と関節隆起の間に位置している． MRI 検査を利用できない場合には，以下の所見を確認し，これをもって臨床診断とする． 　　1．下顎最前方位からの開閉口時に，開口時および／または閉口時に生じるクリックが消失する．

行い，表 2 に示す基準に従って復位性関節円板転位の所見を確認し，確定診断とする．文献的には，触診により認めた相反性クリック（閉口時クリックは必ずしも確認される必要はない）が下顎前方位からの開閉口で消失し，最大開口量は正常域で，側方偏位が生じないことを確認するだけで正診率は約 90％あるとされる[6,7]ことから，MRI 検査が利用できない場合には，この確認により臨床診断とする．

非復位性関節円板前方転位では，触診により下顎頭運動制限を認める．特に急性期には，開口時に下顎頭運動はほとんど触知されないことが多く，触知されたとしても下顎頭運動は顕著に制限される．両側顎関節の非復位性関節円板前方転位の場合に両側下顎頭の運動制限を認めるのは当然であるが，片側顎関節の非復位性関節円板前方転位の場合であっても，患側下顎頭の運動制限に引きずられて健側下顎頭にも運動制限を認めることが多いので注意が必要である（pseudolock）[8]．その場合の健側の運動制限の程度は患側と比較するとやはり小さいので，これを鑑別の参考とする．慢性期に移行するにつれて下顎頭の前方移動量は徐々に増大するが，完全には正常とならないことが多い．

開口量に関しては，急性期には 10 ～ 35mm 程度に制限されていることが多く，患側の下

表3　非復位性関節円板前方転位の診断基準 (日本顎関節学会[5])

病態説明	閉口位において関節円板は下顎頭の前方に位置し，開口時にも復位しない．関節円板の内方あるいは外方転位を伴う場合がある．
診断基準	**病　歴**：過去30日間に，次の両方を認める． 　　1．顎が引っかかって口が開かなくなったことがある． 　　2．開口が制限されて食事に支障をきたしたことがある． **診　察**：次の診察所見を認める． 　　1．垂直被蓋を含んで強制最大開口距離が40mm未満である． 　　　註1：強制最大開口距離は臨床的に決定する． 　　　註2：関節雑音 (開口時クリックなど) の存在は本診断を除外することにはならない． 　　　註3：強制最大開口距離が40mm以上であっても非復位性顎関節円板障害を否定できないため，開口制限がある場合と同様に診察・検査を進める． 以上の診察の後にMRI検査を利用できる場合はただちに検査を行う．顎関節MRIを用いた診断基準は次の両者を満たすこととし，これをもって確定診断とする． 　　1．咬頭嵌合位において関節円板後方肥厚部が11：30の位置より前方にあり，かつ関節円板中央狭窄部が下顎頭の前方に位置している． 　　2．最大開口時に，関節円板中央狭窄部が下顎頭の前方に位置している． MRI検査を利用できない場合には，以下の診察を追加し，一つ以上陽性所見があることを確認し，これをもって臨床診断とする．陽性所見が多くなるほど正診率は増加する． 　　1) クリックの消失に伴う開口制限の出現の既往 　　2) 触診による最大開口時の下顎頭の運動制限 　　3) 開口路の患側への偏位 　　4) 強制最大開口時の顎関節部の疼痛

顎頭の運動制限のため開口時に下顎は患側へ偏位する．慢性期に入ると，40mm以上の開口が可能である場合も稀ではなく，その場合には開口時や前方滑走時の下顎の患側偏位も小さくなる．両側顎関節の非復位性関節円板前方転位の場合には，開口路の偏位はほとんど認められない．

表3にDC/TMD[4]を基にした日本顎関節学会の非復位性関節円板前方転位の診断基準を示す．診察の基本は問診と診察による開口制限の確認である．DC/TMDによれば，強制開口量が40mm未満の場合の臨床的な診断基準による正診率は，感度0.80，特異度0.97とまずまずであるが，強制開口量が40mm以上ある場合には感度0.54，特異度0.79に低下するとされる．すなわち，偽陰性率が高く，実際には非復位性関節円板前方転位に罹患しているにもかかわらず，正常と診断される確率が高くなる．そこで，MRI検査を利用できる場合にはただちに検査を行い，表3に示す二つの診断基準に従って非復位性関節円板転位の所見を確認し，確定診断とする．MRI検査が利用できない場合には，表3最下部に示す四つの臨床的診断基準のうち一つ以上の陽性所見があることもって臨床診断とする．四つの臨床所見一つ一つによる非復位性関節円板前方転位の正診率は十分に高いとはいえないが，確認された所見の数が増えるにつれて正診率は著しく向上するとされる[8,9]．

2 ― 顎関節画像検査

復位性，非復位性関節円板前方転位ともにMRIにて確定診断ができる (図2，3)．

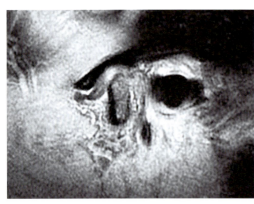
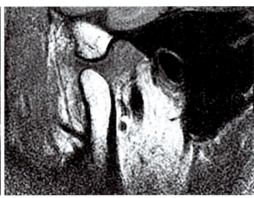

図2 復位性関節円板前方転位の MRI

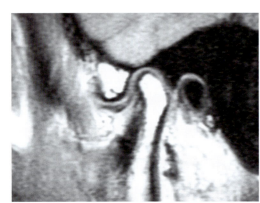
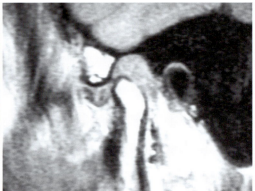

図3 非復位性関節円板前方転位の MRI(矢谷, 2013[10])

　復位性関節円板前方転位では，閉口時に前方転位していた関節円板が，最大開口時には下顎頭上に復位しており，最大開口時における下顎頭位は関節隆起を越え正常位置に達する．

　非復位性関節円板前方転位では，閉口時，最大開口時ともに関節円板の前方転位を認める．急性期には最大開口時に下顎頭が関節隆起を越えず，下顎頭の前方移動量に著しい制限を認める．慢性期の場合，最大開口に伴う下顎頭の移動量は急性期に比べると大きいが，下顎頭は関節隆起頂部の直下あたりにあって健側と比べるとやや制限されていることが多い．

　Westesson(1985)[11]によると，下顎窩，関節隆起，あるいは下顎頭の骨変化が発現した変形性顎関節症の併発は，非復位性円板前方転位関節では高頻度(49％)に観察されるのに対して，復位性円板前方転位関節ではほとんど認められない(6％)という．

4）治 療

1─復位性関節円板前方転位の治療

　復位性関節円板前方転位の治療目標は，前方転位した関節円板の整位を図ることではなく，円板転位に伴って発現することのある疼痛や顎機能障害をなくすことである．疼痛は開口時クリック発現時や噛みしめ時に生じることが多く，特に間欠ロックを有する顎関節ではロックした状態（すなわち転位円板が復位しない状態）で無理に開口しようとすると必ず疼痛が生じるため，顎関節痛に対する対応が必要となる．しかしながら，復位性関節円板前方転位を有する顎関節は疼痛を伴わない（すなわち顎関節痛障害を併存しない）こともまた多い．顎関節痛障害を併存していなければ，クリック発現時の顎の引っかかりに伴って生じることのある咀嚼障害や発音障害などの顎機能障害を取り除くことが治療目標となる．顎関節痛障害も顎機能障害もなく，患者がクリック音のみを訴えている場合は，クリック音自体はきわめてありふれており，基本的に加療が必要な病的な状態ではないことをよく患者に説明する．クリック音を不安に考え，開口を音が発生しないレベルに制限している場合は予後が不良となるので，音がしても気にせずにホームケアとしての開口訓練を行うよう指導し，十分な開口距離を維持するようにする[12]．

　顎関節痛障害の治療法に関しては4章で述べたとおりである．アプライアンス療法を行って顎関節部の適応変化，特に円板後部組織の偽円板化の促進を図ることも多いが，最も頻繁に用いられるスタビリゼーションアプライアンス装着時に関節円板は基本的に転位したままであるので，顎関節部の適応がうまく進まない場合もみられる．特に間欠ロック症例ではロックを起こす頻度が減らず，長く顎関節痛が残る場合がある．そのような場合は，夜間のみ下顎前方整位型アプライアンスを装着して，アプライアンス装着時に円板が整位した状態を作ると，偽円板化が進行して消えなかった疼痛や顎機能障害の著しい改善をみることがある．

2─非復位性関節円板前方転位の治療

　非復位性関節円板前方転位の治療目標も，前方転位した関節円板の整位を図ることではなく，円板転位に伴って発現する疼痛や開口障害などの顎機能障害をなくすことである．復位性関節円板前方転位とは異なり，疼痛を伴っている（すなわち，顎関節痛障害を併存する）頻度は高い．顎関節痛障害の治療法はすでに4章で述べた．

　非復位性関節円板前方転位を有する患者は，40mm未満の開口障害を伴っていることが多いが，ときには40mm以上の開口が可能であることもある．しかしながら，40mm開口できても，下顎頭は関節隆起の直下にあり，触診すると下顎頭運動は最大開口時にも制限されていることがわかる．

図4 ホームケアとしての開口訓練

図5 プロフェッショナルケアとしての徒手的顎関節可動化訓練

　非復位性関節円板前方転位を生じた顎関節における疼痛の発現とその悪化・持続にはこの下顎頭の運動制限(関節の不動化)が強く関わっている．下顎頭の運動制限があれば，当然の結果として開口制限が生じる．下顎頭の運動制限が持続していると，やがて腔内癒着等により関節円板の可動性も失われ，開口制限に拍車がかかることになる．したがって，非復位性関節円板前方転位により生じた下顎頭の滑走障害を取り除けば，顎関節痛と開口障害が同時に改善していく．下顎頭の滑走障害の改善には運動療法がきわめて大きい効果を発揮する．患者にホームケアとしての開口訓練(図4)を実施させるとともに，術者は患者が来院ごとにプロフェッショナルケアとしての徒手的顎関節可動化訓練(図5)を実施し，下顎頭の滑走障害の正常化を図る．ホームケアとプロフェッショナルケアの片方だけではなく，両方を実施することが重要である[13]．これにより次第に顎関節の適応変化が進行し，偽円板化が達成される．下顎頭が関節隆起を超えて滑走できるようになれば，関節円板が非復位性前方転位のままであっても開口量は正常に復し，顎関節痛障害は消失する．

　開口訓練と顎関節可動化訓練を繰り返し行っても顎関節痛障害と開口制限が持続する場合は，顎関節腔洗浄療法，顎関節鏡視下剥離授動術，顎関節開放手術等の外科療法が適応となる．

(矢谷博文，小見山　道)

文 献

1) Stegenga B, De Bont LGM, Boering G, et al: Tissue responses to degenerative changes in the temporomandibular joint: A review. J Oral Maxillofac Surg 49: 1079-1088, 1991
2) Scapiro RP: Histopathology associated with malposition of the human temporomandibular joint disc. Oral Surg 55: 382-397, 1983
3) Kurita K, Westesson PL, Yuasa H, et al: Natural course of untreated symptomatic temporomandibular joint disc displacement without reduction. J Dent Res 77: 361-365, 1998
4) Schiffman E, Ohrbach R, Truelove E, et al: Diagnostic Criteria for Temporomandibular Disorders (DC/TMD) for Clinical and Research Applications: recommendations of the International RDC/TMD Consortium Network and Orofacial Pain Special Interest Group. J Oral Facial Pain Headache 28: 6-27, 2014
5) 日本顎関節学会：顎関節症の診断基準（2019）．https://kokuhoken.net/jstmj/medical/file/recently/tmd_diag_criteria_2019.pdf
6) Anderson GC, Schiffman E et al.：Clinical vs. arthrographic diagnosis of TMJ internal derangement. J Dent Res 68: 826-829, 1989
7) Yatani H, Sonoyama W, Kuboki T, et al: The validity of clinical examination for diagnosing anterior disk displacement with reduction. Oral Surg Oral Med Oral Pathol Oral Radiol Endod 85: 647-653, 1998
8) Yatani H, Suzuki K, Kuboki T, et al: The validity of clinical examination for diagnosing anterior disk displacement without reduction. Oral Surg Oral Med Oral Pathol Oral Radiol Endod 85: 654-660, 1998
9) Orsini MG, Kuboki T, Terada S, et al: A. Clinical predictability of temporomandibular joint disc displacement. J Dent Res 78: 650-660, 1999
10) 矢谷博文：顎関節症の病態．日本顎関節学会編，新編 顎関節症，永末書店，京都，98，2013
11) Westesson PL, Bronstein SL, Liedberg J: Internal derangement of the temporomandibular joint: Morphologic description with correlation to joint function. Oral Surg Oral Med Oral Pathol 59: 323-331, 1985
12) Kapos FP, Exposto FG, Oyarzo JF, et al: Temporomandibular disorders: a review of current concepts in aetiology, diagnosis and management. Oral Surg 13: 321-334, 2020
13) Herrera-Valencia A, Ruiz-Muñoz M, Martin-Martin J, et al: Efficacy of manual therapy in temporomandibular joint disorders and its medium- and long-term effects on pain and maximum mouth opening: A systematic review and meta-analysis. J Clin Med 9: 3404, 2020

第5部 口腔顔面痛の治療(各論)

6 変形性顎関節症

SBO
Ⅰ. 変形性顎関節症の疫学・自然経過,発症機序を説明できる.
Ⅱ. 変形性顎関節症の診査,診断と治療方針を説明できる.

1) 疫学と自然経過

　変形性顎関節症は,関節軟骨の退行性変化と軟骨下骨の反応性の骨硬化を示す疾患である.画像診断をもとに評価した疫学結果はみられないが,特徴的な臨床所見と認識されている顎関節雑音(クレピタス)を評価基準としてポピュレーションベースで調査した結果では,若年層では少ないものの,40歳台以降は各年代で10％前後,70歳台以降では20％を超えるという報告[1]がある.また,一般集団を対象としてResearch Diagnostic Criteria for Temporomandibular Disorders(RDC/TMD),もしくはDiagnostic Criteria for Temporomandibular Disorders(DC/TMD)に基づいて診断した,変形性顎関節症の発症頻度に関するメタアナリシスの結果では,成人・高齢者では9.8％,小児・若年者では0.4％であったことが報告されている[2].このように,有病率は加齢とともに増加することが知られているが,発症頻度に性差は認められない[3].また,30年間変形性顎関節症患者を長期経過観察した研究成果では,非外科療法実施1年後に臨床症状は有意に減少し,30年後もほとんど変化がみられず[4],一般的には本疾患も良性の自然経過を示す[5]と考えられている.

2) 発症機序

　本疾患の発症機序についてはいまだ不明な点が多い.しかしながら,一部の患者に認められる遺伝的素因,ブラキシズムや外傷,不正咬合などが引き起こす機械的ストレス,加齢による軟骨細胞変化がその病態に関与することは古くから推測されている.過度の機械的ストレスは顎関節部の軟骨分解を誘発する重要な要素であることが知られている.一方,損傷を受けた関節

軟骨細胞，線維芽細胞，滑膜細胞などは関節腔内に炎症性メディエーターを放出し，関節内退行性変化を増強する可能性が示されている．過去の研究成果でも，さまざまな炎症性サイトカイン（IL-12, IL-6, IL-1β, TNF-αなど）や基質分解酵素（MMPs, ADAMTS-5）が変形性顎関節症患者の関節滑液中で増加していることが示されている[7,8]．また，末梢血中の変形性関節症マーカーも同定されている．最近では軟骨細胞のアポトーシスが，病態初期の軟骨分解やサイトカインの放出を引き起こし，軟骨下骨を破壊することや，軟骨下骨で起こるターンオーバー（骨吸収と形成）の異常が病態の初期もしくは進行に重要な役割を担うことも推測されている[9]．関節軟骨細胞の石灰化や肥大化を引き起こすX型コラーゲン遺伝子の発現などを原因とするものもある．さらに，宿主側の発症要因として，顎関節組織や関節滑液を構成する因子に関する遺伝子多型が病態形成を担う可能性についても検討が試みられており[10]，今後の研究展開が待たれる．

3）徴候，画像所見と診断

　変形性顎関節症は多くの病態を包含しているものと思われるが，臨床的に三つに分類するのが妥当である．
① **一次性変形性顎関節症**：関節組織の老化（負荷受圧能力の低下）と関節部負荷の増大を基盤に特発性に発症するもの．二次性のものに比較して発症頻度は高くない．
② **二次性変形性顎関節症**：関節円板転位などの原疾患に続発するものであり，特に非復位性関節円板転位の約半数に生じる．
③ **全身性変形性顎関節症**：全身性の変形性関節症に随伴して顎関節にも発症するもの．
　また，特殊なものとしては，MRIにおいて下顎頭骨髄部の広い範囲で信号輝度の低下が観察される阻血性骨頭壊死（avascular necrosis）が生じる場合もある．
　確定診断には顎関節の画像検査が必須であるが，最低限パノラマ顎関節撮影法（いわゆる4分割撮影）が必要であり，より診断精度の高い検査法（断層エックス線撮影法，CT，CBCT，MRIなど）が実施された場合はその所見を優先する．これらの画像検査で，顎関節構成体の形態異常が認められることがまず必須条件である．診断につながる病的な画像所見として，まず骨皮質の断裂を伴う吸収性骨変化（erosion）が挙げられるが，骨吸収機転が進行していることを示す像と考えられている（図1）．その後，最も機械的荷重負荷のかかる関節面の骨吸収が進行して，下顎頭と関節隆起が扁平化（flattening）するとともに，下顎頭関節面周囲に骨添加が生じて骨棘形成（osteophyte）が生じることもある．そのほか，吸収性変化を伴う下顎頭の縮小化（deformity）や，骨吸収が急速に進行している時点では骨嚢胞（subchondral cyst）が観察される場合もある．しかしながら，これらの画像所見上の硬組織形態異常は，必ずしも退行性変化がその時点で進行している状況を示すものではなく，関節円板の位置異常が生じた際など，生体の適応プロセスの過去の痕跡として認められる場合も

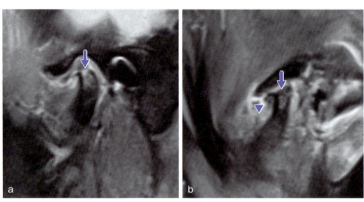

図1　変形性顎関節症による下顎頭の変形（MRI）
a：吸収性骨変化（↓），b：扁平化（↓）と骨棘形成（▼）

少なくないことから，確定診断は常に臨床所見を突き合わせて下す必要がある．特徴的な臨床所見として顎関節痛，開口障害，関節雑音が挙げられ，いずれか一つ以上を呈する．特徴的な関節雑音はクレピタスである．実際，DC/TMDの診断基準では，現時点で患者自身が関節雑音を自覚していること，ならびに術者による臨床診査で顎運動時にクレピタスを認めることとされている．しかしながら，わが国では変形性顎関節症の画像診断所見や特徴的な関節雑音であるクレピタスだけでは治療対象とみなさないのが一般的である．画像診断所見に加えて，顎運動時の顎関節痛や開口障害などの機能障害が認められた場合に変形性顎関節症と診断する．

4）鑑別診断

確定診断に際しては，上述の細分類のうち，局所の問題なのか，それとも全身性変形性関節症の臨床像の一部が顎関節に生じたものかで大きく分ける必要がある．また，鑑別が重要となる全身性の重篤な疾患として，関節リウマチが挙げられる．変形性関節症による骨形態変化が骨の吸収と添加によるものであるのに対し，本疾患による骨変形は，吸収性変化による関節破壊が著明であることが特徴である．下顎頭の吸収が進行することによる下顎枝の短縮化は前歯部開咬という咬合異常をきたす（図2, 3）とともに，下顎位の後退による咽頭閉塞から睡眠時無呼吸症候群のリスクを上昇させるなど，機能障害が著明である．したがって，変形性顎関節症が疑われる場合は，他関節症状の確認によるスクリーニングが必須である．また，まれではあるが，関節リウマチによる骨形態変化の初発が顎関節にみられることもあり[11]，特徴的な骨形態変化がみられた際には，リウマチ専門医への紹介を考慮すべきである．

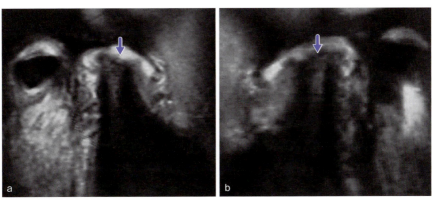

図2 リウマチ性顎関節炎による下顎頭吸収（↓）のMRI
a：右側，b：左側

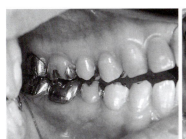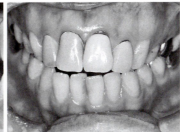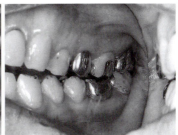

図3 リウマチ性顎関節炎による下顎頭吸収により生じた前歯部開咬
図2の患者の口腔内所見．

5）治療

1—治療の必要性をどのように考えるか

　上記のように，本疾患の多くの症例において自然経過は良好である．したがって，過剰治療にまず気をつけなくてはならない．画像診断において著明な骨形態変化があったり，著しい関節雑音があったとしても，機能障害や疼痛の程度がない，もしくは低い場合には侵襲性の高い治療（外科治療，咬合治療）を考慮する必要はない．多くは，緩徐な運動療法や消炎鎮痛薬の処方で対応できる．一番重要であるのは，関節破壊に併発した咬合異常を改善するタイミングである．多くの患者において，関節破壊は進行性ではなく，ある一定期間を経たら咬合変化も安定する．この安定期間を見定めたうえで，咬合処置を行うかどうかを判断する．

2—薬物療法

　顎関節内の消炎目的としては，非ステロイド性抗炎症薬（NSAIDs）が第一選択として用い

られる．治療効果については，ジクロフェナクの内服とスプリント治療を比較したものがあり，その結果ジクロフェナクはスプリント治療よりも早期の改善が望めるが，いずれの治療においても3か月以内には症状の改善がみられたとされている[12]．NSAIDsの副作用には重篤なものもあることから，最小有効用量で使用し，長期投与は可能な限り回避すべきである．また，内服ではなく，NASIDsの局所塗布の試みもなされてきたが，こちらに関しては，現時点でのシステマティックレビューにおいて，治療効果を支持する十分な根拠はないとされている[13]．

3 ― 関節腔内洗浄療法

薬物療法により症状の緩和が得られない場合，顎関節腔内を1%キシロカイン等の麻酔薬で灌流することによる起炎物質の除去を目的として関節腔内洗浄療法が実施される．最近の長期経過報告において，開口量の増加，疼痛軽減，クレピタスの減少に効果があったとされる報告がある[14]．現在では，腔内洗浄後に下記に述べる注入療法を併用することが多い．

4 ― 関節腔内注入療法

顎関節腔を洗浄後に，関節内の炎症の緩和を目的としてステロイド薬を注入する試みがなされてきた．しかしながら治療効果に関するエビデンスは得られておらず，生理食塩液を対照群に設定したランダム化比較試験においても，両群ともに24週後には症状が寛解したが，差がみられなかったことが報告されている[15]．また，関節内の潤滑を得るためにヒアルロン酸の注入も試みられてきたが，現時点では治療効果の肯定，否定いずれにも十分なエビデンスは得られていない[16]．また，近年では欧米を中心として多血小板血漿（platelet-rich plasma：PRP）の注入療法がさかんに行われている．PRPを関節腔内に注入することにより，血小板から放出されるTGF-β1やPDGFなどの成長因子が滑膜組織内の線維芽細胞からのヒアルロン酸遊離を促進し[17]，それによって関節軟骨の保護と関節内の潤滑の向上を図る[18]ことを目的とする．本療法に関しては，すでに非ランダム化試験を対象とした複数のメタアナリシスも報告されている．これらのなかには，有意な治療効果はないとするもの[19]も存在するなか，多くの報告において関節の疼痛抑制には効果がある[20-23]とされており，今後の発展が期待される．

（前川賢治）

文　献

1) Matsuka Y, Yatani H, Kuboki T, Yamashita A: Temporomandibular disorders in the adult population of Okayama City, Japan. Cranio 14(2): 158-162, 1996
2) Valesan LF, Da-Cas CD, Réus JC, Denardin ACS, Garanhani RR, Bonotto D, Januzzi E, De Souza BDM: Prevalence of temporomandibular joint disorders: a systematic review and meta-analysis. Clin Oral Investig 25(2): 441-453 2021
3) Richards LC: Degenerative changes in the temporomandibular joint in two Australian aboriginal populations. J Dent Res

67（12）：1529-1533, 1988
4) Kurita K, Westesson PL, Yuasa H, Toyama M, Machida J, Ogi N: Natural course of untreated symptomatic temporomandibular joint disc displacement without reduction. J Dent Res 77（2）：361-365, 1998
5) de Leeuw R, Boering G, Stegenga B, de Bont LG: Clinical signs of TMJ osteoarthrosis and internal derangement 30 years after nonsurgical treatment. J Orofac Pain 8（1）：18-24, 1994
6) Israel HA, Diamond B, Saed-Nejad F, Ratcliffe A: The relationship between parafunctional masticatory activity and arthroscopically diagnosed temporomandibular joint pathology. J Oral Maxillofac Surg 57（9）：1034-1039, 1999.
7) Cevidanes LH, Walker D, Schilling J, Sugai J, Giannobile W, Paniagua B, Benavides E, Zhu H, Marron JS, Jung BT, Baranowski D, Rhodes J, Nackley A, Lim PF, Ludlow JB, Nguyen T, Goncalves JR, Wolford L, Kapila S, Styner M: 3D osteoarthritic changes in TMJ condylar morphology correlates with specific systemic and local biomarkers of disease. Osteoarthritis Cartilage 22（10）：1657-1667, 2014
8) Frenkel B, Abu Shqara F, Rachmiel A: Proinflammatory cytokines levels in patients with temporomandibular joint disorder undergoing arthroscopy. Oral Maxillofac Surg 26（4）：575-580, 2022.
9) Wang XD, Zhang JN, Gan YH, Zhou YH: Current understanding of pathogenesis and treatment of TMJ osteoarthritis. J Dent Res 94（5）：666-673, 2015
10) Delpachitra SN, Dimitroulis G: Osteoarthritis of the temporomandibular joint: a review of aetiology and pathogenesis. Br J Oral Maxillofac Surg 60（4）：387-396, 2022
11) Malliari M, Bakopoulou A, Koidis P: First diagnosis of rheumatoid arthritis in a patient with temporomandibular disorder: a case report. Int J Prosthodont 28（2）：124-126, 2015
12) Mejersjö C, Wenneberg B: Diclofenac sodium and occlusal splint therapy in TMJ osteoarthritis: a randomized controlled trial. J Oral Rehabil 35（10）：729-738, 2008
13) Senye M, Mir CF, Morton S, Thie NM: Topical nonsteroidal anti-inflammatory medications for treatment of temporomandibular joint degenerative pain: a systematic review. J Orofac Pain 26（1）：26-32, 2012
14) Onder ME, Tüz HH, Koçyiğit D, Kişnişci RS: Long-term results of arthrocentesis in degenerative temporomandibular disorders. Oral Surg Oral Med Oral Pathol Oral Radiol Endod 107（1）：e1-5, 2009
15) Huddleston Slater JJ, Vos LM, Stroy LP, Stegenga B: Randomized trial on the effectiveness of dexamethasone in TMJ arthrocentesis. J Dent Res 91（2）：173-178, 2012
16) Guarda-Nardini L, De Almeida AM, Manfredini D: Arthrocentesis of the Temporomandibular Joint: Systematic Review and Clinical Implications of Research Findings. J Oral Facial Pain Headache 35（1）：17-29, 2021
17) Anitua E, Sánchez M, Nurden AT, Zalduendo MM, De La Fuente M, Azofra J, Andía I: Platelet-released growth factors enhance the secretion of hyaluronic acid and induce hepatocyte growth factor production by synovial fibroblasts from arthritic patients. Rheumatology（Oxford）46（12）：1769-1772, 2007
18) Peerbooms JC, Sluimer J, Bruijn DJ, Gosens T: Positive effect of an autologous platelet concentrate in lateral epicondylitis in a double-blind randomized controlled trial: platelet-rich plasma versus corticosteroid injection with a 1-year follow-up. Am J Sports Med 38（2）：255-262, 2010
19) Xie Y, Zhao K, Ye G, Yao X, Yu M, Ouyang H: Effectiveness of intra-articular injections of sodium hyaluronate, corticosteroids, platelet-rich plasma on temporomandibular joint osteoarthritis: A systematic review and network meta-analysis of randomized controlled trials. J Evid Based Dent Pract 22（3）：101720, 2022
20) Haigler MC, Abdulrehman E, Siddappa S, Kishore R, Padilla M, Enciso R: Use of platelet-rich plasma, platelet-rich growth factor with arthrocentesis or arthroscopy to treat temporomandibular joint osteoarthritis: Systematic review with meta-analyses. J Am Dent Assoc 149（11）：940-952.e2, 2018
21) Chung PY, Lin MT, Chang HP: Effectiveness of platelet-rich plasma injection in patients with temporomandibular joint osteoarthritis: a systematic review and meta-analysis of randomized controlled trials. Oral Surg Oral Med Oral Pathol Oral Radiol 127（2）：106-116, 2019
22) Li F, Wu C, Sun H, Zhou Q: Effect of Platelet-Rich Plasma Injections on Pain Reduction in Patients with Temporomandibular Joint Osteoarthrosis: A Meta-Analysis of Randomized Controlled Trials. J Oral Facial Pain Headache 34（2）：149-156, 2020
23) Al-Hamed FS, Hijazi A, Gao Q, Badran Z, Tamimi F: Platelet Concentrate Treatments for Temporomandibular Disorders: A Systematic Review and Meta-analysis. JDR Clin Trans Res 6（2）：174-183, 2021

第5部　口腔顔面痛の治療（各論）

7 三叉神経痛

SBO
Ⅰ．三叉神経痛の診断法を説明できる．
Ⅱ．三叉神経痛の治療法を説明できる．
Ⅲ．他の口腔顔面痛との鑑別点を説明できる．

1）診察

1—診断基準と臨床像

　三叉神経痛は片側の三叉神経枝の支配領域に短時間（通常数秒間）の激烈な電撃様疼痛を生じさせる，発作性の神経障害性疼痛である（表1）．好発部位は第2・3枝またはその両方であり，第1枝に生じるものは4％以下と少ない．有痛性発作はトリガーゾーン（図1）[2]と呼ばれる発作誘発部位への軽度な接触で誘発されるが，自発性に生じることもある．このため，患者は顔面への接触を避け，洗面，髭剃り，歯磨きなどに支障をきたしていることが多い．

2—分類と病態生理

　国際頭痛分類第3版（The International Classification of Headache Disorders, 3rd edition：ICHD-3）[1]は，三叉神経痛を3種類に大別している（表2）．三叉神経痛の9割を占める「典型的三叉神経痛」は，血管（動脈・静脈）が三

表1　三叉神経痛の診断基準（ICHD-3）[1]

A．三叉神経枝の一つ以上の支配領域に生じ，三叉神経領域を超えて広がらない一側性の発作性顔面痛を繰り返し，BとCを満たす
B．痛みは以下のすべての特徴をもつ
　①数分の1秒～2分間持続する
　②激痛
　③電気ショックのような，ズキンとするような，突き刺すような，または，鋭いと表現される痛みの性質
C．障害されている神経支配領域への非侵害刺激により誘発される
D．ほかに最適なICHD-3の診断がない

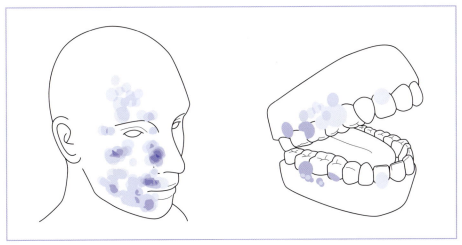

図1 トリガーゾーンの好発部位(Di Stefano, 2018[2])

表2 三叉神経痛の分類(ICHD-3)[1)]

```
13.1.1　三叉神経痛
　　　13.1.1.1　典型的三叉神経痛
　　　　　　13.1.1.1.1　典型的三叉神経痛, 純粋発作性
　　　　　　13.1.1.1.2　持続痛を伴う典型的三叉神経痛
　　　13.1.1.2　二次性三叉神経痛
　　　　　　13.1.1.2.1　多発性硬化症による三叉神経痛
　　　　　　13.1.1.2.2　占拠性病変による三叉神経痛
　　　　　　13.1.1.2.3　その他の原因による三叉神経痛
　　　13.1.1.3　特発性三叉神経痛
　　　　　　13.1.1.3.1　特発性三叉神経痛, 純粋発作性
　　　　　　13.1.1.3.2　持続痛を伴う特発性三叉神経痛
```

叉神経の神経根を圧迫することが原因で生じ，通常50歳以降で発症する(平均発症年齢は55歳[3])．残りの1割は脳腫瘍や多発性硬化症，脳動静脈奇形などの疾患が原因の「二次性三叉神経痛」であり，平均発症年齢は43歳と報告されている[3)]．若年者で三叉神経痛が生じている場合は後者の可能性が高いため，必ず中枢の画像精査を行い，症候性を除外する必要がある(図2)．また，原因が明らかではない「特発性三叉神経痛」も存在する．さらに，電撃様疼痛に加え，持続性疼痛が存在するものもある．

3─前三叉神経痛

　三叉神経痛は前述のようなきわめて特徴的な病像を呈するため，通常診断は容易である．しかしながら，病初期には典型的な症状を示さないこともあり診断に苦慮することがある．これは，三叉神経痛が進行性の疾患であることが原因であり，進行するにつれて特徴的な症状がそろい，最終的には典型像を示すようになることが多い．たとえば，病初期には，「強

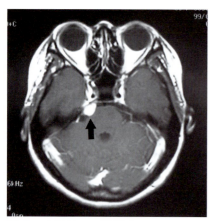

図2　症候性三叉神経痛
髄膜腫による三叉神経根の圧迫が認められる．

表3　典型的三叉神経痛の特徴

1. 好発年齢	50歳以上（平均55歳）
2. 好発部位	三叉神経の第2・3枝
3. 痛みの性状	電撃様・鋭痛
4. 痛みの強度	激烈
5. 痛みの持続時間	瞬間的（秒単位）
6. 特徴	トリガーゾーンが存在する カルバマゼピンが著効する

い痛みではないが，瞬間的な痛みが1日に何度も生じる」「三叉神経痛様の痛みだがトリガーゾーンがない」「30分ほど持続する鈍痛が1日に何回か起こる」などの，非典型的な臨床像であることもある．このようなケースは「前三叉神経痛」と呼称されており，本疾患の18％はこのような形で始まっているという報告がある[4]．

4 ─ 寛解期

病初期には寛解期がみられることがある．たとえば，数週間三叉神経痛様の病像を呈したあとに自然に発作が消失する，あるいはカルバマゼピン（carbamazepine：CBZ）を数日間服用しただけで発作が消失し，治癒してしまったかのようにみえることがある．このような寛解期は数週間から数か月続くこともあるが，通常は徐々に寛解期のない連日性の有痛性発作に移行していく[5]．

2）診断

三叉神経痛の診断は，おもに症候にもとづいて行われるため，問診がきわめて重要である．典型的三叉神経痛では**表3**の1．〜5．の症状が揃うが，特にトリガーゾーンで有痛性発作が再現でき，さらにカルバマゼピンが著効する場合は，ほぼ確実であると考えてよい．なお，発作直後には痛みを誘発できない不応期が存在する．しかし，重症例の場合は，連続して発作が生じる発作重積の状態に陥ることもある．この場合は，患者が「持続性の痛み」と表現することがあるため，問診で短い発作の連続であることを確認する必要がある．

MRIによる画像診断は二つの理由で必要である．第一に，二次性の三叉神経痛を鑑別するためで，全例に全脳のMRI・CTなどの画像検査を行う必要がある．第二に，典型的三叉神経痛の場合は圧迫血管の有無を同定するためである．ただし，典型的三叉神経痛の場合の

画像は補助的診断法として位置づけられる[3]．臨床的特徴が揃わないにもかかわらず，血管が三叉神経に近接あるいは接触しているというMRI画像の情報を過剰に重視して本疾患と診断すると，偽陽性のリスクが高くなり診断を誤ることがあるからである．小脳橋角部の撮像としては，1.5または3テスラMRIによるCISS（constructive interference in the steady state）法やFIESTA（fast imaging employing steady-state acquisition）法が有効である[3]．全脳と小脳橋角部の撮像は，MRIのシーケンスの組み合わせで一度の検査で行うことが可能である．

3）治療

三叉神経痛の治療は，薬物療法と外科療法に大別される．初期には，ほとんどの症例でCBZなどの抗てんかん薬による薬物療法が有効であるため，治療の第一選択はCBZによる薬物療法である．しかし，有害作用で服用できなかったり，経年的に薬物が奏効しにくくなった場合には外科療法の適応となる．

1 ― 薬物療法

CBZは有害作用が多い薬であり，悪心，めまい，ふらつきなどが生じるため，100 mg/日（就寝前）より開始し，至適効果が得られるまで漸増する．三叉神経痛に対するCBZの1日最大用量は800 mgである．典型的三叉神経痛に対するCBZの奏効率は70〜80％であるが，奏効するケースでは，服用して24時間以内に73％で，48時間以内では90％以上で鎮痛が得られる[5]．投与開始時の血中半減期は36時間と長いため，1日1回の内服でよい．しかしながら，長期間服用すると肝の酵素誘導が生じ，半減期が短縮するため，複数回の服用が必要となる．CBZで疼痛緩和が得られる期間は平均で5〜6年で，10年以上効果が持続するのは40〜56％のみである[6,7]．CBZ単独では痛みのコントロールが不十分である場合は，プレガバリンやバクロフェンなどを追加することで効果増強が期待できる．

特に注意すべき有害作用として，薬疹と骨髄抑制が挙げられる．薬疹は内服開始初期に10〜15％の患者で発現する[8]．なかにはStevens-Johnson症候群などの重症薬疹を引き起こし生命を脅かす場合もあるため，すみやかに皮膚科に診断と治療を依頼する必要がある．薬疹でCBZが使用できない場合には，構造式が異なるラモトリギン（適応外）などの他の抗てんかん薬や，プレガバリンなどに切り替えると有効なことがある[3,9]．骨髄抑制では，服用2週ほどで血小板や白血球が著明に減少することがあるため，必ず血液検査を行う必要がある．投薬が長期にわたる場合には，連用による肝機能障害などが生じる可能性があるため，定期的な血液検査を行って，薬の血中濃度や肝機能をモニタリングしていく必要がある．

個人差はあるが，CBZは400 mg/日を超える頃からがふらつきが強く出て，高齢者では転倒することがあるため注意が必要である．また上記のような理由で薬物療法に耐えられな

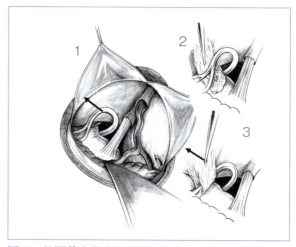

図3 後頭蓋窩微小血管減圧術（MVD）
（福島孝徳：後頭蓋窩微小血管減圧術．菊地晴彦編，脳神経マイクロサージャリー，医学書院，東京，263-264，1988[10]）
圧迫血管を神経から引き離し，硬膜に固定する．

い，または効果が不十分となった場合には，外科療法に切り替えることを考慮する．

2 ─ 外科療法

① 神経ブロック療法

三叉神経を，中枢側の三叉神経節〜末梢側の1〜3枝のいずれかの部位で，局所麻酔薬または神経破壊薬・高周波熱凝固により神経伝導を遮断し疼痛を軽減する方法である[3]．当該神経領域の感覚脱失が生じるが，低侵襲であるため，高齢者や基礎疾患があり全身麻酔による手術に耐えられない患者が適応である．

② 後頭蓋窩微小血管減圧術（MVD：microvascular decompression）

開頭して，神経根を圧迫している血管にフッ素樹脂製の薄帯（テフロンフェルト）を巻き付けて引き離し，硬膜にフィブリン糊で固定する方法である[3,10]（**図3**）．健康で長い生命予後が期待される患者には適応である．根治療法であるため，成功すればほとんど後遺症がなく三叉神経痛が完治し，再発の可能性も低い．しかしながら，きわめてテクニック・センシティブな手術であるため，結果は執刀する外科医の技量に大きく左右される．最も多い合併症は，患側の顔面神経麻痺や聴覚低下・喪失であるが，死亡例（0.1〜1％）も報告されている．MRIで明らかな責任血管が認められない特発性三叉神経痛の場合も，三叉神経の神経線維束に縦切開を加えて分離するnerve combing法（internal neurolysis法）や，くも膜の癒着の剝離などにより改善することがあるため，脳神経外科医に意見を求めてみるとよい[3]．

③定位放射線治療

　ガンマナイフが代表的で，低侵襲ではあるが，放射線による三叉神経障害（持続性疼痛）などの合併症が少なくなく，効果持続期間も不詳である[3]．第一選択ではなく，高齢者や併存症がありMVDが施行できない場合などの適応であると考えるべきである

（井川雅子）

文　献

1) 日本頭痛学会・国際頭痛分類委員会：国際頭痛分類第3版．医学書院，東京，2018
2) Di Stefano G, Maarbjerg S, Nurmikko T, Truini A, Cruccu G: Triggering trigeminal neuralgia.Cephalalgia 38(6)：1049-1056, 2018
3) 日本神経治療学会：標準的神経治療：三叉神経痛．神経治療 38(5)，2021
4) Fromm GH, Graff-Radford SB. Terrence CF, Sweet WH: Pre-trigeminal neuralgia. Neurology 40(10)：1493-1495, 1990
5) Araya EI, Claudino RF, Piovesan EJ, Chichorro JG: Trigeminal Neuralgia: Basic and Clinical Aspects. Curr Neuropharmacol 18(2)：109-119, 2020
6) Rasmussen P, Riishede J: Facial pain treated with carbamazepin (Tegretol). Acta Neurol Scand 46(4)：385-408, 1970
7) Taylor JC, Brauer S, Espir ML: Long-term treatment of trigeminal neuralgia with carbamazepine. Postgrad Med J 57(663)：16-18, 1981
8) Kaplan HI, SadockBJ, 神庭重信監修，山田和男，黒木俊秀監訳：カプラン精神医学ハンドブック．第5版，メディカルサイエンスインターナショナル，東京，93-101，2014
9) Bendtsen L, Zakrzewska JM, Abbott J, et. al.：European Academy of Neurology guideline on trigeminal neuralgia. Eur J Neurol 26: 831-849, 2019
10) 福島孝徳：後頭蓋窩微小血管減圧術．菊地晴彦編，脳神経マイクロサージャリー，医学書院，東京，263-264，1988

第5部 口腔顔面痛の治療（各論）

8 帯状疱疹後神経痛

SBO
Ⅰ．帯状疱疹後神経痛の特徴を理解し，正しく評価できる．
Ⅱ．帯状疱疹後神経痛の治療法を説明できる．

1) 帯状疱疹とは

帯状疱疹(herpes zoster：HZ)とは，水痘罹患後に感覚神経節に潜伏感染していた水痘・帯状疱疹ウイルス(varicella zoster virus：VZV)の再活性化によって起こる疾患である．潜伏神経節の支配領域に一致して有痛性発疹が出現する．皮疹は通常は数週間で治癒するが，その後も難治性の合併症を引き起こす．帯状疱疹後神経痛(postherpetic neuralgia：PHN)は，その最も頻度の高い合併症である．

2) 発症機序

VZV は幼少期に初感染し，水痘(水ぼうそう)として出現する．初感染のあとに脊髄後根神経節，三叉神経節(ガッセル神経節，半月神経節)や顔面神経節(膝神経節)に長期間無症状に潜伏する．宿主の VZV に対する特異的細胞性免疫が低下したときに，ウイルスが再活性化して HZ を発症する(図1〜3)．

日本の HZ の年間発症率は 1,000 人あたり 4.15 で，50 歳以上となると 5.23〜7.84 である．おもな危険因子は 50 歳以上の加齢であり，抗がん剤使用，白血病や臓器移植後などの免疫不全状態，糖尿病などが発症リスクを高める．

HZ の皮膚症状は数週間から数か月で治癒する．しかし，その後もひりひりした痛みが継続することがある．触った刺激(非侵害性刺激)に対して痛みを感じるアロディニア(allodynia)や，侵襲的な刺激(侵害性刺激)に対して痛みをより強く感じる痛覚過敏(hyperalgesia)などの神経障害性疼痛が生じる．急性期の神経炎による神経損傷が原因で生じる神経障害性痛で，これをPHN と呼ぶ．PHN へは 60 歳台以上では 10〜25％ が移行する．皮疹の重症度，前駆痛，年齢，眼合併症などが PHN の危険因子といわれている．

急性期の HZ から慢性的な末梢神経や中枢神経の障害と二次的な感作の結

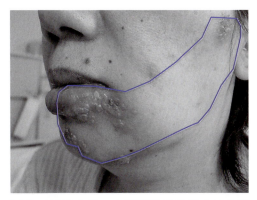

図1　52歳女性．左側三叉神経第3枝の帯状疱疹

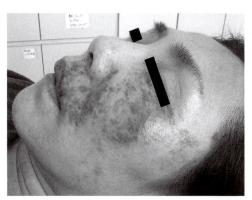

図2　58歳女性．左側三叉神経第2枝の帯状疱疹

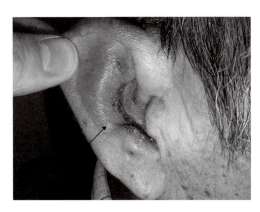

図3　Ramsay-Hunt症候群の耳甲介周辺に水疱

耳甲介周辺に水疱形成する顔面神経麻痺はRamsay-Hunt症候群と呼ばれ，VZVに由来する．末梢性顔面神経麻痺の多くはHZウイルスに由来するといわれている．予後不良が多く，顔面神経麻痺は発症時に患側下顎部に痛みが先行してその後顔面神経麻痺症状を生じることが多い．歯科疾患と混同してしまい，トラブルにつながることもしばしばある．

果，難治性の神経障害性疼痛であるPHNに進展する．皮疹出現から90日以上経過した痛みとして定義されることが多いが，PHNの明確な定義はなく，発症初期からPHNのような痛みを生じる場合もある．急性期HZから慢性化したPHNまでを帯状疱疹関連痛(zoster associated pain：ZAP)と呼ぶこともある．

3) 病態生理

　HZからPHNの明確な定義がないため，ここでは，①「急性期：発症1か月未満(神経炎の痛み)」と②「亜急性〜慢性期：発症3〜6か月以上(神経障害性疼痛)」とに分ける．

1―急性期：発症1か月未満(神経炎の痛み)

　再活性化したVZVは感覚神経線維を介して支配領域の皮膚に達する．通常，片側の特徴的な紅斑，皮疹を形成し，皮疹形成の2〜3日前からひりひりした痛みが生じる．この時期はウイルスによる神経炎の痛みと，皮疹部の炎症による痛みの侵害受容性疼痛である．

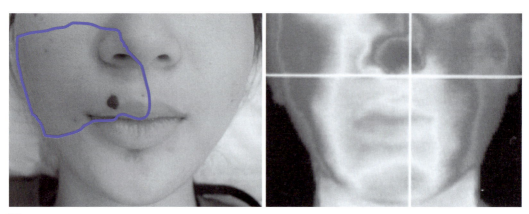

図4 Zoster sine herpete
16歳女性．右上顎の激痛を主訴に受診．口腔内にはカリエスはなく，治療歴もない．右側三叉神経第2枝に強い自発痛とアロディニアを認めた．サーモグラフィでは同部位の表面温度の上昇を認め，星状神経節ブロックで痛みは激減した．

まれに水疱形成を伴わない zoster sine herpete がある（図4）．痛みだけでは診断に苦慮する．症状は，水疱を伴わないほかは HZ に準じた臨床像である．

2—亜急性〜慢性期：発症3〜6か月以上（神経障害性疼痛）

PHN の90％以上に疼痛部位の感覚低下（hypoesthesia）を認める．また，神経障害性疼痛様症状を伴う．遷延しやすくて神経障害性疼痛へと発展する．特に急性期の高度の感覚低下や多彩な神経症状は高度な神経損傷を示し，PHN へ移行することが多い．

4）診 断

HZ では罹患した神経走行に一致した部位の紅斑と水疱形成が特徴的で，最も理解しやすく診断につながる臨床所見といえる．客観的な検査では水疱内浸出液の PCR 検査は感度95％，特異度99％と高い診断精度である．近年は皮疹・潰瘍のぬぐい液を検体として比較的に簡便に VZV 抗原を検出するキットも市販されている．

一般的には血中抗体検査が行われているが，抗体価上昇のタイミングがウイルス活性や臨床症状と一致していないこと，HZ は細胞性免疫であるため，一度抗体価が高まると数年にわたり維持されることから，抗体価が高いから HZ，PHN だとはいえないところもある．

皮膚症状が消失した PHN や，皮疹を伴わない無症候性の zoster sine herpete では外見上からはわからない．数か月前の口内炎が実は HZ で，しばらく経って痛みが生じるようになった症例をしばしば経験する．したがって，HZ のエピソードの有無，神経走行に一致した部位の客観的な神経損傷を疑う所見を定性的，定量的感覚検査で調べることが重要である．

鼻背部，鼻尖部に生じる HZ は特に注意が必要である．これは角膜を支配する鼻毛様体神

経が侵された場合を示す所見で特に眼合併症を起こす確率が高くなる．したがって，眼科を併診する．

5）治 療

1 ― 急性期：発症1か月以内

急性期は神経炎の疼痛軽減に加え，PHNへの移行の抑制をはかる．さらに時期によって痛みが変化するため注意深く観察しながら適切に治療していく．

① 薬物療法

(1) 抗ウイルス薬

HZに対して，水疱発症から72時間以内の抗ウイルス薬投与が皮疹の治癒と急性痛の軽減を促進する．現在日本においてHZに対して使用される抗ウイルス薬は，アシクロビル，ファムシクロビル，バラシクロビルおよびアメナメビルである．

ファムシクロビルはペンシクロビルの，バラシクロビルはアシクロビルのプロドラッグである．いずれも生物学的利用率がアシクロビルより高い．アシクロビル，ファムシクロビル，バラシクロビルは腎機能障害患者や高齢者では，副作用が現れやすいとされる．一方，アメナメビルは水痘・帯状疱疹ウイルスのヘリカーゼ・プライマーゼ活性を抑制することでDNA複製を阻害する．腎機能低下による用量調節の必要がなく，1日1回の服用でよいため，アメナメビルは服薬コンプライアンスの低い患者，腎機能障害患者に使用しやすいと考えられる．

(2) 神経障害性疼痛に対する薬物

プレガバリン，ガバペンチン，ミロガバリンやアミトリプチリンの三環系抗うつ薬：発症初期の神経障害性疼痛の成分を抑制する．

(3) その他

消炎鎮痛薬，アセトアミノフェン，トラマドール，ノイロトロピン：神経炎による侵害受容性疼痛であるため通常のNSAIDsやノイロトロピンが効果的である．

② 交感神経ブロック

急性期の交感神経ブロック（星状神経節ブロック）は神経炎を抑え，変性を予防する結果，神経障害性疼痛への移行を抑制する可能性がある．

③ その他

光線療法，イオントフォレーシス，鍼灸，東洋医学．

2 ― 亜急性〜慢性期：発症3〜6か月以上

急性期から亜急性では，炎症による侵害受容性疼痛と神経障害性疼痛が混在する．慢性

期では薬物療法を中心に行う．神経ブロックは有効でないことが多い．

① 薬物療法

(1) 神経障害性疼痛に対する薬物

　PHN には，プレガバリン，ガバペンチン，ミロガバリンやアミトリプチリン，イミプラミンの三環系抗うつ薬が効果的である．

　プレガバリン，ガバペンチンは用量依存的に有用性を示す．一方副作用（傾眠や軽度のめまい）の発生率も高くなる．腎機能障害患者では用法・用量に注意する．プレガバリンの PHN に対するプレガバリン 150 mg，300 mg，600 mg で NNT＝8.3，5.1，3.9 であった．ガバペンチンでは 1,200〜3,600 mg で NNT＝6.9 であった．ミロガバリンは国内で開発された新しい薬剤でプレガバリン，ガバペンチンに比較して傾眠や軽度のめまい副作用が少ないといわれている．

(2) 局所麻酔薬

　リドカイン軟膏．

(3) 麻薬，ノイロトロピンなど

② その他

　光線療法，イオントフォレーシス，鍼灸，東洋医学がある．慢性期には認知行動療法も有効である．時期だけで判断して治療を行うのではなく，それぞれの症例の病態に基づいた治療法の選択が必要である．

6) 予 防

　VZV に対する生ワクチンおよびサブユニットワクチンが開発され，日本でも 2016 年に生ワクチンが，2018 年にサブユニットワクチンが帯状疱疹予防のために認められた．どちらも重篤な副作用は少なく，HZ 発症および HZ 発症後の PHN 移行を抑制する．生ワクチンは VZV ウイルスを弱毒化したもので接種は 1 回で予防効果は 50〜60％で，経時的に低下し有効期間は約 5 年である．サブユニットワクチンは，接種が 2 回必要である．予防効果は 80〜90％と高く，有効期間は約 10 年とされているがはっきりとはわかっていない．

　このように，サブユニットワクチンのほうが生ワクチンより有用性が高く，免疫不全患者にも接種可能である．

（坂本英治）

文献

1) Thyregod HG, Rowbotham MC, Peters M, Possehn J, Berro M, Petersen KL: Natural history of pain following herpes zoster. Pain 128(1-2): 148-156, 2007
2) 神谷 齊, 浅野喜造, 白木公康, 中野貴司, 比嘉和夫：帯状疱疹とその予防に関する考察. 感染症誌 84: 694-701, 2010
3) Oxman MN, et al: Shingles Prevention Study Group: A vaccine to prevent herpes zoster and postherpetic neuralgia in older adults. N Engl J Med 352: 2271-2284 2005
4) 田島圭子, 井関雅子, 稲田英一, 宮崎東洋：帯状疱疹後神経痛に対する早期神経ブロックの有効性と予後因子の検討. 麻酔 58: 153-159, 2009
5) Dubinsky RM, Kabbani H, El-Chami Z, Boutwell C, Ali H: Practice parameter: Treatment of postherpetic neuralgia An evidence-based report of the Quality Standards Subcommittee of the American Academy of Neurology. Neurology 63: 959-965, 2004
6) 慢性疼痛診療ガイドライン作成ワーキンググループ編：帯状疱疹関連痛. 慢性疼痛診療ガイドライン, 真興交易医書出版部, 東京, 2021

9 外傷性神経障害

第5部 口腔顔面痛の治療(各論)

SBO
Ⅰ．外傷性神経障害の発症機序と評価について説明できる．
Ⅱ．外傷性神経障害の治療と予後について説明できる．

1) はじめに

　三叉神経領域に生じる外傷性神経障害は，脳挫傷等による中枢性神経障害の結果として三叉神経領域に症状を呈する場合や，抜歯などの末梢での外科手術等によって直接的外傷で生じる末梢性神経障害がある．日常臨床でよく遭遇し最も問題になるのは，末梢神経の損傷により生じる，痛みを伴う神経障害性疼痛である．そのため本項の後半では，三叉神経領域の外傷性の末梢性神経障害疼痛を中心とした臨床的アプローチについて解説する．

2) 発症機序

　WHOによる国際疾病分類11版(ICD-11)[1]では有痛性脳神経ニューロパチー，他の顔面痛(8A85)に含まれる．さらに国際頭痛分類第3版[2]では，より明確に位置付けられており，外傷後有痛性三叉神経ニューロパチー(13.1.2.3)にあたる．2020年には国際口腔顔面痛分類第1版(International Classification of Orofacial Pain, 1st edition：ICOP)も出版されており，そこでは外傷後三叉神経障害性疼痛(Post-Traumatic Trigeminal Neuropathic Pain：以下PTNP)と分類されている．2023年現在では，ICOPによる分類が最新のため，PTNPの用語で解説する．

　神経障害からPTNPを引き起こす可能性としては，疾患によって差がある．2010年の英国における報告では，舌神経損傷の発生率は変わらないが，インプラント，根管治療による下歯槽神経損傷の発生率が増加傾向であった[3]．2022年のPTNPに関するレビュー論文では，下顎智歯抜歯後で3.6％，顔面骨折で3.3％，インプラント治療後で8％未満，非外科的歯内療法で3〜13％，外科的歯内療法で5％とされている[5]．神経障害のリスクファクターとしては，損傷程度，年齢，時間の経過，神経細胞体との距離等に関連する

表 1　外傷性神経障害の原因(Renton, 2013[11])

① 直接的な機械的外傷(裂傷，切断，圧壊，伸展，など)
② 外傷由来の細胞内物質によって引き起こされる神経の化学的損傷やヘモグロビンによる神経組織刺激
③ (骨内神経においては)持続出血や瘢痕形成による虚血性外傷

といわれている[6]．神経損傷が生じたのち，その病態は時間経過とともに化学的(受容体やチャネル，ケモカインなど)あるいは神経やグリア細胞の機能変化を伴って末梢から中枢システムへと移行すると考えられている[7](第1部，第2部参照)．

外傷・処置に伴う神経損傷にはいくつかの特徴がある．
①神経損傷による症状は複雑である(例：複合性局所疼痛症候群(CRPS))．
②神経損傷による感覚障害がどのような経過をたどるか予期できない．
③下歯槽神経などの硬組織内の神経の損傷では，閉鎖創のなかで神経損傷が生じるために，神経切断が明らかな場合以外，即時の対応ができず，自然寛解を待つことになる．

神経損傷の解剖学的分類が複雑であることは，1940年代にSeddonとSunderlandによって報告されているが[8,9]，解剖学的な損傷分類と臨床症状には関連性がなく，神経損傷を生じると知覚鈍麻から過敏症状までさまざまな症状を引き起こしてしまう．神経への外傷は単なる機械的外傷だけにとどまらず，化学的外傷と虚血性外傷による合併症状を引き起こすと考えられている(表1，図1)．歯科の現場においては，次のような状況で生じる可能性があることを念頭に置く必要がある．

1 ─ 処置に伴う神経損傷

前述のように，外科的処置において損傷報告の多い神経は下歯槽神経である．特に智歯抜歯は，比較的頻度の高い処置であることから，トラブル報告も多い．下歯槽神経の損傷は永久的な感覚障害になることがあり，外科処置で治療できる可能性は低いと考えられている．発症率は術後1週間で1～5％，3か月で0～0.9％で[10]，処置に際して，神経に接触する歯根の残存や下歯槽管の損傷が明らかな場合には，2～3週以内に損傷部の画像や感覚の検査を行うべきとされる[11]．

さらに近年問題になっているのが歯科用インプラントによる下歯槽神経損傷である．日本で2015年からの3年間に生じたインプラント手術関連のトラブルをまとめた報告書[12]では，全360件中，下歯槽神経損傷が19.8％，オトガイ神経損傷が6.9％，舌神経損傷が0.4％であった．経過として悪化例はなかったとされるが，不変だった割合は，下歯槽神経・オトガイ神経ともおよそ半数であった．また海外報告でもインプラントに関連した下歯槽神経損傷の4年以上経過例では回復の報告例はほとんどない[13]．神経損傷後3か月を過ぎると神経系に永久的な可塑的変化が生じ，外科的修復に反応しなくなると考えられる[14]ことから，発

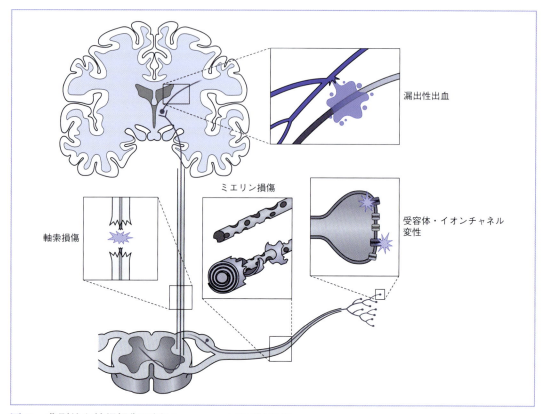

図1　典型的な神経損傷の例(Finnerup, et al, 2021[20])を改変)
末梢の受容器レベルでは，遺伝子変異が受容器とイオンチャネルの変性を招き，神経障害性疼痛を引き起こすことがある．また，末梢神経では，神経全体あるいは軸索やミエリンを選択的に損傷するタイプの神経障害がある．中枢神経系においては，脳幹，視床などにおける漏出性出血，多発性硬化症のような病変が，三叉神経領域に症状を引き起こすこともある．

症後すぐに専門医への紹介が望ましい．

2 ― 注射針による神経損傷：麻酔操作

　針刺し操作による神経損傷でよく知られるものは，採血時の内側前腕皮神経損傷である．なかにはCRPSを発症することもあり，外科的介入とは異なる軽微な侵襲であることから，医療訴訟などの問題に発展することも多い．それと同様に，歯科による麻酔操作でも神経損傷を起こすリスクがある．

　下顎孔伝達麻酔による下歯槽神経，舌神経損傷の発症頻度はまれであり，使用する麻酔薬により発症率が変わるという報告もある[15]．損傷機序は複雑で，物理的・化学的損傷などにより，神経周囲，神経鞘，神経内傷害による出血，炎症，痂皮形成が生じ，その結果として脱髄が生じる[16]．神経損傷の81％は2週間以内に回復するといわれている[15]．伝達麻酔では針先による直接的な損傷が注目されるが，伝達麻酔中に電気ショック様の感覚があった

のは 1.3〜8.6％のみであり，永久的感覚障害が生じた患者のなかで 57％は麻酔中に異常感覚を感じていない．したがって，神経損傷で電気ショック様の感覚が必ず生じるわけではないことに注意しなければならない[11]．

3) 病態生理

　神経の損傷において生じる脱髄とは，外傷により髄鞘が傷害された状態である．神経線維が損傷し軸索が切断されると，損傷した箇所の末梢側では細胞から栄養が供給されなくなるため，2〜3 日で変性（Waller 変性）を起こす．末梢神経損傷が生じると，感覚信号の伝導が妨げられることによって知覚鈍麻，感覚脱失などの negative（陰性）症状が出る．これは Aβ 線維の反応であるため，末梢神経伝導速度の検査を行うと，伝導速度が遅延する結果となる．さらに，損傷した神経線維が回復する過程でさまざまなメカニズムにより神経障害性疼痛を代表とする positive（陽性）症状が現れてくる．この際には，Aδ や C 線維の機能障害が関係するため，必ずしも末梢神経伝導速度検査による異常がでるとは限らない．そのため，患者の訴える異常と検査値が一致せず，詐病やヒステリーとされるケースも少なくない．したがって，PTNP の診断においては，通常の神経学的検査に加えて，多面的な評価を行っていく必要がある（後述）．

1 ― 損傷した神経の回復

　損傷した神経の修復の過程のなかで，損傷部に異所性発火を生じて痛みを発生させることがある．

① 脱髄後の回復

　まず，脱髄部での活動電位を伝導しやすくするために軸索が細く変形する．次に Na チャネルが軸索流により脱髄部に運ばれ，Na チャネルの密度が高まり，伝導性が高まり，伝導は回復する．脱髄の程度により，数日から 3〜4 か月で臨床的にはほぼ回復し，この過程では痛みが問題となることは少ない．

② 切断された軸索の回復

　末梢神経の軸索が切断されると，神経伝導がほぼブロックされて，感覚神経では感覚が低下あるいは消失する．軸索損傷が起こっても周囲組織の連続性が保たれていれば，傍側神経支配や軸索再生によりゆっくり回復し，神経生理学的には完全な回復は認められないが，臨床的には満足できる程度まで回復する．神経の再生過程で再生部の先端は無髄であり，刺激に反応しやすい．そのため，Tinel 徴候と呼ばれる軽い打診（タッピング）によるチクチクする痛み，またはビリビリ感が生じる．

③ 断裂した神経の回復

　神経は切断した枝のように，損傷神経の中枢断端から，新たな芽が出るように再生して

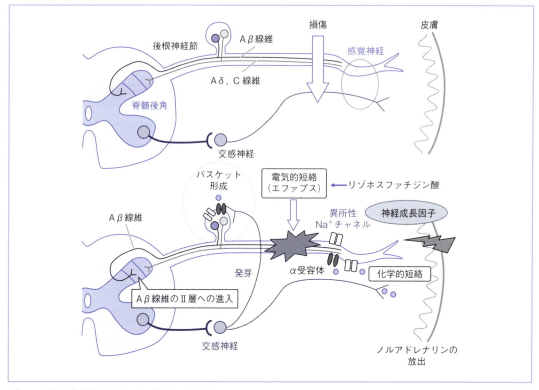

図2 神経障害性疼痛の末梢性発生機序(小川,2010[17])
末梢で神経損傷が生じると,異所性Naチャネルが発現し,発火が生じやすくなる.また,α受容体も発現し,交感神経から遊離したノルアドレナリンの結合により痛みが生じる.さらにエファプス伝達により,アロディニアなどの感覚異常が発生する.

くる.そのため,これを神経スプラウト(発芽)と呼ぶ.外傷による神経損傷のうち,軸索が大きく断裂または裂離し,周囲組織の圧挫損傷を伴う場合は,臨床的には神経断裂と同義であり,回復が非常に困難になる.すなわち完全断裂ではないとしても,神経内膜は損傷していることが多く,完全断裂と変わらない神経回復を期待しなければならないからである.さらに損傷軸索の断端で神経内膜の連続性が保たれていない場合(特に挫滅創)には,結合組織性の肉芽組織や瘢痕組織が損傷部に入り込むため,さらに回復を阻害することとなる.また,回復過程で生じるスプラウトは,結果的に神経腫を生じる.神経腫のなかではNaチャネルの増加,ノルアドレナリンに対する反応性の出現等が生じることから,最終的にPTNPとなってしまう.

2 ― 末梢神経損傷による神経障害性疼痛の発生機序(図2)[17]

① Naチャネル

軸索内Naチャネルの半減期は,約1〜3日とされる.軸索変性が生じたあとも,神経細胞内ではNaチャネルがつくられる.その量は,本来の軸索全長分であり,軸索流によって

断端まで送られる．したがって，余剰分はスプラウトや成長円錐と呼ばれる神経再生構造物の細胞膜に取り込まれ，チャネル密度が高まる．その結果，再生中の末梢神経線維のスプラウトや神経腫は刺激がないのに興奮する．また，スプラウトの細胞膜には機械刺激受容体タンパク質が組み込まれ，非侵害機械的刺激により電位依存性 Na チャネルが開き，活動電位が発生する．また，炎症による閾値の低下，自発発火しやすいタイプの Na チャネルが生じることもあり，これらが PTNP の原因となる．

② 侵害受容線維（神経腫）の異所性ノルアドレナリン受容体出現

通常，侵害受容線維にノルアドレナリン受容体は存在しない．しかし，神経損傷後に生じる再生線維や神経腫ではノルアドレナリンが作用する異所性 α 受容体が現れる．生体各所に分布する交感神経活性が高まるとノルアドレナリンが放出されるが，その作用により痛みが生じる．

③ 異種神経線維間のエファプス形成

神経は，機能の異なる線維の束で構成されている．通常，各神経線維は絶縁されており，異種線維が混在していても活動信号が他種線維に影響することはない．しかし，脱髄部や神経損傷後の再生過程においては，1本の神経線維の興奮が他の神経線維に伝わるエファプス伝達（ephaptic transmission）の現象がみられる（p.54 参照）[18]．そのため，Aβ 線維（触・圧覚線維）による活動電位が，Aδ や C 線維（痛覚線維）にエファプス伝達されるとアロディニアが生じる．また，交感神経遠心性線維と求心性線維との間にエファプス伝達が形成されると，交感神経の反応で何らかの感覚異常が生じる．エファプス伝達は直接の電気的短絡と化学物質を介した伝達が考えられている．

4）診察・検査と診断

三叉神経に外傷性神経障害が生じると末梢神経の感覚伝導路が障害され，歯肉，粘膜，皮膚への入力を正常に知覚できなくなり，陽性症状（アロディニアなど）や陰性症状（感覚鈍麻など）が生じる．その症状の把握のためには，歯肉，粘膜，皮膚での表在感覚を検査する必要がある．感覚検査の目的は，知覚鈍麻，知覚過敏，感覚異常〈無刺激で痛みやしびれ（ピリピリとした痛み，触圧覚鈍麻）〉の有無を定性・定量的に評価することである．さらに中枢神経系の関与を疑う場合には，温痛覚や複合感覚などの感覚障害まで診査を広げて行う必要がある．これにより，原疾患ならびに痛みの感作（末梢・中枢）（第1部6章参照）について総合的に評価していく．

1―定性的感覚検査（Qualitative Sensory Testing：QualST）

三叉神経の1～3枝，それぞれの領域間の差，左右差，近位部と遠位部の差に着目し，感覚異常の部位を異常があるかないかを評価する．その結果と，しびれ（ピリピリとした痛み，

表 2　感覚検査法(Cruccu, et al, 2010[19])を改変)

感覚の種類	神経線維	定性的感覚検査(QualST)	定量的感覚検査(QST)
触覚	Aβ	綿棒，筆	Semmes-Weinstein Monofilaments (von Frey テスト)
振動覚	Aβ	音叉(128Hz)	振動覚計
2点識別覚	Aβ	ディバイダー	ディスクリミネーター
痛覚	Aδ	爪楊枝	痛覚計
冷覚	Aδ，C	冷水(10℃)	冷温痛覚計
温覚	C	温水(40〜45℃)	冷温痛覚計

触圧覚鈍麻)・自発痛などの自覚症状とを合わせて判断する．

　触覚の検査には，こよりや綿棒などディスポーザブルなものを用いる．検査では，患者に閉眼させ，できるだけ軽く，なでるように刺激する．痛覚検査では，爪楊枝を用いる．触刺激と異なり，痛覚を刺激しなければならないので，痛みを感じるであろう強さでつつく必要がある．

2 ― 定量的感覚検査(Quantitative Sensory Testing：QST)

　基本的な評価方法は QualST と同様であるが，定量的に(数値化して)評価することで病態水準(重症度)を把握することができるため，初診時や発症時の評価のみならず，損傷神経の回復状況を経時的に評価することができる．用いられる刺激の種類としては大きく機械刺激・温度刺激・電気刺激の三つに分けられる．それらの刺激を，触・圧覚(Aβ線維)と温痛覚(Aδ・C線維)のそれぞれで使い分けて実施する(表 2)[19]．

　QST には静的 QST と動的 QST があり，Semmes-Weinstein Monofilament を用いた精密触覚機能検査や 2 点弁別閾値，温度閾値，温度痛覚閾値などは静的 QST にあたる．

　一方で痛覚神経機能を簡易的に評価するために用いられるのが，動的 QST である．代表的な評価としては，時間的加重(temporal summation：TS)や残感覚(aftersensation：AF)，条件付き痛覚調節(conditioned pain modulation：CPM)といった方法がある．TS と AF は脊髄後角の広作動域ニューロン(wide dynamic range neuron)で生じる wind-up 現象を反映しているとされ，CPM は下行性疼痛抑制系の反応を捉えているとされる[20]．これらの検査を用いた研究では，術後の神経障害性疼痛発症予測や，薬剤選択に寄与するといった報告がある[21]．

3 ― 神経障害性疼痛の診断方法

　神経障害性疼痛の診断には単一の客観的指標がないため，通常，患者の臨床症状(表 3)[22, 24]と検査所見から総合的に診断する．国際疼痛学会(IASP)では，神経障害性疼痛の診断アル

表3 神経障害性疼痛と侵害受容性（炎症性）疼痛の特徴の相違点
(Jensen, 2008[22], 日本ペインクリニック学会，2016/2019[24])

		神経障害性疼痛	侵害受容性疼痛（炎症性疼痛）
陽性症状/徴候	障害部位の自発痛	あり	あり
	侵害温熱刺激に対する痛覚過敏	稀にある	頻度が高い
	冷刺激に対するアロディニア	頻度が高い	稀にある
	圧刺激に対する感覚閾値の増加と痛覚過敏	しばしばある	基本的にない
	体性感覚刺激の後に，その刺激感が続くこと	しばしばある	稀にある
	特徴的な自覚症状	発作痛，灼熱痛	ズキズキする痛み
	傷害部位よりも拡がる痛み	基本的にない	基本的にない
陰性症状/徴候	傷害神経領域の感覚障害	あり	なし
	傷害神経領域の運動障害	しばしばある	なし

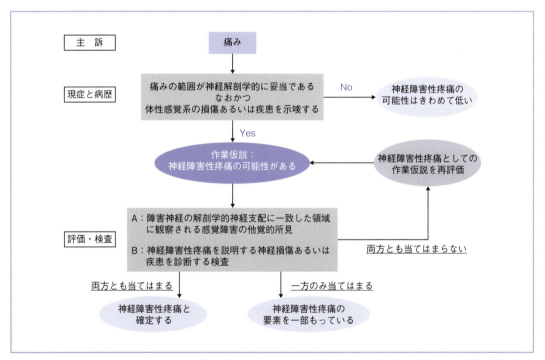

図3 神経障害性疼痛診断のアルゴリズム (Treede, et al. 2008[23], 日本ペインクリニック学会，2016/2019[24])

ゴリズム（図3）を提案している[23,24]．神経損傷の判定は困難なケースもあり，確定診断に時間を要することがある．しかしながら，これまで述べたように，損傷後早期の介入が望ましい．そのため，可及的に早い段階で治療介入を推進するため，第一段階の「現症と病歴」で神経障害性疼痛の可能性がある場合，「評価・検査」で「A」「B」のいずれか一方が当てはまる場合には，神経障害性疼痛の要素があることを認め，すぐに治療を開始することが推奨さ

れている.

A，Bともに満たさない場合には，神経障害性疼痛であるという作業仮説そのものを見直し，他に妥当な病態を検索しつつ，診療の経過のなかで再び，神経障害性疼痛を疑い作業仮説を繰り返すことが推奨されている．

5) 治療

1 ― 基本的対応

神経損傷が生じた際，その病態レベルは判断が難しいことから，早期の外科処置は行うべきでない．しかし，完全切断，重度の損傷が疑われる場合には，患者に状況を説明し，熟練した口腔外科医による診査，修復手術を検討することを説明する必要がある．

最近の研究によると，完全切断例で3か月以内に専門医が修復手術をした場合，神経機能が回復した例が報告されているが，基本的に完全に正常な機能に回復することは期待できない．3か月経過して症状改善がない場合には正常機能への回復は困難とされることから，PTNPを伴う場合には疼痛専門医に紹介し，疾患教育，薬物療法などの適切な対応を行う．

2 ― 急性期対応

急性期で最も参考になるのが，末梢性顔面神経麻痺(Bell麻痺)への対応である．Bell麻痺に対する発症7日以内におけるステロイド療法の目的は，神経の再生ではなく，神経浮腫とそれに伴う神経内圧の軽減および二次的に得られる血流改善を目的としている．経口ステロイド(プレドニゾロン20mg/日を5日間投与し，漸減中止する)の有効性が報告されている．吸収効率が高い薬剤であるため，外来でのフォローが可能であるが，外科手術後の場合には感染に注意を要する．また，神経回復の補助としてビタミンB_{12}製剤(メコバラミン1日1,500μg)を寛解まで，または発症後8週間まで投与することが推奨される．

3 ― 慢性期対応

PTNPの慢性期対応として，損傷した神経の回復状況や，疼痛構造化問診などを用いて病態を把握し，現在の状態や予後についての説明を丁寧に行い，薬物療法や心理的な対応等を行う．

4 ― PTNPの治療

神経障害性疼痛の治療に関して，すでに国際疼痛学会をはじめ多くの組織から治療ガイドラインが出されている(表4)[24]．第一選択薬は三環系抗うつ薬とCaチャネル$α_2δ$リガンドである．日本で末梢性神経障害性疼痛に適応のある薬剤としては，プレガバリン，ミロガ

表4 神経障害性疼痛薬物療法アルゴリズム(日本ペインクリニック学会, 2016/2019[24])

第一選択薬(複数の病態に対して有効性が確認されている薬物)
- Ca^{2+}チャネル$α_2δ$リガンド：プレガバリン，ガバペンチン(ミロガバリン)
- セロトニン・ノルアドレナリン再取り込み阻害薬：デュロキセチン
- 三環系抗うつ薬(TCA)：アミトリプチリン，ノルトリプチリン，イミプラミン

↓

第二選択薬(一つの病態に対して有効性が確認されている薬物)
- ワクシニアウイルス接種家兎炎症皮膚抽出液
- トラマドール

↓

第三選択薬
- オピオイド鎮痛薬：フェンタニル，モルヒネ，オキシコドン，ブプレノルフィン，など

バリン，アミトリプチリンがある．以下に，この3剤の処方例を示す(詳細は第4部1章参照)．

① プレガバリン

標準量は1日量150mgであるが，少量でも効果が生じることやめまいなどの副作用に配慮して，1回25mg，1日2回朝夕食後(1日量50mg)から漸増する．数日から効果が現れること，用量依存的に効果が高くなることから，作用，副作用を十分に確認しながら25mgずつ増量する．十分な効果が現れたら，少なくとも1か月は維持して，漸減を検討する．代謝が腎機能に依存するので，腎機能の低下した患者には添付文書の記載を参考に減量して使用する．

② ミロガバリンベシル酸塩

ガイドラインでも「ミロガバリンはプレガバリンと同様に使用できる」[24]とされているため，基本的にはプレガバリンと同様の考え方で処方する．添付文書どおりの処方で使用できるため，ミロガバリン1回5mg，1日2回朝夕食後，(1日量10mg)から漸増する．薬物作用機序の点からもプレガバリンに比較し有害事象が少ないとされる．こちらも腎代謝のため，腎機能低下の患者に処方する際には添付文書に準じて処方する．

③ アミトリプチリン

至適用量に個人差の大きい薬剤であること，作用の発現に約2週間を要するが副作用は早期に現れることから，最少用量から漸増するべきである．1回10mg，1日1回夕食後，可能であれば1/2錠(5mg)から漸増する．服用時間を夕食後にする理由は，就寝前に服用して6～7時間後に起床する場合，半減期が約15時間のため，起床時に副作用の一つである眠気が強く生じる場合があるからである．漸増は可能な限り少量が望ましい．眠気，口渇，便秘等の副作用のいずれかが軽度でも現れたら，その服用量を個人の至適用量として増量を中止する．至適用量を少なくとも1か月は維持して，漸減を検討する．また，閉塞隅角緑内障の患者，心筋梗塞の回復初期の患者，尿閉(前立腺疾患等)のある患者には禁忌で，24歳

以下の患者で，自殺念慮，自殺企図のリスクが増加するとの報告があるため，これらの精神症状の発現リスクを考慮し，本剤の投与の適否を慎重に判断する必要がある．

6）おわりに

　歯科・口腔外科領域で損傷する神経は下歯槽神経，舌神経が好発で，顎骨外傷等でも生じるが，多くは手術，智歯抜歯，インプラント，歯内療法，局所麻酔等の医療行為によって引き起こされる．神経損傷の一部は永久的な感覚変化や痛みとなり，機能障害や精神・心理的障害を引き起こすことがある．そのため，特に予期せぬ後遺症や患者への説明が不十分であった場合，多くの患者は医療者に対する不信感を抱いている．そのような状況下で別の医師が神経障害に対応する場合，患者の心に寄り添いつつも，処置医に対する配慮も忘れてはならない．

　歯科はその仕事の大半が外科的処置であることを常に念頭に置き，PTNPを起こさない治療を行うべきである．しかし万が一生じた場合には，早期に対応することが重要であることから，神経損傷の十分な知識と適切な処置を熟知しておくべきであると考える．

〔西須大徳，臼田　頌，村岡　渡〕

文　献

1) 国際疾病分類第11版．https://icd.who.int/browse11/l-m/en
2) 国際頭痛学会・頭痛分類委員会：国際頭痛分類第3版．医学書院，東京，2018
3) Renton T: Prevention of iatrogenic inferior alveolar nerve injuries in relation to dental procedures. Dent Update 37: 350-352, 354-356, 358-360, 2010
4) Tınastepe N, Oral K: Neuropathic pain after dental treatment. Agri 25(1)：1-6, 2013
5) Korczeniewska OA, et al: Pathophysiology of Post-Traumatic Trigeminal Neuropathic Pain. Biomolecules 2022
6) Renton T, Kahwaja N: Pain Part 5a: Chronic (Neuropathic) Orofacial Pain. Dent Update 42: 744-746, 749-750, 753-754, 2015
7) Korczeniewska OA, et al.：Pathophysiology of Post-Traumatic Trigeminal Neuropathic Pain. Biomolecules 2022
8) Seddon HJ: A classification of nerve injuries. Br Med J 2: 237-239, 1942
9) Sunderland S: A classification of peripheral nerve injuries producing loss of function. Brain 74(4)：491-516, 1951
10) Renton T, Yilmaz Z: Managing iatrogenic trigeminal nerve injury: a case series and review of the literature. Int J Oral Maxillofac Surg 41: 629-637, 2012
11) Renton T: Oral surgery: part 4. Minimising and managing nerve injuries and other complications. Br Dent J 215: 393-399, 2013
12) 淵上　慧（日本顎顔面インプラント学会），河奈裕正，加藤仁夫，城戸寛史，佐藤淳一，式守道夫，関根秀志，高橋哲，藤井俊治，矢島安朝，嶋田　淳，公益社団法人日本顎顔面インプラント学会トラブル調査作業部会：インプラント手術関連の重篤な医療トラブルについて 第3回調査報告書．Jpn J Maxillo Facial Implants 19(2)：111-121, 2020
13) Hegedus F, Diecidue RJ: Trigeminal nerve injuries after mandibular implant placement-practical knowledge for clinicians. Int J Oral Maxillofac Implants 21: 111-116, 2006
14) Pogrel MA, Thamby S: Permanent nerve involvement resulting from inferior alveolar nerve blocks. J Am Dent Assoc 131: 901-907, 2000
15) Haas DA, Lennon DA: 21 year retrospective study of reports of paraesthesia following local anaesthetic administration. J Can Dent Assoc 61: 319-330, 1995
16) Pogrel MA, et al: Lingual nerve damage due to inferior alveolar nerve blocks: possible explanation. J Am Dent Assoc 134: 195-199, 2003
17) 小川節郎：神経障害性疼痛に対する神経ブロックの意義―神経障害性疼痛の基礎と臨床．Anesthesia 21 Century 12: 2246-2250, 2010
18) Beyreuther BK, et al: Lacosamide: A review of preclinical properties. CNS Drug Rev 13(1)：21-42, 2007

19) Cruccu G, Sommer C, Anand P, Attal N, Baron R, Garcia-Larrea L, Haanpaa M, Jensen TS, Serra J, Treede RD: EFNS guidelines on neuropathic pain assessment: revised 2009. Eur J Neurol 17(8): 1010-1018, 2010
20) Finnerup NB, et al: Neuropathic pain: From Mechanisms to Treatment. Physiol Rev 101(1): 259-301, 2021
21) Yarnitsky D, et al: Conditioned pain modulation predicts duloxetine efficacy in painful diabetic neuropathy. PAIN 153: 1193-1198, 2012
22) Jensen TS: Pathophysiology of pain: From theory to clinical evidence. Eur J Pain 2, S13-S17, 2008
23) Treede RD, Jensen TS, Campbell JN, Cruccu G, Dostrovsky JO, Griffin JW, Hansson P, Hughes R, Nurmikko T, Serra J: Neuropathic pain: redefinition and a grading system for clinical and research purposes. Neurology 70: 1630-1635, 2008
24) 日本ペインクリニック学会神経障害性疼痛薬物療法ガイドライン改訂版作成ワーキンググループ：神経障害性疼痛薬物療法ガイドライン改訂第2版. 真興交易, 東京, 2016/2019（追補版）

第5部 口腔顔面痛の治療(各論)

10 口腔灼熱痛症候群

SBO
Ⅰ.口腔灼熱痛症候群について説明できる.
Ⅱ.口腔灼熱痛症候群の診断と管理について説明できる.

1) 口腔灼熱痛症候群の定義と診断基準(表1)

Burning mouth syndrome(BMS)にはこれまで口腔内灼熱症候群という邦訳が用いられてきたが,「International Classification of Orofacial Pain 1st edition[1](国際口腔顔面痛分類第1版[2].以下:ICOP)」の翻訳に合わせて,口腔灼熱痛症候群にアップデートされた.

ICOPでは,「口腔灼熱痛症候群は,3か月を超えて,かつ1日に2時間を超えて連日再発を繰り返す,口腔内の灼熱痛あるいは異常感覚で,臨床的な診察,検査で明らかな原因病変を認めないもの」と定義されている[2].さらに,口腔灼熱痛症候群は定性的あるいは定量的体性感覚検査により観察される,体性感覚変化を伴わないものと伴うものサブフォームに分類され,今後の研究診断基準としての役割も期待されている.

口腔灼熱痛症候群の病因や病態生理は十分に理解されておらず,ICOPでは特発性(原因がわからない)口腔顔面痛の一つに分類されている.また,用語の混乱も続いており,最近,国際疾病分類第11版の用語について国際疼痛学会が中心となり行った国際デルファイ研究[5]は,以前からMillerら[3]やOkesonら[4]が提唱しているように,burning mouth syndromeからburning mouth disordersへ用語を変更するよう提案し,さらにDiagnostic Criteria for BMS(DC/BMS)[6]のセットもすでに開発されている.

2) 発症機序,病態生理

BMSの世界的な有病率は1.73%[7]とされ,おもに50歳以上の閉経期や閉経後の女性にみられる.一般的に灼けるような,ヒリヒリするあるいはしびれたような痛みや異常感覚を舌(舌尖部が最も多い)をはじめ口唇や口蓋あるいは歯肉などそのほかの口腔粘膜表層に訴える.また,関連症状として味覚障害や口腔乾燥を訴えることが報告されている.

表 1　ICOP における口腔灼熱痛症候群の診断基準

6.1　口腔灼熱痛症候群(BMS)
◎診断基準
A. B および C を満たす口腔痛がある
B. 1 日 2 時間を超える痛みを連日繰り返し，3 か月を超えて継続する(注 1)
C. 痛みは以下の両方の特徴を有する
　1. 灼熱感
　2. 口腔粘膜の表層に感じる
D. 口腔粘膜は外見上正常であり，局所疾患あるいは全身性疾患が除外されている
E. ほかに最適な ICOP あるいは ICHD-3 の診断がない(注 2)

注 1　3 か月未満で，他のすべての診断基準が満たされている場合，6.1.3 口腔灼熱痛症候群の疑いとコード化する.
注 2　定量感覚検査が行われなかった場合に 6.1 口腔灼熱痛症候群の診断がなされる．定量感覚検査が行われた場合には，6.1.1 体性感覚変化を伴わない口腔灼熱痛症候群または 6.1.2 体性感覚変化を伴う口腔灼熱痛症候群の二つのサブタイプいずれかの診断となる.

　病態生理については心理社会的視点や末梢性ならびに中枢性神経障害性疼痛の可能性，そして最も新しい仮説は性ホルモンといった内分泌の視点から論じられている[8]が，いずれかの単独因子では説明できず，多因子が複雑に絡み合って発症すると考えるのが論理的であり，ほかにいくつかのサブタイプの存在も推定されている.

　BMS の自然経過や寛解率もほとんどわかっていないが，一つの後ろ向き研究[9]は患者の発症から 5 年以内の自然寛解は 3％ と報告しており，今後は病因の解明とともに多施設における縦断研究が期待される.

3）診察・検査と診断

　診断基準に示されているように BMS と診断するには，口腔粘膜は外見上正常であり，局所疾患あるいは全身性疾患が除外されている必要がある．さらにほかに最適な ICOP あるいは ICHD-3 の診断がないことを満たさなければならない．そのため，舌や口腔粘膜に灼けるようなあるいはヒリヒリするような痛みや感覚を呈する可能性のあるすべての疾患が鑑別診断となる．したがって，ICOP を運用する場合には，その他の口腔顔面痛，特に「1．歯と歯槽部および解剖学的に関連する構造の障害による口腔顔面痛」の下位分類「1.2.1．口腔粘膜の痛み」（あるいは「1.1.3．歯肉の痛み」）のいずれにも当てはまらないことが求められる．口腔灼熱痛の訴えに対しては，詳細な医療面接（問診）を行い身体診察そして必要な検査を行って（表 2）口腔灼熱痛を惹き起こす局所的要因，全身的要因，そして心理的要因（図 1）[10]を探索する必要がある．また，BMS と診断した場合にはさらに客観的あるいは主観的感覚検査を追加することでサブタイプの診断が可能となる．

表2 口腔灼熱痛の診断手順

口腔灼熱痛の原因となる局所的，全身的，心理的要因を除外する
1. 詳細な医療面接（問診）：全身疾患，薬剤の影響，パラファンクションの有無など
2. 身体診察（口腔内）：口腔粘膜の肉眼的異常や口腔乾燥，味覚異常の有無など
3. 擦過検査あるいはバイオプシー：口腔カンジダ症，炎症性あるいは異形細胞の有無など
4. 血液検査：血液疾患，ビタミンやイオン欠乏症，糖尿病，性ホルモンなど
5. 画像検査：神経疾患や悪性疾患
6. 心理的評価：不安，うつ，性格特性など（精神科医への紹介も考慮）

すべてが除外されたとき BMS と診断し集学的管理を開始する．

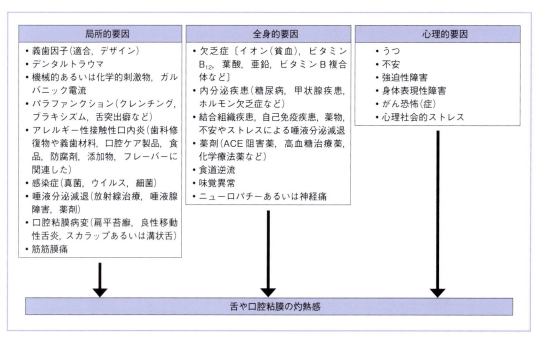

図1 口腔灼熱痛を惹き起こす局所的，全身的，そして心理的要因(Klasser GD, et al, 2011[10]を改変)

4）BMS 患者の治療

2020年7月までに出版されたランダム化比較試験のシステマティックレビュー[11]は，抗てんかん薬ならびに抗うつ薬，カプサイシンといった植物薬（phytomedicine）やαリポ酸などのサプリメント，低出力レーザー治療，代用唾液，経頭蓋磁気刺激，口腔内装置そして認知行動療法の九つの介入カテゴリーを抽出し，有効性についての解析を行った．このうち，認知行動療法と局所カプサイシンとクロナゼパム，そしてレーザー治療に関しては短期（3か月まで）ならびに長期評価（3か月を超える）のいずれにおいても痛みの緩和といった好ましいアウトカムが示された．また，局所カプサイシンは短期で疼痛スコアを低下させ，αリ

ポ酸は長期評価で効果が増加するとしている．しかしながら，いずれの介入も痛みの緩和が（神経障害性疼痛の薬物治療の効果判定に用いられている）50％に達しなかったと報告している．研究者らは現在 BMS の根治的治療はなく灼熱痛あるいは異常感覚への対症療法に限られるが，全身的な副作用を軽減し，心理的サポートが肝要であることを示唆している．

〈大久保昌和〉

文　献

1) International Classification of Orofacial Pain, 1st edition（ICOP）. Cephalalgia. 40(2)：129-221 2020
2) 日本口腔顔面痛学会・日本頭痛学会共同訳：国際口腔顔面痛分類第1版．日口腔顔面痛会誌 13(1)，131-217，2021
3) Rhodus NL, Carlson CR, Miller CS: Burning mouth（syndrome）disorder. Quintessence Int 34(8)：587-593, 2003
4) Okeson JP: Bell's orofacial pain: the clinical management of orofacial pain. 6th ed, Quintenssence Publishing Co, Inc, Chicago（IL）, 253-255, 493-495, 2005
5) Chmieliauskaite M, Stelson EA, Epstein JB, Klasser GD, Farag A, Carey B: Albuquerque R, Mejia L, Ariyawardana A, Nasri-Heir C, Sardella A, Carlson C, Miller CS: Consensus agreement to rename burning mouth syndrome and improve International Classification of Diseases-11 disease criteria: an international Delphi study. Pain 1; 162(10)：2548-2557 2021
6) Currie CC, Ohrbach R, De Leeuw R, Forssell H, Imamura Y, Jääskeläinen SK, Koutris M, Nasri-Heir C, Huann T, Renton T, Svensson P, Durham J: Developing a research diagnostic criteria for burning mouth syndrome: Results from an international Delphi process. J Oral Rehabil 48(3)：308-331, 2021
7) Wu S, Zhang W, Yan J, Noma N, Young A, Yan Z: Worldwide prevalence estimates of burning mouth syndrome: A systematic review and meta-analysis. Oral Dis 28(6)：1431-1440, 2022
8) Imamura Y, Shinozaki T, Okada-Ogawa A, Noma N, Shinoda M, Iwata K, Wada A, Abe O, Wang K, Svensson P: An updated review on pathophysiology and management of burning mouth syndrome with endocrinological, psychological and neuropathic perspectives. J Oral Rehabil 46(6)：574-587, 2019
9) Sardella A, Lodi G, Demarosi F, Bez C, Cassano S, Carrassi A: Burning mouth syndrome: a retrospective study investigating spontaneous remission and response to treatments. Oral Dis 12(2)：152-155 2006
10) Klasser GD, Epstein JB, Villines D: Diagnostic dilemma: the enigma of an oral burning sensation. J Can Dent Assoc 77: b146, 2011
11) Tan HL, Smith JG, Hoffmann J, Renton T: A systematic review of treatment for patients with burning mouth syndrome. Cephalalgia 42(2)：128-161, 2022

コラム
歯科医師が口腔顔面痛診療を行う際に注意すべき法的問題

1．領域の限定

　歯科医師免許は，「歯科領域の診療」に限定された免許である．「歯科領域」の明確な定義はないが，歯科という語感から連想される「歯および支持組織」という狭い範囲ではなく，口腔，舌，顎全般を含む広い範囲であり，かつ歯科医学の発展により広がるものである．
　とはいえ頭痛や頸部痛までもが歯科領域に含まれるわけではない．患者から「頭痛があるので鎮痛剤を多めに下さい」といわれ，応じて頭痛治療目的で多めに処方すれば医師法違反である．自費診療であっても無料診療であっても医師法違反である．
　医師法に違反した歯科医師に対しては「重い処分」に処すると医道審議会は注意喚起しており（https://onl.tw/wHFHd6m 参照），場合によっては歯科医師免許取り消しもありうる．

2．手段の限定

　歯科医師が歯科診療を行う際，診断や治療の手段に限定はない．歯科医師は口腔顔面痛の治療が目的であるなら，あらゆる薬剤を処方することができるし，薬剤の副作用を知るために採血や心電図，胸部エックス線撮影なども行うことができる．歯科とはまったく関係のない部位への医療行為であったとしても，歯科診療が目的であれば合法である．
　たとえば，抜歯後疼痛への対処のために鎮痛剤を経口投与して胃から吸収させ，視床下部に作用させる場合がこれにあたる．鎮痛剤投与によって胃炎を起こす可能性のある患者に，鎮痛剤と胃炎治療剤を同時処方することも当然できる．歯科医療行為でショックなどが起きた場合の救命処置は，行わなければならない医療行為である（歯科医師に求められる程度ではあるが）．
　とはいえ歯科医師が歯科治療と関係なく胃炎治療剤を処方することはできないし，歯科治療目的以外の投薬や検査もできない．目的が重要である．
　歯科医師法上は歯科医師に処方できない薬はないが，健康保険においては歯科の保険適用でなければその薬剤は処方できず，歯科医師法とは異なった制限がある．

3．能力の問題

　ある医療行為を行うには，その行為を行うのに有効な医療従事者免許を所持することが当然として，さらに本人にその医療行為を行うのに十分な能力が求められる．せいぜい抗菌薬や鎮痛剤を3日程度しか処方した経験や知識しかない歯科医師が，いきなり抗うつ剤を口腔顔面痛治療目的に何週間も処方することはできない．その薬剤の副作用などを学び，副作用の診断に必要な知識を得ておく必要がある．抗うつ剤は不整脈を惹起しやすいので心電図

が読めるのが当然の前提である．さらに口腔顔面痛指導医など適切な指導者の下で研鑽を積むことも求められる．

　すでに歯科医師国家試験では，臨床検査については医師国家試験と同じ内容になり，心電図も出題されている．歯学教育での対応はなされている．

（佐久間泰司）

第6部

口腔顔面痛の関連疾患

第6部 口腔顔面痛の関連疾患

1 全身疾患と口腔顔面痛

SBO
Ⅰ．口腔顔面痛を惹起する全身疾患を説明できる．
Ⅱ．口腔顔面痛に関連する全身疾患の診断を説明できる．

全身疾患の症状として口腔顔面痛の発現はよく経験される．たとえば，脳血管障害，心臓疾患，巨細胞性動脈炎，帯状疱疹，精神疾患・心理社会的要因，腫瘍，ジストニア・ジスキネジアなどでも口腔顔面痛が発症することがある．この章では，全身疾患と口腔顔面痛に関して記述する．たとえば，国際頭痛分類第3版(ICHD-3)[1]では脳神経の有痛性病変およびその他の顔面痛を表1のように分類しており，全身疾患と口腔顔面痛の関連性は強いことが理解できる．全身疾患の症状としての口腔顔面痛を原因別にまとめると以下のようになる．

1) 中枢性脳卒中後疼痛

中枢性脳卒中後疼痛は脳梗塞，脳出血，クモ膜下出血などの脳血管障害後に発症する痛みである．通常は片側性の顔面または頭部の痛みであり，さまざまな症状を呈する．頭頸部の一部分または全体に及ぶ感覚障害を伴う．脳卒中によって口腔顔面痛が誘発され，発症後6か月以内に生じる．MRIなどの画像検査により脳血管障害の病変が示されることにより診断される．

脳卒中に関連した中枢痛として，視床症候群(Dejerine-Roussy症候群，thalamic syndrome)，視床痛などが挙げられる．視床の障害部位の違いによって，症状が異なり，筋緊張異常，視床手，舞踏病・アテトーゼ様異常運動，運動失調，企図振戦，視野傷害，自律神経障害などの多彩な症状を含む．そのほかに，感覚症状があり，触覚，圧覚，温覚，痛覚，固有感覚など，表在性，深部性の感覚が障害される．

2) 心臓疾患

第5部2章に関する記述も参考にしていただきたい．狭心症などの虚血性心疾患による口腔顔面痛はいくつか報告されている[2-5]．迷走神経を介した関連痛として上部顔面痛が起こるとされ，虚血性心疾患に限らず，動脈解

表 1　ICHD-3 における脳神経の有痛性病変およびその他の顔面痛(日本頭痛学会, 2019[1])

13.1　三叉神経の病変または疾患による疼痛(Pain attributed to a lesion or disease of the trigeminal nerve)
　　13.1.1　三叉神経痛(Trigeminal neuralgia)
　　　　13.1.1.1　典型的三叉神経痛(Classical trigeminal neuralgia)
　　　　　　13.1.1.1.1　典型的三叉神経痛, 純粋発作性(Classical trigeminal neuralgia, purely paroxysmal)
　　　　　　13.1.1.1.2　持続痛を伴う典型的三叉神経痛(Classical trigeminal neuralgia with concomitant continuous pain)
　　　　13.1.1.2　二次性三叉神経痛(Secondary trigeminal neuralgia)
　　　　　　13.1.1.2.1　多発性硬化症による三叉神経痛(Trigeminal neuralgia attributed to multiple sclerosis)
　　　　　　13.1.1.2.2　占拠性病変による三叉神経痛(Trigeminal neuralgia attributed to space-occupying lesion)
　　　　　　13.1.1.2.3　その他の原因による三叉神経痛(Trigeminal neuralgia attributed to other cause)
　　　　13.1.1.3　特発性三叉神経痛(Idiopathic trigeminal neuralgia)
　　　　　　13.1.1.3.1　特発性三叉神経痛, 純粋発作性(Idiopathic trigeminal neuralgia, purely paroxysmal)
　　　　　　13.1.1.3.2　持続痛を伴う特発性三叉神経痛(Idiopathic trigeminal neuralgia with concomitant continuous pain)
　　13.1.2　有痛性三叉神経ニューロパチー(Painful trigeminal neuropathy)
　　　　13.1.2.1　帯状疱疹による有痛性三叉神経ニューロパチー(Painful trigeminal neuropathy attributed to herpes zoster)
　　　　13.1.2.2　帯状疱疹後三叉神経痛(Trigeminal post-herpetic neuralgia)
　　　　13.1.2.3　外傷後有痛性三叉神経ニューロパチー(Painful post-traumatic trigeminal neuropathy)
　　　　13.1.2.4　その他の疾患による有痛性三叉神経ニューロパチー(Painful trigeminal neuropathy attributed to other disorder)
　　　　13.1.2.5　特発性有痛性三叉神経ニューロパチー(Idiopathic painful trigeminal neuropathy)
13.2　舌咽神経の病変または疾患による疼痛(Pain attributed to a lesion or disease of the glossopharyngeal nerve)
　　13.2.1　舌咽神経痛(Glossopharyngeal neuralgia)
　　　　13.2.1.1　典型的舌咽神経痛(Classical glossopharyngeal neuralgia)
　　　　13.2.1.2　二次性舌咽神経痛(Secondary glossopharyngeal neuralgia)
　　　　13.2.1.3　特発性舌咽神経痛(Idiopathic glossopharyngeal neuralgia)
　　13.2.2　有痛性舌咽神経ニューロパチー(Painful glossopharyngeal neuropathy)
　　　　13.2.2.1　既知の原因による有痛性舌咽神経ニューロパチー(Painful glossopharyngeal neuropathy attributed to a known cause)
　　　　13.2.2.2　特発性有痛性舌咽神経ニューロパチー(Idiopathic glossopharyngeal trigeminal neuropathy)
13.3　中間神経の病変または疾患による疼痛(Pain attributed to a lesion or disease of nervus intermedius)
　　13.3.1　中間神経痛(Nervus intermedius neuralgia)
　　　　13.3.1.1　典型的中間神経痛(Classical nervus intermedius neuralgia)
　　　　13.3.1.2　二次性中間神経痛(Secondary nervus intermedius neuralgia)
　　　　13.3.1.3　特発性中間神経痛(Idiopathic nervus intermedius neuralgia)
　　13.3.2　有痛性中間神経ニューロパチー(Painful nervus intermedius neuropathy)
　　　　13.3.2.1　帯状疱疹による有痛性中間神経ニューロパチー(Painful nervus intermedius neuropathy attributed to herpes zoster)
　　　　13.3.2.2　帯状疱疹後中間神経痛(Post-herpetic neuralgia of nervus intermedius)
　　　　13.3.2.3　その他の疾患による有痛性中間神経ニューロパチー(Painful nervus intermedius neuropathy attributed to other disorder)
　　　　13.3.2.4　特発性有痛性中間神経ニューロパチー(Idiopathic painful nervus intermedius neuropathy)
13.4　後頭神経痛(Occipital neuralgia)
13.5　頸部-舌症候群(Neck-tongue syndrome)
13.6　有痛性視神経炎(Painful optic neuritis)
13.7　虚血性眼球運動神経麻痺による頭痛(Headache attributed to ischaemic ocular motor nerve palsy)
13.8　トロサ・ハント症候群(Tolosa-Hunt syndrome)
13.9　傍三叉神経眼交感神経症候群(レーダー症候群)(Paratrigeminal oculosympathetic(Raeder's)syndrome)
13.10　再発性有痛性眼筋麻痺性ニューロパチー(Recurrent painful ophthalmoplegic neuropathy)
13.11　口腔内灼熱症候群(BMS)(Burning mouth syndrome：BMS)
13.12　持続性特発性顔面痛(PIFP)(Persistent idiopathic facial pain：PIFP)
13.13　中枢性神経障害性疼痛(Central neuropathic pain)
　　13.13.1　多発性硬化症(MS)による中枢性神経障害性疼痛〔Central neuropathic pain attributed to multiple sclerosis(MS)〕
　　13.13.2　中枢性脳卒中後疼痛(CPSP)(Central post-stroke pain：CPSP)

離，心膜炎，肺がんなどの胸部疾患によっても生じる可能性がある[6]．1,215名の虚血性心疾患患者のうち71名（5.8%）に心発作時に顔面部に痛みを生じ，これは女性に有意に多かったと報告されている[7]．そのうち60名（85%）はいわゆる胸痛と同時に顔面痛を自覚していたが，11名（15%）は顔面痛のみであった[7]．

3）巨細胞性動脈炎

大型・中型の動脈に巨細胞を伴う肉芽腫を形成する動脈炎である．大動脈とその主要分枝，特に頸動脈と椎骨動脈を高い頻度で障害する．しばしば側頭動脈を障害するため，以前は「側頭動脈炎」と呼ばれていた．50歳以上の高齢者に発症し，男女比は1：2〜3である．リウマチ性多発筋痛症を伴うことが多く，両者は極めて近似した疾患と考えられている．地理的な偏りおよび遺伝素因が認められ，欧米白人に多く，日本を含めアジア人には少ない．咀嚼運動中に痛みが悪化し，痛くて食べるのを中断せざるをえないほど強くなる．中断により痛みが軽快するが，咀嚼により再発し，中断するという動作を繰り返す顎跛行を呈する特徴がある．

原因は不明であるが，ウイルスなど微生物感染などの環境因子の存在が疑われ，遺伝要因としてHLA-DR*04遺伝子との相関が報告されている．

治療としてはプレドニゾロン治療を行う．失明の恐れがある場合には，ステロイドパルス療法を含むステロイド大量療法を行う．経口ステロイドは4週間の初期治療のあとに漸減する．副腎皮質ステロイド維持量を必要とする症例が多く，漸減はさらに慎重に行う．ステロイド抵抗性の症例，ステロイドの漸減に伴い再燃する症例においては，メトトレキサートを中心とした免疫抑制薬の併用を検討する．失明や脳梗塞を予防するために低用量アスピリンによる抗凝固療法を併用する必要がある．

4）帯状疱疹後痛

帯状疱疹後痛に関しては第5部8章を参照していただきたい．三叉神経節（ガッセル神経節，半月神経節）や顔面神経節（膝神経節）に潜伏する帯状疱疹ウイルスの感染症であり，慢性期に神経痛を発症する．

5）精神疾患または心理社会的要因

精神疾患または心理社会的要因による口腔顔面痛の発症に関しては第6部2章を参照していただきたい．

6）腫瘍，多発性硬化症

顔面領域への転移がん[8,9]，鼻咽腔腫瘍，眼窩内腫瘍，脳腫瘍（前庭神経鞘腫（聴神経腫瘍）（図1）[10]，髄膜腫，類表皮のう胞），多発性硬化症などにより，口腔顔面痛が生じることがある．

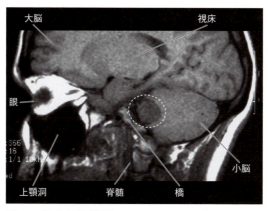

図1　前庭神経鞘腫（Matsuka, et al, 2000[10]）

　これは三叉神経を障害することにより痛みが生じていることが考えられ，外科，脳神経外科などでの治療になる．そのほか，がん性疼痛では化学療法や放射線療法に起因する痛み，口内炎の痛み，精神的苦痛，社会的苦痛などもみられる．第2部4章も参照していただきたい．

7）ジストニア・ジスキネジア

　ジストニアは異常緊張，ジスキネジアは異常運動と理解されている．ジストニア・ジスキネジアでは咀嚼障害，開口障害，閉口障害，顎，口，舌，唇などの不随意運動，振戦，筋肉痛，下顎顎偏位，嚥下障害，構音障害などの症状が観察される．ジストニア・ジスキネジアによる口腔顔面痛の発症に関しては第6部4章を参照していただきたい．

（松香芳三）

文　献

1) 日本頭痛学会：国際頭痛分類第3版（ICHD-3）日本語版，2019．https://www.jhsnet.net/kokusai_new_2019.html
2) Kreiner M, Okeson JP: Toothache of cardiac origin. J Orofac Pain 13: 201-207, 1999
3) Stollberger C, Finsterer J, Habitzl W, Kopsa W, Deutsch M: Toothache leading to emergency cardiac surgery. Intensive Care Med 27: 1100-1101, 2001
4) Durso BC, Israel MS, Janini ME, Cardoso AS: Orofacial pain of cardiac origin: a case report. Cranio 21: 152-153, 2003
5) Myers DE: Vagus nerve pain referred to the craniofacial region. A case report and literature review with implications for referred cardiac pain. Br Dent J 204: 187-189, 2008
6) Myers DE: Toothache referred from heart disease and lung cancer via the vagus nerve. General Dentistry 58: e2-e5, 2010
7) Kreiner M, Okeson JP, Michelis V, Lujambio M, Isberg A: Craniofacial pain as the sole symptom of cardiac ischemia: a prospective multicenter study. J Am Dent Assoc 138: 74-79, 2007
8) Glaser C, Lang S, Pruckmayer M, Millesi W, Rasse M, Marosi C, Leitha T: Clinical manifestations and diagnostic approach to metastatic cancer of the mandible. Int J Oral Maxillofac Surg 26: 365-368, 1997
9) Somali I, Yersal O, Kilciksiz S: Infratemporal fossa and maxillary sinus metastases from colorectal cancer: a case report. J BUON 11: 363-365, 2006
10) Matsuka Y, Fort ET, Merrill RL: Trigeminal neuralgia due to acoustic neuroma in the cerebellopontine angle. J Orofac Pain 14: 147-151, 2000

第6部　口腔顔面痛の関連疾患

2 精神疾患に起因する慢性痛

SBO
Ⅰ．「身体症状症，疼痛が主症状のもの」について説明できる．
Ⅱ．身体症状症の診断と治療法について説明できる．

1）慢性痛と「身体化」症状（これまでの考え方）

　口腔顔面痛をはじめとした慢性痛を主訴とする患者のなかには，適切な検索を行ったにもかかわらず，明らかな原因となる身体疾患を見いだせない者が存在する．これまでの精神医学では，このような患者が訴える慢性痛は「身体化（somatization）」症状であると定義していた[1]．

　「身体化」症状とは，適切な検索を行っても，その症状をうまく説明できない身体症状（訴え）をさす．具体的には，胃カメラなどでの検査上は正常であるのに，食欲もなく胃の不快感が続くといったようなものである．狭義の身体化は，心理的な要因（ストレスや心的葛藤）が背景にあって起こる身体症状をさすが，広義には心理的な要因によらなくとも身体化という．

　「身体化」を主症状とする精神疾患を，「身体表現性障害（somatoform disorder）」と診断していた．身体表現性障害と診断するためには，当該患者の訴えている身体症状（たとえば慢性痛）が，身体化症状であることを確定する必要がある．そのためには，適切な検索（各種検査等）により，当該の身体症状から考えられうるすべての一般身体疾患（器質的疾患）の除外診断を行う．特に，多発性硬化症などの神経疾患や，甲状腺や副腎の機能異常などの内分泌疾患は，見落とす可能性が高いとされているので，注意が必要である．次に，意図的に作り出された身体症状（虚偽性障害や詐病）ではないことを確認する．身体症状が身体化症状であることを確定したあとに，身体化症状を呈しうる他の精神疾患（うつ病や双極性障害，不安障害，統合失調症など）の除外診断を行う．一般身体疾患，虚偽性障害や詐病，身体化症状を呈しうる他の精神疾患の除外診断ができた時点で，はじめて身体表現性障害と診断していた[1]．

　身体表現性障害は，さらに症状の種類や特徴，罹病期間などにより，身

体化障害，鑑別不能型身体表現性障害，転換性障害，疼痛性障害，心気症，身体醜形障害，特定不能の身体表現性障害に下位分類されていた．慢性痛がみられうる代表的な身体表現性障害としては，疼痛性障害が知られていた．

疼痛性障害は，疼痛の程度に見合う疾患が認められず，ストレスなどの心理的要因により疼痛の悪化を認めるといった特徴をもつ障害であると定義されていた．すなわち，「疼痛」を主症状とする身体表現性障害が，疼痛性障害であった．また，疼痛性障害は，心理的要因のみが重要な役割を果たしていると判断される「心理的要因と関連した疼痛性障害」と，心理的要因と一般身体疾患の両方が重要な役割を果たしていると判断される「心理的要因と一般身体疾患の両方に関連した疼痛性障害」の二つに大別されていた．

それゆえ，明らかな原因となる身体疾患を見いだせない慢性痛を訴える患者は，「疼痛性障害」と診断されていた．

2）「身体症状症，疼痛が主症状のもの」（新しい疾患概念）

米国精神医学会は，2013年，精神疾患の新しい分類である「精神疾患の診断・統計マニュアル第5版（DSM-5）」[2]を公表した．

DSM-5では，国際疾病分類第10版（ICD-10）やDSM-5の前版であるDSM-Ⅳ-TR以前に用いられていた上述の身体化や身体表現性障害という概念は，すべて廃止となった．そのうえで，これまで身体表現性障害と診断されていた患者は，その多くが，DSM-5の新しい診断名である「身体症状症（somatic symptom disorder）」という疾患カテゴリーに分類されることとなった．

DSM-5[2]の身体症状症の診断基準によれば，A．一つまたはそれ以上の，苦痛を伴う，または日常生活に意味のある混乱を引き起こす身体症状があること，B．少なくとも①自分の症状の深刻さに不釣り合いかつ持続する思考，②健康または症状についての持続する強い不安，③症状または健康上への懸念に費やされる過度の時間と労力，のいずれか一つが顕在化していること，C．症状のある状態は6か月以上持続していること，のすべてを満たすことが挙げられている．

DSM-5の身体症状症は，DSM-Ⅳ-TR以前の身体表現性障害とは異なり，身体化症状の存在の有無に重点を置かない．すなわち，身体疾患があっても，身体症状に対して重篤に考えていたり（過度の思考），症状に対する不安が強かったり（過度の感覚），長時間にわたって症状にとらわれたり（過度の行動）している場合には，身体症状症と診断される（図1）．

また，DSM-5では，「特定用語」という概念があり，身体症状に疼痛を含む患者に対しては，「疼痛が主症状のもの（従来の疼痛性障害）」と特定することとなっている．すなわち，慢性痛（原因となる身体疾患が特定されないことがほとんどである）の患者の多くは，DSM-5では「身体症状症，疼痛が主症状のもの」と診断されると考えられる．

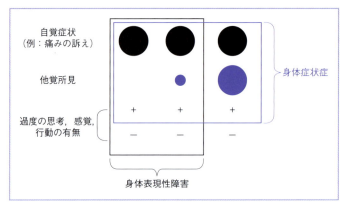

図1 身体症状と疾患概念

ちなみに，国際疾病分類第11版（ICD-11）においても，身体表現性障害という診断名は廃止されており，「身体的苦痛症（bodily distress disorder）」という診断名が新たに追加されている．ICD-11の身体的苦痛症は，DSM-5の身体症状症に対応する疾患名であると考えられる．

3）「痛覚変調性疼痛（nociplastic pain）」との関係

「痛覚変調性疼痛（nociplastic pain）」は，2016年にKosekらによって提案[3]され，2017年に国際疼痛学会（IASP）の痛み用語として採用された[4]新しい疼痛概念である．痛覚変調性疼痛の定義は「末梢侵害受容器の活性化を引き起こす実質的または切迫した組織損傷の明確な証拠がない，あるいは痛みを引き起こす体性感覚系の疾患や病変の証拠がない，侵害受容が変化することによって生じる痛み」[4,5]であり，「侵害受容性疼痛」と「神経障害性疼痛」以外の第三の痛みとして分類されている．

明らかな原因となる身体疾患を見いだせない慢性痛を訴える患者は，IASPの新しい疾患概念によれば，「痛覚変調性疼痛」に分類されると考えられる．それゆえ，痛覚変調性疼痛は，精神医学的にはDSM-5の「身体症状症，疼痛が主症状のもの」であると考えられている[5]．

4）「身体症状症，疼痛が主症状のもの」の治療

身体症状症（疼痛が主症状のもの）や痛覚変調性疼痛は，新規の疾患概念であることから，治療に関するエビデンスは多くない．また，それ以前の疼痛性障害（または心因性疼痛）と呼ばれていた時代の治療法に関するエビデンスも，さほど多いとはいえない．

エビデンスには乏しいものの，身体症状症（疼痛が主症状のもの）に対しては，アミトリプチリンをはじめとした三環系抗うつ薬やデュロキセチンなどのセロトニン・ノルアドレナリン再取り込み阻害薬（SNRI）といった抗うつ薬を用いることが多い（ただし，すべての抗う

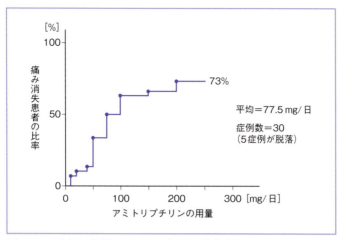

図2　口腔顔面領域における疼痛性障害(DSM-Ⅳ-TR)に対するアミトリプチリンの用量と効果(Ikawa, et al, 2006[6]))

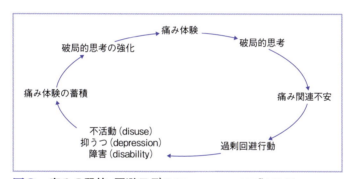

図3　痛みの恐怖-回避モデル(Vlaeyen, et al, 2000[7])を改変)

つ薬は，身体症状症に対しては適応外使用である)[5]．また，Caチャネル$\alpha_2\delta$リガンドや，その他の抗てんかん薬，その他の抗うつ薬などを用いる場合もある[5]．

　筆者らが行ったアミトリプチリンを用いた研究結果[6]によれば，口腔顔面領域における疼痛性障害(DSM-Ⅳ-TR)に対して，痛みの消失までに必要なアミトリプチリンの用量の平均は77.5mg/日であり，50％の患者は100mg/日未満の用量では痛みの消失を認めなかった(図2参照)．

　また，慢性痛に対しては，認知行動療法的アプローチを併用させるとよい．慢性痛の患者においては，痛みを世界の終末(＝破局)のような最悪の出来事であると極端に解釈してしまう「破局的思考」を認めることが多いことが指摘されてきた[7]．破局的思考が，痛みを継続・悪化させるサイクルを作り出しているという「痛みの恐怖-回避モデル(図3)」[7]が提唱されており，このサイクルを止めるための治療として，認知行動療法が期待されてきた．

しかし，日常臨床において，痛みに対する認知行動療法を行うには，時間と労力の面で限界がある．そこで筆者は，認知行動療法的アプローチ[5]として，①病名の告知と保証，②症状に固執しないこと，③ストレス要因との関連，④コーピングの会得，などの指導のみを行っている．

具体的には，まず最初に，「身体症状症」という病名を患者に告知し，診断に至った根拠を説明する．さらに，現在，患者を悩ませている痛みは，身体症状症によるものであり，単に精神的なもの（気のせい）ではないこと，死につながるような病気ではないことを保証する．

次に，痛みに固執したり，痛みを意識したりするような行動（たとえば，患部を触る，鏡などで何度も確認するなど）をしないように指導する．患者は，自らの痛みにかかわりすぎるあまり，日常生活に支障をきたしている（病前のレベルの生活ができていない）ことが多いので，痛みの有無にかかわらず，病前のレベルの生活を維持するように助言し，痛みが患者の生活様式を決定する因子にならないように指導する．すなわち，痛みにふりまわされないように助言する（痛みにふりまわされることによって，さらに病状の悪化を認めることが多いため）．

身体症状症の痛みは，ストレス要因により出現したり増悪したりすることが多い．また，ストレス下においても，何らかの対処法（コーピング）を行うことにより，痛みの出現や増悪を防止できることがある．そこで，まず患者に，痛みを悪化させるストレス要因を自覚させる．次に，ストレス要因に対するコーピングを身につけさせる．コーピングの方法は患者ごとに異なるので，各々の患者に対して適切なコーピングのレパートリーをそろえるように助言する．

（山田和男）

文　献

1) 山田和男：歯痛とうつ病や身体表現性障害との関係．日本歯科医師会雑誌　61: 1261-1269, 2009
2) 高橋三郎，大野裕，監訳：DSM-5精神疾患の診断・統計マニュアル．医学書院，東京，2014
3) Kosek E, Cohen M, Baron R, Gebhart GF, Mico J-A, Rice ASC, Rief W, Sluka AK: Do we need a third mechanistic descriptor for chronic pain states? Pain 157: 1382-1386, 2016
4) International Association for the Study of Pain: Terminology, 2018.〈https://www.iasp-pain.org/terminology?navItemNumber=576#Pain〉（参照 2023-02-14）
5) 山田和男：痛みと精神医学．臨床精神薬理　25: 463-470, 2022
6) Ikawa M, Yamada K, Ikeuchi S: Efficacy of amitriptyline for treatment of somatoform pain disorder in the orofacial region: a case series. J Orofac Pain 20: 234-240, 2006
7) Vlaeyen JWS, Linton SJ: Fear-avoidance and its consequences in chronic musculoskeletal pain: a state of the art. Pain 85: 317-332, 2000

頭痛と口腔顔面痛

SBO
Ⅰ. 口腔顔面痛に関連した一次性および二次性頭痛の分類と診断基準を説明できる.
Ⅱ. 有痛性脳神経ニューロパチーおよび他の顔面痛の分類と診断基準を説明できる.
Ⅲ. 持続性特発性顔面痛／歯痛の特徴と鑑別診断法を説明できる.
Ⅳ. 三叉神経障害性疼痛の特徴と典型的三叉神経痛との鑑別点を説明できる.

　国際頭痛学会は頭痛を「眼窩外耳孔線および・または項部上縁より上部にある痛み」，顔面痛を「眼窩外耳孔線以下，耳介前方，頸部より上方の痛み」と定義[1]しているが，頭痛と顔面痛は三叉神経系という共通の疼痛経路を共有しており，片頭痛をはじめとした多くの一次性頭痛が眼窩外耳孔線を越えて歯や口腔顔面に痛みを呈することが報告[2]されている．2020年には国際頭痛学会顔面痛分類委員会より国際口腔顔面痛分類（ICOP）[3]が公開され，痛みの特徴や持続時間，強度が一次性頭痛に類似した，頭部の痛みのない，口腔顔面痛発作が生じるというentity（疾患概念）をさらに研究するために，一次性頭痛の症状に類似した口腔顔面痛の分類と診断基準が示された．したがって，一次性頭痛の特徴を知っておくことは口腔顔面痛を鑑別するうえで必須の事項となる．

　世界で最も広く用いられている頭痛・顔面痛の分類・診断基準である国際頭痛分類は，国際頭痛学会頭痛分類委員会のJes Olesen委員長のもと1988年に初めて公開され（ICHD-1），2004年の第2版（ICHD-2），2013年の第3版β版（ICHD-3β）を経て，2018年に第3版（ICHD-3）[1]となった．2020年の8月には新たな委員長としてPeter J Goadsbyが喫緊の修正点をICHD-4αとして論説し，新たな委員会が動き出したことを機関誌Cephalalgiaで発表している．

　ICHD-3は第1部の一次性頭痛と第2部の二次性頭痛，そして第3部は有痛性脳神経ニューロパチー，他の顔面痛およびその他の頭痛の3部構成14

表 1　国際頭痛分類第 3 版（ICHD-3）の大分類(IHS, 2018[1])

第1部	一次性頭痛	1. 片頭痛 2. 緊張型頭痛 3. 三叉神経・自律神経性頭痛（TACs） 4. その他の一次性頭痛疾患
第2部	二次性頭痛	5. 頭頸部外傷・傷害による頭痛 6. 頭頸部血管障害による頭痛 7. 非血管性頭蓋内疾患による頭痛 8. 物質またはその離脱による頭痛 9. 感染症による頭痛 10. ホメオスターシス障害による頭痛 11. 頭蓋骨，頸，眼，耳，鼻，副鼻腔，歯，口あるいはその他の顔面・頸部の構成組織の障害による頭痛または顔面痛 12. 精神疾患による頭痛
第3部	有痛性脳神経ニューロパチー，他の顔面痛およびその他の頭痛	13. 脳神経の有痛性病変およびその他の顔面痛 14. その他の頭痛性疾患
付録		

グループに分類されており，ほかに付録がある（**表 1**）．

　一次性頭痛は他の障害を原因としない，あるいは他の障害に起因したものではない頭痛であり，ここでは，典型的な一次性頭痛の臨床像を理解するために，ICHD-3 から代表的な頭痛のタイプについて述べる．一次性頭痛の診断には，必ず二次性頭痛とほかに最適な ICHD-3 の診断がないことをいつも考慮しておく必要がある．

1）一次性頭痛の診断と治療

　一次性頭痛は片頭痛，緊張型頭痛，三叉神経・自律神経性頭痛，そしてその他の一次性頭痛に分類される（**表 1**）．

1―片頭痛（migraine）

　片頭痛は片側性で，拍動性の頭痛で，中等度から重度の強さであり，4〜72 時間持続する．発作時には日常動作により頭痛が増悪することが特徴で，悪心あるいは嘔吐，光過敏または音過敏（あるいはその両方）を伴う．片頭痛には前兆のない片頭痛と局所の神経症状を伴う前兆のある片頭痛の二つのサブタイプがある．また，月に 15 日以上の頻度で 3 か月以上続く場合，慢性片頭痛と診断される（**表 2**）．

　片頭痛の急性期治療は，発作を確実にすみやかに消失させ患者の機能を回復させるための薬物療法が中心となる．治療薬としてアセトアミノフェン，NSAIDs，トリプタン，エルゴタミン，制吐薬があり重症度に応じた層別治療が推奨されている．ほかに選択的 5-HT1F 受容体作動薬や CGRP 受容体拮抗薬も期待されている．

表2　前兆のない片頭痛の診断基準
（ICHD-3）(IHS, 2018[1])

診断基準
A. B〜Dを満たす発作が5回以上ある
B. 頭痛発作の持続時間は4〜72時間（未治療もしくは治療が無効の場合）
C. 頭痛は以下の四つの特徴の少なくとも2項目を満たす
　1. 片側性
　2. 拍動性
　3. 中等度〜重度の頭痛
　4. 日常的な動作（歩行や階段昇降など）により頭痛が増悪する、あるいは頭痛のために日常的な動作を避ける
D. 頭痛発作中に少なくとも以下の1項目を満たす
　1. 悪心または嘔吐（あるいはその両方）
　2. 光過敏および音過敏
E. ほかに最適なICHD-3の診断がない

表3　2.3　慢性緊張型頭痛の診断基準
（ICHD-3）(IHS, 2018[1])

診断基準
A. 3か月を超えて、平均して1か月に15日以上（年間180日以上）の頻度で発現する頭痛で、B〜Dを満たす
B. 数時間〜数日間、または絶え間なく持続する
C. 以下の四つの特徴のうち少なくとも2項目を満たす
　1. 両側性
　2. 性状は圧迫感または締めつけ感（非拍動性）
　3. 強さは軽度〜中等度
　4. 歩行や階段の昇降のような日常的な動作により増悪しない
D. 以下の両方を満たす
　1. 光過敏、音過敏、軽度の悪心はあってもいずれか一つのみ
　2. 中程度・重度の悪心や嘔吐はどちらもない
E. ほかに最適なICHD-3の診断がない

　また、予防療法に用いられる薬剤には、近年発売された抗CGRP抗体や抗CGRP受容体抗体ならびにCGRP受容体拮抗薬が高いエビデンスの確実性に基づき強く推奨されている。そのほか、これまでバルプロ酸やトピラマート、プロプラノールやアミトリプチリンなどが強く推奨されている[4]。

2 ― 緊張型頭痛（tension-type headache：TTH）

　緊張型頭痛の痛みは一般的に両側性で、非拍動性の圧迫感あるいは締め付け感である。強度は軽度から中等度で、片頭痛とは対照的に日常的な動作により増悪しない。稀発反復性、頻発反復性および慢性のサブタイプに分類され、稀発あるいは頻発反復性では悪心や嘔吐はないが光過敏あるいは音過敏を伴うことがある。3か月にわたり1か月に15日以上の頻度で発現する場合、慢性と診断され、光過敏や音過敏、軽度の悪心はあってもいずれか一つのみで、中程度以上の悪心や嘔吐はない。また、頭蓋周囲筋の圧痛を伴うものと伴わないものに細分類される。頭蓋周囲筋の圧痛は、前頭筋、側頭筋、咬筋、翼突筋、胸鎖乳突筋、板状筋および僧帽筋上を手指にて触診して確認する（表3）。

　TTHの急性期治療にはしばしばアセトアミノフェンやNSAIDsが用いられる。また、頻発反復性あるいは慢性TTHには予防療法としてアミトリプチリンによる薬物療法、精神療法や行動療法、ほかに鍼灸、理学療法などの非薬物療法が用いられる[4]。

3 ― 三叉神経・自律神経性頭痛（trigeminal autonomic cephalalgias：TACs）

　TACsは群発頭痛（cluster headache：CH）、発作性片側頭痛（paroxysmal hemicrania：

PH），短時間持続性片側神経痛様頭痛発作(short-lasting unilateral neuralgiform headache attacks with conjunctival injection and tearing/ with cranial autonomic symptoms：SUNCT/SUNA），そして持続性片側頭痛(hemicrania continua：HC)に分類される．TACsに分類される頭痛は通常一側性で，しばしば頭痛と同側性の顕著な頭部副交感神経系の自律神経症状を呈するという共通の臨床的特徴がみられる[1]．

CHとPHでは厳密に一側性の重度の頭痛発作が眼窩部，眼窩上部，側頭部のいずれか一つ以上の部位に発現し，結膜充血または流涙，鼻閉または鼻漏，眼瞼浮腫，前頭部および顔面の発汗，縮瞳または眼瞼下垂のうち少なくとも一つの頭部自律神経症状を伴う．ICHD-3βからCHはこれら頭部自律神経症状を満たさなくても，落ち着きのない，あるいは興奮した様子から診断基準を満たすよう変更された．

SUNCT(結膜充血および流涙を伴う短時間持続性片側神経痛様頭痛発作)は厳密に一側性の重度の頭痛発作が眼窩部，眼窩上部，側頭部またはその他の三叉神経支配領域に，単発性あるいは多発性の刺痛，鋸歯状パターンとして発現し，必ず結膜充血と流涙を伴う．SUNCTの痛みの特徴に少なくとも頭部自律神経症状の一つ以上(ただし，結膜充血あるいは流涙はあってもいずれかのみ)を伴うSUNA(頭部自律神経症状を伴う短時間持続性片側神経痛様頭痛発作)の診断基準もICHD-2の付録から加わった．SUNCTはSUNAのサブフォームである可能性が考えられているが，ICHD-3ではサブタイプとして分類されている．CHとPHの持続時間はそれぞれ15～180分と2～30分，発作頻度は2日に1回～1日に8回と1日5回以上である．また，SUNCT/SUNAの持続時間は1～600秒で発作頻度は1日に1回以上とされる．このように持続時間にオーバーラップがあることや発作頻度に厳密な違いがないことが，TACsの鑑別を難しくしており，診断まで時間を要したり，薬物トライアルで診断が確定したりすることも珍しくない．CH，PHとSUNCT/SUNAには，7日～1年間発現し，この群発期(あるいは発作期)と群発期(あるいは発作期)の間に少なくとも1か月以上の寛解期をはさむ反復性と，1年を超えて発現し寛解期がないあるいは寛解期があっても1か月未満の慢性のサブフォームに細分類される．

CHの治療には純酸素の吸入(7L/分15分間)とトリプタン皮下注射(1日6mgまで)が頓挫薬として高いエビデンスの確実性をもって強く推奨されている．予防薬にはベラパミルやステロイドが用いられる(弱い推奨)[4]．また，診断基準に示されているようにPHは治療量のインドメタシン(高いエビデンスの確実性に基づく強い推奨)に絶対的な効果を示すが，しばしば長期使用による胃腸障害が問題となる[4]．SUNCT/SUNAの治療にはラモトリギンが推奨(弱い推奨にとどまる)されているが，しばしば治療抵抗性でありガバペンチンやトピラメートなどさまざまな抗てんかん薬が用いられる[4]．三叉神経痛が鑑別診断にあげられ，頭部自律神経症状の有無やSUNCT/SUNAには不応期がないことが大きな鑑別点とされているが，最近，MVD(微小血管減圧術)で改善した症例も報告[5]されており，三叉神経痛との

表4　3.1. 群発頭痛の診断基準（ICHD-3）
（IHS，2018[1]）

診断基準
A. B〜Dを満たす発作が5回以上ある
B. （未治療の場合に）重度〜きわめて重度の一側の痛みが眼窩部，眼窩上部または側頭部のいずれか一つ以上の部位に15〜180分間持続する
C. 以下の1項目以上を認める
　①頭痛と同側に少なくとも以下の症状あるいは徴候の1項目を伴う
　　a）結膜充血または流涙（あるいはその両方）
　　b）鼻閉または鼻漏（あるいはその両方）
　　c）眼瞼浮腫
　　d）前額部および顔面の発汗
　　e）縮瞳または眼瞼下垂（あるいはその両方）
　②落ち着きのない，あるいは興奮した様子
D. 発作の頻度は1回/2日〜8回/日である
E. ほかに最適なICHD-3の診断がない

表5　3.2. 発作性片側頭痛の診断基準（ICHD-3）（IHS，2018[1]）

診断基準
A. B〜Eを満たす発作が20回以上ある
B. 重度の一側性の痛みが，眼窩部，眼窩上部または側頭部のいずれか一つ以上の部位に2〜30分間持続する
C. 以下のいずれか，もしくは両方
　①頭痛と同側に少なくとも以下の症状あるいは徴候の1項目を伴う
　　a）結膜充血または流涙（あるいはその両方）
　　b）鼻閉または鼻漏（あるいはその両方）
　　c）眼瞼浮腫
　　d）前額部および顔面の発汗
　　e）縮瞳または眼瞼下垂（あるいはその両方）
　②落ち着きのない，あるいは興奮した様子
D. 発作の頻度は，5回/日以上である
E. 発作は治療量のインドメタシンに絶対的な効果を示す
F. ほかに最適なICHD-3の診断がない

類縁疾患ではないかとの意見もあり議論の的となっている．

　ICHD-3β以降，その他の一次性頭痛からTACsへの仲間入りをした持続性片側頭痛（HC）は，持続性かつ厳密に一側性の中等度から重度の頭痛で，頭痛増悪時に頭痛と同側に自律神経症状が認められることから，しばしばTACsと同列に論じられてきた．HCの疼痛部位は前頭部や側頭部であり片頭痛と類似しているが，増悪して重度の痛みとなり一つ以上の頭部自律神経症状を呈する．また，頭部自律神経症状を確認できなくてもCHと同様に落ち着きがない，あるいは興奮した様子，あるいは片頭痛の特徴である動作による痛みの増悪から診断基準を満たすよう変更されている．HCは1日以上の寛解期で中断される寛解型と少なくとも1年間持続しており，1日以上の寛解期を認めない非寛解型に細分類される．治療はPHと同様に治療量のインドメタシンに絶対的な効果を示す（高いエビデンスの確実性に基づく強い推奨）．

　このようにインドメタシンが奏功する一次性頭痛はインドメタシン反応性頭痛と呼ばれ，その他の一次性頭痛疾患に分類されている一次性咳嗽性頭痛，一次性運動時頭痛，性行為に伴う一次性頭痛，一次性穿刺様頭痛，睡眠時頭痛が知られている（付録：日本ではインドメタシンの販売が中止され，現在用いることができる代替薬剤としてアセメタシン，インドメタシンファルシネルなどがある）[4]（表4〜8）[6]．

4──一次性頭痛の症状に類似した口腔顔面痛

　国際口腔顔面痛分類（ICOP）[3]では頭部の痛みがなく，口腔顔面領域に限局した一次性頭

表6　3.3　短時間持続性片側神経痛様頭痛発作の診断基準（ICHD-3）(IHS, 2018[1])

診断基準
A. B～Dを満たす発作が20回以上ある
B. 中等度～重度の一側性の頭痛が，眼窩部，眼窩上部，側頭部またはその他の三叉神経支配領域に，単発性あるいは多発性の刺痛，鋸歯状パターン（saw-tooth pattern）として1～600秒間持続する
C. 頭痛と同側に少なくとも以下の五つの頭部自律神経症状あるいは徴候の1項目を伴う
　①結膜充血または流涙（あるいはその両方）
　②鼻閉または鼻漏（あるいはその両方）
　③眼瞼浮腫
　④前額部および顔面の発汗
　⑤縮瞳または眼瞼下垂（あるいはその両方）
D. 発作の頻度が1日に1回以上である
E. ほかに最適なICHD-3の診断がない

表7　3.4　持続性片側頭痛の診断基準（ICHD-3）(IHS, 2018[1])

診断基準
A. B～Dを満たす一側性の頭痛がある
B. 3か月を超えて存在し，中等度～重度の強さの増悪を伴う
C. 以下の1項目以上を認める
　①頭痛と同側に少なくとも以下の症状あるいは徴候の1項目を伴う
　　a) 結膜充血または流涙（あるいはその両方）
　　b) 鼻閉または鼻漏（あるいはその両方）
　　c) 眼瞼浮腫
　　d) 前額部および顔面の発汗
　　e) 縮瞳または眼瞼下垂（あるいはその両方）
　②落ち着きのない，あるいは興奮した様子，あるいは動作による痛みの増悪を認める
D. 治療量のインドメタシンに絶対的な効果を示す
E. ほかに最適なICHD-3の診断がない

表8　三叉神経・自律神経性頭痛TACsの比較
(Eller M, Goadsby PJ, 2016[6])を改変

		群発頭痛 CH	発作性片側頭痛 PH	SUNCT/SUNA	持続性片側頭痛 HC
性別		3M-1F	M=F	1.5M-1F	1M-1.6F
痛み	性質	鋭い/刺すような/拍動性	鋭い/刺すような/拍動性	鋭い/刺すような/拍動性	拍動性/鋭い/持続的
	強度	非常に重度	非常に重度	重度	中等度から重度
	分布	V1>C2>V2>V3	V1>C2>V2>V3	V1>C2>V2>V3	V1>C2>V2>V3
発作	頻度（1日に）	1～8	11	100	持続性で増悪を伴う
	持続時間（分）	15～180	2～30	1～10	—
皮膚トリガー		なし	なし	あり	なし
興奮した様子/落ち着きのなさ		90%	80%	65%	69%
発作性 vs 慢性		90：10	35：65	10：90	15：85
周期性		あり	なし	なし	なし
治療効果	純酸素吸入	70%	効果なし	効果なし	効果なし
	スマトリプタン（皮下注射）	90%	20%	<10%	効果なし
	インドメタシン	効果なし	100%	効果なし	100%
発作時の片頭痛の特徴	悪心	50%	40%	25%	53%
	嘔吐	65%	65%	25%	79%

V1：三叉神経第1枝支配領域，V2：三叉神経第2枝支配領域，V3：三叉神経第1枝支配領域，C2：第2頸神経支配領域

痛の症状に類似した痛みの分類と診断基準が示された．「5．一次性頭痛の症状に類似した口腔顔面痛」は，ICHD-3[1]の一次性頭痛のうち，「1．片頭痛」「2．緊張型頭痛」「3．三叉神経・

表9 5. 一次性頭痛の症状に類似した口腔顔面痛の分類（ICOP）

- 5.1 口腔顔面片頭痛
  - 5.1.1 反復性口腔顔面片頭痛
  - 5.1.2 慢性口腔顔面片頭痛
- 5.2 緊張型口腔顔面痛
- 5.3 三叉神経自律神経性口腔顔面痛
  - 5.3.1 群発口腔顔面痛発作
  - 5.3.2 発作性片側顔面痛
  - 5.3.3 頭部自律神経症状を伴う短時間持続性片側神経痛様顔面痛発作（SUNFA）
  - 5.3.4 頭部自律神経症状を伴う持続性片側顔面痛
- 5.4 神経血管性口腔顔面痛
  - 5.4.1 短時間持続性神経血管性口腔顔面痛
  - 5.4.2 長時間持続性神経血管性口腔顔面痛

自律神経性頭痛（trigeminal autonomic cephalalgias：TACs）」に対応した，「5.1. 口腔顔面片頭痛」「5.2. 緊張型口腔顔面痛」「5.3. 三叉神経自律神経性口腔顔面痛（以下のサブタイプを含む；群発口腔顔面痛，発作性片側顔面痛，頭部自律神経症状を伴う短時間持続性片側神経痛様顔面痛発作，頭部自律神経症状を伴う持続性片側顔面痛（trigeminal autonomic orofacial pains：TAOFPs）」，そして新たなentity（疾病概念）として「5.4. 神経血管性口腔顔面痛」が分類された（表9）．「5.1」「5.2」「5.3」はいずれも疼痛部位が，頭部の痛みのない顔面，または口腔（あるいはその両方）の痛みとなり，その他の診断基準はICHD-3と同様である．「5.4. 神経血管性口腔顔面痛」は，「頭部の痛みのない，中等度または重度のさまざまな持続時間の口腔内の痛みで，しばしば歯痛様症状を伴う．軽度の自律神経症状または片頭痛症状（あるいはその両方）を伴うこともある．比較的短い発作（1〜4時間）とより長い発作（4時間を超える）の二つのサブフォームがある」と説明され，臨床データの集積が求められている．これらの口腔顔面痛の診断にはフローチャートが提案[7]されているので参照されたい（図1）．

2）口腔顔面痛に関連する二次性頭痛

1―顎関節症（TMD）に起因する頭痛

二次性頭痛は原因となる障害に起因する頭痛で，他の根本的な障害を原因とした頭痛，または頭痛性疾患と定義されている[1]．顎関節症（TMD）に起因する頭痛はICHD-3の第2部，二次性頭痛の「11. 頭蓋骨，頸，眼，耳，鼻，副鼻腔，歯，口あるいはその他の顔面・頸部の構成組織の障害による頭痛または顔面痛」のなかに分類[1]されており，ほかに歯の障害による頭痛もある．

顎関節症（TMD）に起因する頭痛は「顎関節領域の構造を含む障害によって引き起こされた頭痛」で，通常，顔面の側頭部，顔面の耳介前方部または咬筋部に最も顕著にみられると

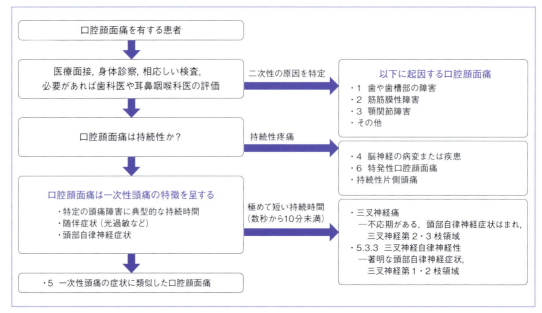

図 1　一次性頭痛の症状に類似した口腔顔面痛の診断フローチャート
(Peng KP, et al, 2022[7])を改変)

説明されている．2014 年に公開された顎関節症の国際的な診断基準である「Diagnostic Criteria for Temporomandibular Disorders(DC/TMD)」では顎関節症(TMD)による頭痛が含まれているが，日本顎関節学会の顎関節症の病態分類には含まれていない．

顎関節症(TMD)に起因する頭痛の診断基準は，DC/TMD に準拠して ICHD-2 や ICHD-3 β から大幅に改訂されており，片側または両側における顎関節，咀嚼筋またはそれに関連する組織に疼痛を及ぼす病的な状況の臨床的証拠があり，①顎関節症(TMD)の発症と時間的に一致して発現したか TMD 発見の契機となり，②顎の運動，機能(咀嚼など)または異常機能活動(パラファンクション；歯ぎしりなど)のいずれか一つ以上により頭痛が増悪する，③側頭筋の触診または顎の受動的運動(あるいはその両方)による身体診察で誘発される，のうち二つ以上を満たす必要がある．

顎関節症の診断には DC/TMD の診断基準の使用が推奨されており，筋緊張により起こる顎関節症に起因する頭痛と緊張型頭痛にはある程度のオーバーラップが存在する[8]ことから顎関節症の診断が不確実の場合，その頭痛は緊張型頭痛のタイプあるいはサブタイプ(おそらく頭蓋周囲の筋圧痛を伴うもの)としてコード化されるべきであるとコメントに加えられている(**表 10**)．

表 10 11.7 顎関節症（TMD）に起因する頭痛（ICHD-3）(IHS, 2018[1])

診断基準
A. C を満たすすべての頭痛
B. 片側または両側における顎関節，咀嚼筋またはそれに関連する組織に疼痛を及ぼす病的な状況の臨床的証拠がある
C. 原因となる証拠として，以下のうち少なくとも 2 項目が示されている
　①頭痛は顎関節症（TMD）の発症と時間的に一致して発現した，または TMD 発見の契機となった．
　②頭痛は顎の運動，機能（咀嚼など）または異常機能運動（パラファンクション；歯ぎしりなど）のいずれか一つ以上により増悪する．
　③頭痛は側頭筋触診または顎の受動的運動（あるいはその両方）による身体診察で誘発される
D. ほかに最適な ICHD-3 の診断がない

表 11 6．特発性口腔顔面痛の分類（ICOP）

6.1 口腔灼熱痛症候群（BMS）
6.2 持続性特発性顔面痛（PIFP）
6.3 持続性特発性歯痛（PIDAP）
6.4 疼痛発作を伴う持続性片側顔面痛（CUFPA）

6.1，6.2，6.3 はいずれも，①定量的（あるいは定性的）感覚検査を行った場合，「体性感覚変化を伴わないもの」と「体性感覚変化を伴うもの」のサブタイプに分類され，さらに③3 か月未満で他のすべての診断基準が満たされている場合「〜の疑い」とコードする．

3）特発性口腔顔面痛

　これまで ICHD-3[1]で「13．脳神経の有痛性病変およびその他の顔面痛」に分類されていた口腔内灼熱症候群，持続性特発性顔面痛が，ICOP[3]では「6．特発性口腔顔面痛」として口腔灼熱痛症候群（burning mouth syndrome；BMS），持続性特発性顔面痛（persistent Idiopathic facial pain：PIFP），持続性特発性歯痛（persistent idiopathic dentoalveolar pain：PIDAP），そして新たな entity（疾患概念）として疼痛発作を伴う持続性片側顔面痛（constant unilateral facial pain with additional attacks：CUFPA）の四つに分類され，新たな診断基準が示された（**表 11**）．

　特発性口腔顔面痛は，「片側性または両側性で，三叉神経の一つ以上の枝の分布領域にある口腔内または顔面にみられる原因不明の痛みであり，痛みは通常遷延性で，中等度の強度であり，局在に乏しく，鈍い，圧迫感のある，灼けるような痛みと表現される」と解説されている．BMS は舌をはじめとした口腔粘膜の表層，PIFP は顔面，そして PIDAP は歯や歯槽部といった解剖学的な視点から分類が行われているのが特徴である．一方で，CUFPA は「持続性（非寛解性）の軽度から中等度の鈍い片側性の顔面痛で，同部位に中等度から重度の 10 分から 30 分持続する疼痛発作（1 日 6 回以下）を伴い，持続痛ならびにそれに加えての発作性疼痛のどちらにも典型的自律神経症状または片頭痛様症状（あるいはその両方）を認めない」と説明され，発作性と持続性片側頭痛あるいは特発性口腔顔面痛とは異なる新たな疾病概念と考えられる．

　しばしば診断に苦慮する PIFP と PIDAP は，以前はそれぞれ非定型顔面痛，非定型歯痛と呼ばれており，臨床的診察やエックス線検査は正常で，局所的な原因が除外されるがいず

表12　持続性特発性顔面痛(PIFP)の診断基準(ICOP)

診断基準
A. BおよびCの基準を満たす顔面痛
B. 1日2時間を超える痛みを連日繰り返し，3か月を超えて継続する
C. 痛みは以下の両方の特徴を有する
　①局在が不明瞭で，末梢神経の支配に一致しない
　②鈍い，疼くような，あるいは，しつこいと表現される痛みの性質
D. 臨床的診察やエックス線検査は正常であり，局所的な原因は否定される
E. ほかに最適なICOPまたはICHD-3の診断がない

表13　4.1. 三叉神経の病変または疾患による痛みの分類(ICOP)

4.1.1　三叉神経痛
　　4.1.1.1　典型的三叉神経痛
　　4.1.1.2　二次性三叉神経痛
　　4.1.1.3　特発性三叉神経痛
4.1.2　他の三叉神経障害性疼痛
　　4.1.2.1　帯状疱疹による三叉神経障害性疼痛
　　4.1.2.2　帯状疱疹後三叉神経痛
　　4.1.2.3　外傷後三叉神経障害性疼痛
　　4.1.2.4　その他の疾患による三叉神経障害性疼痛
　　4.1.2.5　特発性三叉神経障害性疼痛

＊下位分類は一部割愛した

れの口腔顔面痛にも当てはまらない病態である．現在のところ，このような痛みは専門家の間では体性感覚神経系の処理上の変調を示す痛覚変調性疼痛が存在することがあり，下行性疼痛抑制系の変調に関係しているかもしれないと考えられている(BMSについてはすでに第5部10章で詳しく述べたので参照されたい)(**表12**).

4) 外傷後三叉神経障害性疼痛

ICOP[3]では，「4.1. 三叉神経の病変または疾患による痛み」が「4.1.1. 三叉神経痛」と「4.1.2. 他の三叉神経障害性疼痛」に分類された(**表13**)．ICHD-3[1]では「13.1.1. 三叉神経痛」と「13.1.2. 有痛性三叉神経ニューロパチー」と分類されていたが，IASP/ICD-11(国際疼痛学会／国際疾病分類)の考え方に基づいて「神経障害性疼痛」の用語を採用したと説明されている．このうち診断基準が大きく変更された「4.1.2.3. 外傷後三叉神経障害性疼痛」は，国際疼痛学会の神経障害性疼痛のグレーディングシステムの診断フローチャート[9]に適合するよう診断基準がデザインされ，片側または両側の三叉神経の支配領域内で神経解剖学的に妥当な範囲に起こり，3か月を超えて持続または繰り返す痛みで，(機械的，温度的，放射線または化学的障害による)神経損傷の既往がありその6か月以内に発症し，体性感覚症状または徴候(もしくはその両方)が神経解剖学的に妥当な領域に認められ，診断テストによって確定できる疼痛を説明しうる三叉神経末梢枝病変があることが求められる．神経損傷の原因として，外傷や歯科治療のための局所麻酔薬注射，根管治療，抜歯，口腔外科手術，歯科インプラント，顎変形症手術，その他の侵襲的処置などの医療行為に由来する医原性の損傷を含む．また，体性感覚症状または徴候は感覚低下や痛覚鈍麻といった陰性徴候または痛覚過敏やアロディニアなどの陽性徴候(あるいはその両方)を伴うことがある．診断テストとして，神経画像検査や神経学的検査のほかにチェアサイドで行える定量的感覚検査(精密触覚機能検査を含む)が有益な情報を提供する可能性がある．それぞれの神経障害性疼痛の詳細につ

いては第5部を参照されたい．

（小出恭代，大久保昌和）

文献

1) Headache Classification Committee of the International Headache Society (IHS)：The International Classification of Headache Disorders, 3rd edition. Cephalalgia 38: 1-211, 2018（国際頭痛学会・頭痛分類委員会著，日本頭痛学会・国際頭痛分類普及委員会訳：国際頭痛分類第3版．医学書院，東京，1-233，2018）
2) 大久保昌和，成田紀之，松本敏彦，Merrill RL：歯痛や顔面痛を呈する一次性頭痛．ペインクリニック28: 781-790, 2007
3) International Classification of Orofacial Pain, 1st edition (ICOP). Cephalalgia 40: 129-221, 2020（日本口腔顔面痛学会・日本頭痛学会共同訳：国際口腔顔面痛分類第1版，日口腔顔面痛会誌13: 131-217, 2021）
4) 頭痛の診療ガイドライン作成委員会：頭痛の診療ガイドライン2021．日本神経学会・日本頭痛学会・監修，医学書院，東京，2021
5) Lambru G, Lagrata S, Levy A, Cheema S, Davagnanam I, Rantell K, Kitchen N, Zrinzo L, Matharu M: Trigeminal microvascular decompression for short-lasting unilateral neuralgiform headache attacks. Brain 145: 2882-2893, 2022
6) Eller M, Goadsby PJ: Trigeminal autonomic cephalalgias. Oral Dis 22: 1-8, 2016
7) Peng KP, Benoliel R, May A: A review of current perspectives on facial presentations of primary headaches. J Pain Res 15: 1613-1621, 2022
8) Svensson P: Muscle pain in the head: overlap between temporomandibular disorders and tension-type headaches. Curr Opin Neurol 20: 320-325, 2007
9) Finnerup NB, Haroutounian S, Kamerman P, Baron R, Bennett DLH, Bouhassira D, Cruccu G, Freeman R, Hansson P, Nurmikko T, Raja SN, Rice ASC, Serra J, Smith BH, Treede RD, Jensen TS: Neuropathic pain: an updated grading system for research and clinical practice. Pain 157: 1599-1606, 2016

第6部 口腔顔面痛の関連疾患

4 ジストニアとジスキネジア

SBO
Ⅰ. ジストニアとジスキネジアを理解する.
Ⅱ. 口腔顔面領域のジストニアとジスキネジアを説明できる.

1) ジストニアとジスキネジアとは

ジストニア（dystonia）とは，筋の緊張（tonia）の障害（dys）を意味し，筋の緊張による障害である．一方で，ジスキネジア（dyskinesia）とは運動（kinesia）の障害（dys）であり，運動異常，運動障害を意味する．両者ともさまざまな原因で生じる異常運動の病態である[1]．口腔領域においては「もぐもぐ病」などとも知られているが，特に舌，口唇に現れる繰り返し運動や異常な力の開口運動，あるいは舌の捻りながらの運動などは，口下顎ジストニア（oromandibular dystonia）や口顔ジスキネジア（orofacial dyskinesia）などといわれる．これらの顎口腔系に関連した症例報告は多いものの，個々の症状の原因や治療法についてのエビデンスは少ないのが現状である[1]．

2) ジストニアとジスキネジアの定義

1─ジストニアの定義

ジストニアは「症候群であり，反復性であることが多い異常な運動，姿勢，またはその両者を生じさせる持続的あるいは間欠的な筋収縮を特徴とする運動障害である」と定義される[2]．また，その特徴として「ジストニア運動は，典型的には定型的かつ捻転性であり，ときには振戦であることもある．ジストニアは随意的な運動をしようとすると始まったり，増悪したりする．そして筋活動のオーバーフローを伴う」とされている[2-4]．さらに，2018年の日本神経学会による「ジストニア診療ガイドライン2018」では上記内容に加えて，ジストニア姿勢とジストニア運動を区別し，特定の随意運動時に出現，増悪する「動作性ジストニア（active dystonia）」などに関する記載が加えられた（表1）[5]．

表1　ジストニアの定義[6,7)]

①ジストニアとは運動障害の一つで，骨格筋の持続のやや長い収縮，もしくは間欠的な筋収縮に特徴づけられる症候で，異常な(しばしば反復性の要素を伴う)運動：ジストニア運動(dystonic movement)とジストニア姿位(dystonic posture)，あるいは，両者よりなる．しかし，ジストニア姿位はジストニアに必須ではなく(顔面，喉頭など)，ジストニアの本態は異常運動にある．
②ジストニア運動はその症例にとっては定型的(patterned)で，捻れ運動，もしくは振戦様である．
③ジストニアにより随意運動の遂行がさまざまな程度に妨げられる．
④ジストニアはしばしば特定の随意運動により生じ，増悪することがある．これを動作性ジストニア(action dystonia)とも呼ぶ．
⑤ジストニアは筋活動のオーバーフロー(運動の遂行には必要ではない筋の活動)を伴い，他の不随運動(ミオクローヌスなど)を伴うことがしばしばある．
⑥ジストニアの分類には発症年齢による分類，発現部位による分類，時機的パターン，もしくは発現パターンによる分類，随伴する症状の有無による分類，神経病理学的分類，発症原因による分類がある．発症原因による分類には遺伝性(常染色体優性，常染色体劣性，伴性劣性，ミトコンドリア遺伝)，後天性，特発性がある．

表2　ICD-10 コード別病名(標準病名)

1	薬物誘発性ジストニア	G24.0	9	口顔面ジストニア	G24.4	17	外転型痙攣性発声障害	G24.8
2	ドーパ反応性ジストニア	G24.1	10	口唇ジスキネジア	G24.4	18	喉頭ジストニア	G24.8
3	遺伝性ジストニア	G24.1	11	口舌ジスキネジア	G24.4	19	全身性ジストニア	G24.8
4	瀬川病	G24.1	12	口部ジスキネジア	G24.4	20	内転型痙攣性発声障害	G24.8
5	特発性捻転ジストニア	G24.1	13	メージュ症候群	G24.5	21	咬筋ジストニア	G24.8
6	症候性捻転ジストニア	G24.2	14	眼瞼痙攣	G24.5	22	ジスキネジア	G24.9
7	特発性非家族性ジストニア	G24.2	15	下顎ジストニア	G24.8	23	ジストニア	G24.9
8	痙性斜頸	G24.3	16	過緊張性発声障害	G24.8			

　国際疾病分類第10版(ICD-10)2016年版では，Ⅵ章．神経系の疾患のなかに「錐体外路障害及び異常運動(extrapyramidal and movement disorders)G20-G26」としてジストニア，ジスキネジア等の運動障害を呈するさまざまな疾患が記載されており(表2)，さらに病態により詳細に分類されている．

　最新のICD-11(2022年版)では，ジストニアは神経系の疾患(disease of the nervous system)のなかの運動障害(movement disorder)のなかにdystonic disorders(8A02)として位置付けられている．さらにそのなかにはジストニアの詳細な分類が示されており(表3)，oromandibular dystonia も関連付けられている．

2―ジスキネジアの定義

　ジスキネジアは，自分の意思とは無関係に身体が勝手に動いてしまう神経学的な症候の不随意運動の一種である．不随意運動にはさまざまな種類があり，さまざまな薬剤の使用に関連して出現することが多く，なかでも抗精神病薬やパーキンソン病治療薬の副作用として頻度が高い．ICD-11では，dystonic disorders の下流に laryngeal dyskinesia や tardive

表3　ICD-11（8A02 Dystonic disorders）

8A02.0 Primary dystonia
 8A02.00 Benign essential blepharospasm
 8A02.0Y Other specified primary dystonia
 8A02.0Z Primary dystonia, unspecified
8A02.1 Secondary dystonia
 8A02.10 Drug-induced dystonia
 8A02.11 Dystonia-plus
 8A02.12 Dystonia associated with heredodegenerative disorders
 8A02.1Y Other specified secondary dystonia
 8A02.1Z Secondary dystonia, unspecified
8A02.2 Paroxysmal dystonia
8A02.3 Functional dystonia or spasms
8A02.Y Other specified dystonic disorders
8A02.Z Dystonic disorders, unspecified

表4　ICD-11（ジスキネジアの位置付け）

8A02.0Y Other specified primary dystonia
 Laryngeal dyskinesia
8A02.0Z Primary dystonia, unspecified
 neuroleptic dyskinesia
8A02.10 Drug-induced dystonia
 Tardive dyskinesia
8A02.2 Paroxysmal dystonia
 Paroxysmal Dyskinesia

dyskinesiaなど四つが関連付けられている（**表4**）[1,8]．

　ジスキネジアは，かつてはいわゆる口唇ジスキネジア（oro-buccal-lingual dyskinesia）やオーラルジスキネジアといわれ，絶え間なく咀嚼様運動を行う，舌を捻転させる，あるいは持続的に口唇の突き出しを行っているなどの不随意運動を意味して使われていた．その後，これらの病態に伴って四肢の動きや震えなど，多くの動きを合併することが報告され[1,8]，それらの動きを包括する症候名，すなわち口唇ジスキネジアを含む不随意運動の総称として使用されることが多い．ジストニアの多くは典型的な定型パターンを認める一方で，ジスキネジアは定型パターンを認めないものとされる[9]．

3）ジストニアの症状

　定義にあるように，ジストニアの多くの症例では，パターン化された繰り返しの捻れ運動を伴う異常運動（ジストニア運動：dystonia movement）と，その結果として表出する異常な姿勢（ジストニア姿勢：dystonia posture）が合併して認められる．また，特定の随意運動時に出現あるいは増強する運動（動作性ジストニア：action dystonia）がある[1]．

　ジストニアは，主導筋と拮抗筋の同時収縮による捻れの障害や，同一筋グループの収縮

により定型的なパターン化された異常な筋収縮に起因する．具体的には，持続する姿勢異常，体のふるえ，開瞼困難，声のとぎれ，頭痛，肩こり，腰痛などの多様な症状が生じる[10]．

ジストニアでは，姿勢異常や運動パターンは患者により一定である．常同性(stereotype：日によって姿勢や疼痛部位は変わらない)，動作特異性(task specificity：特定の動作に伴い出現)，オーバーフロー現象(overflow phenomenon：ある動作の際，その動きに本来不必要な筋が不随意に収縮する)，早朝効果(morning benefit：起床時の症状が軽度になる)，フリップフロップ現象(flip-flop phenomenon：症状が何らかのきっかけで急に増悪，軽快する)，そして感覚トリック(sensory trick：特定の感覚的な刺激により症状が軽快する)の存在などがジストニアの典型的な特徴として知られている[1]．

4) ジストニアの分類

ジストニア治療では，臨床的フェノタイプ(部位による分類や発現時期などの表現型)を把握することは病状管理や治療予後に非常に重要であるとされる[11]．ジストニア診療ガイドラインでは，発症年齢，発現部位，時間的パターンまたは発現パターン，随伴症状の有無，神経病理学的特徴，発症病因(遺伝性，後天性，特発性)により分類される．コンセンサスレポートや最近のreviewでは，臨床的分類(AxisⅠ：発症年齢，発症部位，時間的パターンや発現パターン，随伴症状による分類)と病因論による分類(AxisⅡ：神経病理学的分類と発症病因による分類)が提案され，臨床症状に加え，病因因子の把握の重要性が強調されている．(表5)[3-5]

発症年齢(age at onset)の分類には，乳児期(出生から2歳)，小児期(3～12歳)，青年期(13～20歳)，成人早期(21～40歳)，成人(40歳過ぎ)とされ，症状進行の推測などに有効となる(表5 上)．

発症部位による分類は，頭部上半，頭部下半，頸部，喉頭・体幹，上肢，下肢などの領域に分類し，また発現の分布により局所性(focal)，分節性(segmental)，多巣性(multifocal)，全身性(generalized)，片側性(hemidystonia)に分類される．局所性ジストニアは，一つの部位のみに発現するジストニアで，両眼輪筋が不随意に収縮し，まぶたを自由に開けられなくなる眼瞼痙攣，頸筋の収縮により頭が傾いた状態になる斜頸，喉頭や声帯の筋の異常収縮によりおもに痙攣性発声障害をきたす喉頭ジストニア，文字を書く手や腕の筋肉が異常に収縮し，震えて文字が書けなくなる書痙(writer's cramp)などは典型である[5,10]．口下顎ジストニア(oromandibular dystonia)はこれに含まれる．

時間的パターンはstaticとprogressiveに，発現パターンによる分類は，持続性，発作性，日中性および動作性などに分類される．

原因による分類(AxisⅡ)は，神経系の障害，遺伝性ジストニア(遺伝性が確定しているもの)，後発性ジストニア(非遺伝性で原因が特定できているもの)，特発性ジストニア(それ以

表5 ジストニアの臨床的分類（上）と病因論による分類（下）(Gruts, et al, 2021[4])

Clinical characteristics (Axis Ⅰ)				
Clinical characteristics of dystonia				Associated features
Age at onset	Body distribution	Temporal pattern		
		Disease course	Variability	
Infancy (birth to 2 years)	Focal	Static	Persistent	Isolated (no other feature)
	Segmental	Progressive	Paroxysmal	
Childhood (3-12 years)	Multifocal		Diurnal	Combined (+another movement disorder)
Adolescence (13-20 years)	Generalized +/−leg involvement		Action-specific	
Early adulthood (21-40 years)	Hemidystonia			Complex (+other manifestation may include non-neurological)
Late adulthood (>40 years)				
Infancy (birth to 2 years)	Generalized + leg involvement	Progressive	Persistent	Isolated (on other feature)
Early adulthood (21-40 years)	Focal	Static	Persistent	Combined (+another movement disorder)

Etiology (Axis Ⅱ)			
Nervous system pathology	Inherited or acquired		
	Inherited	Acquired	Unknown
Evidence of degeneration Evidence of structural (often static) lesions No evidence of degeneration or structural lesion	Autosomal dominant Autosomal recessive X-linked recessive Mitochondrial	Perinatal brain injury Infection/inflammation Drug Vascular Neoplastic Brain injury Functional	Sporadic Familial

外の原因不明なもの）とされる．成人で発症する特発性ジストニアはほとんどが局所性である．後発性の原因としては，脳外傷，血管障害，新生物，感染症，中毒，薬剤性，心因性などがある[1]．

5) 口腔領域のジストニア（ジスキネジアを含む）

　口腔顔面領域に発現するジストニアの種類はさまざまで，典型的なジストニアのような特有の病態を示さない不規則な異常運動（ジスキネジア）も含まれ，原因もさまざまである．
　具体的な口腔領域の症状としては，「口唇を持続的に突き出す」「歯を食いしばる」「口が開いたままで閉じられない」「閉じたままで開けられない」「目を閉じるとなかなか開かず，眉間にしわを寄せている」などのジストニア様症状や「繰り返し唇をすぼめる」「舌を繰り返し左

表 6 ジストニア・ジスキネジアが口腔領域・生活に及ぼす障害

・歯の摩耗	・下顎骨の脱臼	・咀嚼不全
・歯や義歯のダメージ	・摩擦，咬傷（咬舌，咬頬）	・栄養摂取不全，体重減少
・無歯顎患者の顎堤吸収の加速	・会話不全	・可撤性義歯の安定不良，維持不良
・口腔領域の疼痛	・嚥下障害	・社会的不適応（失職，孤立，うつ状態）
・顎関節の退行性変化		

右に動かす」「舌を絶え間なく捻転させる」「咀嚼しているように口をもぐもぐさせる」などの定型パターンのないジスキネジア症状がある[1]．

　口腔領域のジストニア・ジスキネジアは，不随意運動により口腔内にさまざまな二次的な症状が生じる（**表 6**）．これらを主訴とし歯科に来院する患者も多く，その際にはジストニア・ジスキネジアへの対応が必要であり，十分な理解，知識が求められる[1]．

1 ― 顎・口・舌ジストニア

　口顎部のジストニアは，おもに閉口スパズムと開口スパズムなどである．閉口スパズムは咬筋の収縮により開口障害や噛み締め，歯ぎしりなどを伴う．そのため，顎関節症症状を併発し，ジストニアとして見逃されやすく注意が必要である．開口スパズムは外側翼突筋の異常収縮により閉口障害が生じる．また口唇周囲の筋緊張は，原因筋によりその症状は多種多様で，「口唇の突出」や「繰り返し口唇をすぼめる」などがある．舌のジストニアはおもに「舌の不随意な突出」で，ほかにも「舌の挙上」「片側のみの挙上」などの症状もある．舌のジストニアは異常姿勢・異常運動の定型性がみられ，発語時の舌の持ち上げなどが多い．一方で動きに定常性が認められない，バラバラな運動は舌のジスキネジアとして鑑別される[1]．

　顎・口・舌のジストニアには，いずれも感覚トリックの有無が診断に有効であり，口腔周囲への接触などの特定の感覚刺激により，動きが止まるなど，症状の軽減がみられる[1]．

2 ― 薬物誘発性ジストニア，ジスキネジア

　ICD-11 では，二次性ジストニアの薬物誘発性ジストニア（drug-induced dystonia：8A02.10）として分類され，薬物の副作用あるいは過剰接種により生じるもので，口腔顔面領域に症状が出現する頻度は高い．また，初発症状として発現することも多いため，歯科臨床においても注意が必要である．

　原因薬剤として，ドパミン拮抗作用を有する精神神経用薬（抗精神病薬，抗うつ薬），消化性潰瘍用薬（制吐薬など），その他の消化器官用薬（胃腸運動調整薬），あるいはカルシウム拮抗薬，抗めまい薬など多くの薬剤が挙げられる[1]．

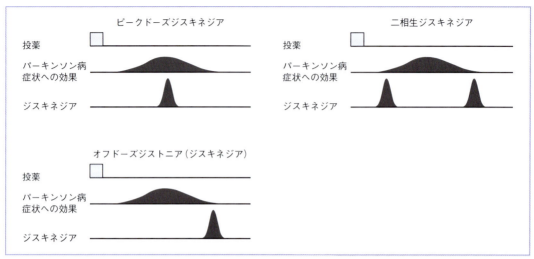

図1 薬物誘発性ジストニア，ジスキネジアの症状の発現と投薬との時間関係

① 急性ジストニア

　原因薬剤の服用開始後，急性（数日から数週間）に発症する．最も一般的なものは抗パーキンソン病薬，特にレボドパ投与時に発現する不随意運動である．舞踏運動，ジストニア，ジスキネジア，バリズム，常同運動（stereotyped movement），ミオクローヌス，振戦，アカシジアなど多様な症状が発現し，経過により症状も変化する．

② 遅発性ジストニア（tardive dystonia）・遅発性ジスキネジア（tardive dyskinesia）

　パーキンソン病や精神疾患の治療に抗精神病薬などを長期間（一般的には3か月以上），あるいは高用量で用いた際に症状が発現する．特にドパミンD2受容体遮断が遅発性症候を誘発しやすい．投与期間に伴い発症頻度は上がり，定型的抗精神病薬を飲み始めると1年に5%の患者がジスキネジアを呈するとされ，10年投与では50%の患者がジスキネジアに悩まされることとなる[1]．ジスキネジアは最も発現しやすいが，ジストニアが生じることや併存することもある．遅発性ジストニアと遅発性ジスキネジアの違いは，前述したように運動の特徴が異なることである．初発部位は，ほとんどの症例で頸部・口腔顔面の筋である．上下肢に広がる際にはジストニア・アカシジアを伴うことがあり，またミオクローヌスや振戦を伴うこともある．

③ 薬物中止による発症・増悪

　薬物の服用中止により，遅発性ジストニア・ジスキネジアが発症または増悪することがある．

　症状発現と投薬との時間関係から，ピークドーズジスキネジア（peak-dose dyskinesia），二相性ジスキネジア（diphasic dyskinesia），オフドーズジストニア（ジスキネジア）（off-dose dystonia（dyskinesia））等の種類に分けられる（**図1**）[8]．

3 ― Meige（メージュ）症候群

　Meige症候群とは，眼瞼痙攣を主症状とし，合わせて隣接する二つ以上の部位にジストニアが発現した分節性ジストニアである．発現部位は，頭部，顔面，下顎，舌，喉頭，頸部などの口腔顔面領域であるため注意が必要である[1]．ICD-11では，other specified primary dystonia（8A02.0Y）に関連付けられている．

6）ジストニア・ジスキネジアの診断，治療

　ジストニアやジスキネジアは，神経内科，脳神経外科などの専門科で診断され，治療としては薬剤投与やボツリヌス治療，バクロフェン髄注療法，外科的治療法，鍼治療，理学療法，心理療法などが行われる[12]．また，2022年よりバルベナジン（商品名ジスバル）が遅発性ジスキネジアの治療薬として承認されており，遅発性ジスキネジアの診断および治療に精通した医師のもとで使用することとされている．

　口腔顔面領域のジストニア・ジスキネジアは，多くは何らかの疾患に随伴して，または薬物誘発性に発現する．口下顎ジストニアは，開閉口運動障害や構音障害，発声障害，嚥下障害，筋痛などを呈し，顎関節症症状やそのほかの歯科疾患と類似，併発する場合（dental mimics）もあるため[11]，これら疾患や障害を主訴に来院し，結果としてジストニア・ジスキネジアが認められることも多い[12]．そのため歯科医師がジストニア・ジスキネジアを発見する最初の医療従事者となることは多く，判断を誤れば，診断が遅れうる．そのため，歯科医療従事者は患者の既往歴，服薬状況を正確に把握し，ジストニア・ジスキネジアの知識を持ち，精神疾患やパーキンソン病などの担当医，専門科へ病状の照会を行い，早期発見・治療に努める必要がある[11]．

　歯科的な治療方法としては，口腔内アプライアンスが挙げられ，感覚トリック（sensor trick）が有効であった患者への有効性や，閉口ジストニアに対しての歯，歯列の保全に有効とする報告もある．しかしながら，ジストニアに対する口腔内アプライアンスの有効性は未だ十分なエビデンスはなく，適用は慎重に判断するべきであり，今後の調査研究が求められる[13]．また，ジスキネジアは，不適合義歯の装着者に多くみられ，義歯適合の改善や咬合高径の適正化が症状の改善につながるという報告もあるが[14]，こちらもエビデンスは不十分である．

　これらから，歯科医療従事者は患者の既往歴や内服状況，症状などを正確に把握し，神経内科や脳神経外科などの専門科と積極的に連携をはかる必要がある．

（小川　徹）

文 献

1) 佐々木啓一：臨床に有用な基礎知識）顎口腔系にみられるジストニア，ジスキネジア―その臨床症状・診断・治療―．日顎誌 32(3)：91-95，2020
2) Albanese A, Bhatia K, Bressman S B, et al: Phenomenology and classification of dystonia: a consensus update. Mov Disord 28(7)：863-873, 2013
3) Albanese A, Di Giovanni M, Lalli S: Dystonia: diagnosis and management. Eur J Neurol 26(1)：5-17, 2019
4) Grutz, K. Klein, C: Dystonia updates: definition, nomenclature, clinical classification, and etiology. J Neural Transm (Vienna) 128(4), 395-404, 2021
5) 日本神経学会：ジストニア診療ガイドライン2018．2018
6) 長谷川一子：ジストニアの定義．ジストニア2012，中外医学社，東京，2012
7) Albanese A, Bhatia K, Bressman SB, et al: Phenomenology and classification of dystonia: a consensus update. Mov Disord 15; 28(7)：863-873, 2013
8) 厚生労働省：重篤副作用疾患別対応マニュアル　ジスキネジア．平成21年5月（令和4年2月改定）
9) 佐々木啓一：ジスキネジアとジストニア．口腔顔面痛の診断と治療ガイドブック，第2版，医歯薬出版，東京，233-238，2016
10) 成田紀之：口顎ジストニアの治療．日顎誌 26(2)：85-92，2014
11) Britton D, Alty JE, Mannion CJ: Oromandibular dystonia: a diagnosis not to miss. Br J Oral Maxillofac Surg 58(5)：520-524, 2020
12) 目崎高広：ジストニアの病態と治療．臨床神経学 51(7)：465-470，2011
13) De Meyer M, Vereecke L, Bottenberg P, et al: Oral appliances in the treatment of oromandibular dystonia: a systematic review, Acta Neurol Belg 120(4)：831-836, 2020
14) Sutcher H: Prosthetic dentistry in the treatment of movement disorders: dyskinesias and other neurological abnormalities. Med Hypotheses 56(3)：318-320, 2001

緩和ケア

SBO
Ⅰ．緩和ケアの概要について説明できる．
Ⅱ．鎮痛薬使用の基本４原則について説明できる．

1）緩和ケアとは

　緩和ケアとは，生命を脅かすような疾患に関連する問題に直面している患者と家族に対して行われる，QOLを改善するための取り組みのことを指す．疾患の早期より痛みやその他の身体的・心理社会的・スピリチュアルな問題に関して適切に評価し対応することで，苦痛を予防し緩和する，と定義されている（2002年WHOによる緩和ケアの定義より）（p.302 表1参照）．
　以前は，「緩和ケアはがん治療の手立てがなくなったあとのアプローチ」という認識があったが，現在ではがん治療と緩和ケアは別々に提供されるものではなく，グラデーションをもって継続的に提供されるものであるとする考え方（包括的がん医療モデル）となっている（図1）．また，上記の定義にあるとおり，緩和ケアは患者だけでなくその家族も対象とし，対象疾患はがんに限ったものではなく生命を脅かす病すべてであり，「身体の痛み」だけでなくすべての苦しみ（全人的苦痛）の「予防」と緩和を目的とし，その提供はいわゆる「終末期」に限ったものではなく，治療早期から提供されるべきものである．

1―全人的苦痛とは（緩和ケアが対象とする四つの苦痛）

　がん患者の苦痛は，単にがんによる痛みや食欲の低下，呼吸のつらさといった肉体の苦痛ばかりではなく，さまざまな側面からその人がその人らしくあることを妨げる「人間としてのあらゆる苦痛」が含まれる．近代ホスピスの生みの親であるD.C.ソンダースは，末期がん患者が経験する苦痛を「全人的苦痛（トータルペイン，図2）」と呼び，理解を容易にするためさらに四つの苦痛に分類した．

① 身体的苦痛
　がんそのものや，がんの治療によって生じる身体の痛み，吐き気，食欲

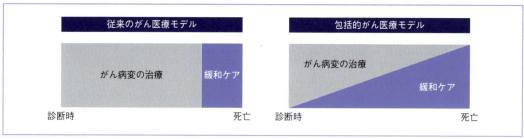

図1　従来のがん医療モデルと包括的がん医療モデル

不振，息苦しさ，倦怠感（だるさ）といった身体症状や日常生活動作の低下などの身体の苦痛．
口腔の例：
・口内炎の痛み，齲蝕，歯肉の炎症，義歯の不具合や顎骨壊死による痛み．
・口腔の乾燥，味覚障害など．
・口腔がんでは腫瘍そのものの痛み，腫瘍の増大に伴う閉塞感，手術や放射線治療の後遺症障害としての頸部や肩などの筋緊張性の痛みなど．

② 精神的苦痛

　気持ちが落ち込む，不安を感じる，イライラしてしまう，そわそわして何も手につかない，見放された気持ちになり孤独を感じる，といった精神的な負担，苦痛．
口腔の例：
・会話が障害されることでのコミュニケーション不全や，痛みや味覚障害による食事の楽しみの喪失と，それらから生じる気持ちの落ち込み，イライラなど．
・「いつまでこの口腔の副作用は続くのだろうか，治るのだろうか」といった不安．
・口腔がんでは発声・視覚・聴覚・嚥下などの重要な機能の障害や，顔貌等のボディイメージの変化による精神的な負担，抑うつなど．

③ 社会的苦痛

　病気の治療や症状が仕事に影響を与えてしまったり，病気について職場にどのように伝えるべきか悩むなど「仕事上の苦悩」，がん治療の長期化や，今までどおりに就労ができないことによる経済的な不安など「経済的な問題」，家事や育児に制限が生じたり，役割を果たせなかったりすることなどの「家庭内の苦悩」といった，社会的な問題に対する苦痛．
口腔の例：
・口内の痛みで会話ができない，会食に参加できず仕事に支障が出た．
・口臭が気になり，人前に出られない．
・味覚障害で食事の味付けができず，家族の食事が作れない，親としての役割を果たせない．
・口腔がんでは術後の顎顔面の欠損や形態変化による審美性の低下などにより社会的な活動が制限されるなど．

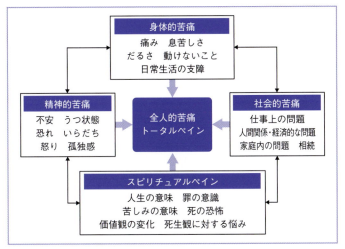

図2 トータルペイン(全人的苦痛)(恒藤,1999[8])を改変)

④ スピリチュアルな苦痛

「なぜ私ががんになってしまったのか」「なぜこのような苦しみを経験しなければならないのか」という不公平感,「家族や他人の負担になりたくない」「病気になって,自分という存在の意味や価値がなくなった」という無価値感,「今までの行いが悪かったのだろうか」という罪の意識,「死んだらどうなるのだろう」「私が生きてきた意味はなんだろう」といった「いのち」や死生観に対する問いなど,病気に直面したときに生じる実存的苦痛(自分の存在意義への問い)とも訳される,人間の根源的な部分にも関わる苦痛.

口腔の例:
・「食べたいものも食べられない,こんな状態で生きていく意味があるのだろうか」.
・口腔がんでは「なぜこんながんになってしまったのか」など.

がんによって起こるさまざまな苦痛をケアしていくうえでは,このトータルペインという考え方を理解することが重要といわれている.トータルペインを構成する四つの苦痛は相互に影響し合い,一つの苦痛がさまざまな他の苦痛を引き起こすこともあれば,一つの苦痛が解消されることで連鎖的にほかの苦痛が緩和されていくこともある.患者が今感じている「痛み」を緩和するには,影響し合うほかの苦痛にも目を向けていくことが重要であり,さまざまな分野の専門家が,患者の状況に応じて適切な支援を行うチーム医療の体制が必要不可欠である.基本的緩和ケアは,がん患者に関わるすべての医療従事者が理解し,提供しなければならない.

口腔の例:
・単純な口腔の問題と思われていたものが,社会的な苦痛やスピリチュアルペインの問題と

表 1　緩和ケアの定義（緩和ケア関連団体会議作成，日本語定訳：2018 年 6 月）

- 痛みやその他のつらい症状を和らげる
- 生命を肯定し，死にゆくことを自然な過程と捉える
- 死を早めようとしたり遅らせようとしたりするものではない
- 心理的およびスピリチュアルなケアを含む
- 患者が最期までできる限り能動的に生きられるように支援する体制を提供する
- 患者の病の間も死別後も，家族が対処していけるように支援する体制を提供する
- 患者と家族のニーズに応えるためにチームアプローチを活用し，必要に応じて死別後のカウンセリングも行う
- QOL を高める．さらに，病の経過にもよい影響を及ぼす可能性がある
- 病の早い時期から化学療法や放射線療法などの生存期間の延長を意図して行われる治療と組み合わせて適応でき，つらい合併症をよりよく理解し対処するための精査も含む

もつながっており，口腔の問題の解決がトータルペインの解決につながった事例．

- 口の痛みのせいで食事が取れず，体重がどんどん落ちてしまった．体力の低下に伴い気持ちも落ち込み，何事もやる気が起きなくなり，社会活動への参加も億劫になった．「生きる気力」がなくなったと感じていた．
⇨ 口内の痛みがなくなったことで，食事も美味しく食べられるようになり，体重も元に戻った．体調がよくなると気持ちまで軽くなり，前向きな気分になってきたので，中断していた社会活動も再開した．

2）がん性疼痛に対する鎮痛薬治療（WHO 方式がん疼痛治療法）

「WHO 方式がん疼痛治療法」は，がんの痛み治療として世界中で広く実践されている治療法で，2018 年に「WHO がん疼痛に関するガイドライン」が改訂され現行のものになった．WHO はがんと診断されたそのときから，がんそのものの治療と並行して必要に応じた痛みの治療を行うよう提唱し，「患者にとって許容可能な生活の質を維持できるレベルまで痛みを軽減する」ことを目標に，鎮痛薬（表 2）の使用方法に対して以下の基本原則を設定している．

1―鎮痛薬使用の基本四原則

① 経口投与を基本とする

経口投与は，簡便かつ容量調節が容易で，経済的にも望ましい．可能な限り内服薬で治療する（口腔がんでは摂食嚥下障害を生じることも多く，鎮痛薬の投与経路に検討を要する場合がある）．

② 時刻を決めて規則正しく使用する

痛みは鎮痛薬の血中濃度が低下すると出現する．鎮痛薬の効果が切れる前に次回分を服用できるよう「痛くなったら飲む」のではなく，患者にあった投与スケジュールを決めて規則正しく投与し，血中濃度を安定させる．

表2　WHOがん疼痛ガイドラインの鎮痛薬リスト

非オピオイド		アセトアミノフェン NSAIDs
オピオイド	弱	コデイン
	強	モルヒネ ヒドロモルフォン オキシコドン フェンタニル メサドン

③ 患者ごとの個別の量で

患者個々人の痛みの評価を詳細に行い，年齢・体重・腎機能・肝機能などを考慮して，最少量で最大の鎮痛効果が得られる用量調節を行う．

④ そのうえで細かい配慮を

患者とその家族が安心して薬剤を継続して使用できるよう細かい配慮を行う．痛みの原因，鎮痛薬の必要性やその作用機序，投与量や投与方法などを十分説明する．副作用についても十分に説明し，観察評価を行う．

口腔がんの痛みは，神経障害性疼痛（おもに三叉神経，舌咽神経）の混在が多く，非オピオイド，オピオイドに加えて，鎮痛補助薬が必要なことがある[3]．鎮痛補助に関連する保険適用を有する薬剤として，ミロガバリン，プレガバリン，アミトリプチン，デュロキセチン，カルバマゼピン，メキシレチンなどがある．

3）鎮痛薬治療以外の治療法

トータルペインの緩和には，多角的なアプローチが必要である．薬物療法以外の治療，いわゆる非薬物治療・ケアも並行して行うことが疼痛緩和には重要であり，そのためにも多職種のチームで関わることが大切である．

疼痛は主観的なものであり，痛みを強めたり弱めたりするさまざまな因子が存在する（図3）．痛みの閾値を上げる（痛みを感じにくくなる）方法を考えることは疼痛治療に非常に重要である．

患者には痛みを強めたり弱めたりするさまざまな因子があることを説明し，薬物のみで痛みがとれるわけではないこと，ケアなどにより痛みの閾値をあげることで，より効果的な疼痛緩和が行えるようにしていくことを伝える．実際に痛みの閾値を上げる（痛みを感じにくくなる）方法を患者と医療者がともに考え，実施してゆくことは重要な疼痛緩和の治療となる．

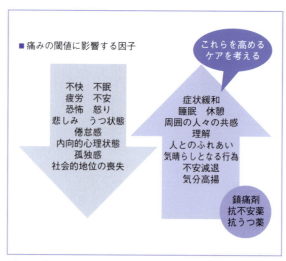

図 3 痛みを和らげるケア(Twycross, et al 著,武田訳,1991[7])

4）まとめ（緩和ケアの要点）

・「病気の時期」や「治療の場所」を問わず提供すべきものである．
・患者と家族の苦痛（つらさ）に焦点をあてる．
・つらさとともに，病気に伴う患者の生活の変化や気がかりに対応することが重要である．
・いつでも，どこでも，切れ目のない質の高い緩和ケアを受けられることが大切である．
・基本的な緩和ケアはすべての医療従事者が理解し提供すべきものである．

（上野尚雄，八岡和歌子）

文 献
1) WHO（世界保健機関）による緩和ケアの定義（2002）http://www.who.int/cancer/palliative/definition/en/
2) World Health Organization: WHO guidelines for the pharmacological and radiotherapeutic management of cancer pain in adults and adolescents. World Health Organization, Geneva, 2018
3) http://www.who.int/ncds/management/palliative-care/cancer-pain-guideline/en/
4) 日本緩和医療学会がん疼痛治療ガイドライン作成委員会編：がん疼痛の薬物療法に関するガイドライン2020年版，金原出版，東京，2020
5) 国立がん研究センターがん対策情報センター編：全国共通がん医科歯科連携講習会テキスト．第2版，平成31年度厚生労働省・国立がん研究センター委託事業．2019
6) https://ganjoho.jp/med_pro/med_info/dental/koshukai_text2.html
7) Twycross, et al 著，武田文和 訳：末期患者の診療マニュアル．第2版，医学書院，東京，1991

索引

あ

アクセプタンス&コミットメントセラピー（ACT）　184
アサーション　184
アシクロビル　247
アストロサイト　21, 23, 66
アスピリン喘息　128
アセトアミノフェン　126, 139
圧痛検査　213
アデノシン三リン酸（ATP）　32
アナフィラキシー　126
アプライアンス療法　186
アミド型　140
アミトリプチリン　136, 139, 259
アメナビル　247
アラキドン酸　123
アロディニア　6, 33, 106
安静時機能的磁気共鳴画像法（rs-fMRI）　28

い

イオンチャネル　50
異所性ノルアドレナリン受容体　255
痛み　2
痛み関連脳内神経ネットワーク　25, 61
痛み情報　3
痛みの感受性　90
痛みの個人差　89
痛みの三要素　25
痛みの性差　79
痛みの定義　2, 3
痛みの分類　4
一次求心性感覚ニューロン　13
一次侵害受容ニューロン　68, 70
一次性口腔顔面痛　112
一次性頭痛　280
一次性体性感覚野（S1）　21, 26
一次性変形性顎関節症　233
一次痛　5
一発診断　113
医療面接　212
インターロイキン　32
インドメタシン　283
インドメタシン反応性頭痛　283
陰陽説　160

う

うつ病　81, 89, 148
腕時計型センサー　87
運動学習トレーニング　173, 174
運動器疼痛　59
運動処方　177
運動神経　110
運動前野　27
運動プロトコール　177
運動療法　172, 177

え

永久的感覚障害　253
衛星細胞　70
エステル型　140
エストロゲン　79, 80, 218
エストロゲン受容体　79
エチゾラム　137, 139
エトドラク　124
エファプス　54, 255
エペリゾン塩酸塩　137, 139
炎症性サイトカイン　22, 233
炎症性疼痛　6, 257
延髄　8, 19

お

オートクライン・パラクラインシグナル　43
オーバーシュート　141
オキシコドン　130, 139
オクルーザルアプライアンス　186
オトガイ神経ブロック　151
オピオイド　128, 303
オピオイド受容体　122, 128
オピオイド代謝酵素　92
オピオイド鎮痛薬　122, 139
オピオイドニューロン　35
オフドーズジストニア（ジスキネジア）　296
オリゴデンドロサイト　22, 23
温罨法　175
温熱療法　167
温冷検査　105

か

開口訓練　230
開口スパズム　295
開口抵抗運動　175
開口量　212
外傷後三叉神経障害性疼痛（PTNP）　250, 288
外傷後有痛性三叉神経ニューロパチー　250
外傷性神経障害　250
外傷性抹消神経障害　148
外転神経（第Ⅵ脳神経）　108, 109
海馬　12
下顎神経　13
下顎神経ブロック　151
下顎頭運動制限　226
過活動　182
可逆性歯髄炎　194
顎運動制限　220
顎関節円板障害　221, 223, 225
顎関節円板転位　223
顎関節可動域（ROM）トレーニング　173, 174
顎関節可動化訓練　174
顎関節腔穿刺　220
顎関節腔内注射　144
顎関節雑音　232
顎関節症（TMD）　82, 167, 285
顎関節症治療の指針2020　174, 175
顎関節痛障害　217
核磁気共鳴スペクトロスコピー（MRS）　28
下行性疼痛抑制（制御）系　35, 51, 55, 62, 77
下歯槽神経損傷　251
滑車神経（第Ⅳ脳神経）　108, 109
活動電位　2, 14, 15
滑膜　217
ガバペンチン　135
カプサイシン　138
カルシトニン遺伝子関連ペプチド（CGRP）　16, 32, 46
カルバマゼピン（CBZ）　133, 139, 240
眼窩下神経ブロック　151, 152, 153
感覚神経　108

感覚トリック　297
感覚鈍麻　106
感覚ニューロン　6
眼窩上神経ブロック　151
間欠クリック　224
間欠ロック　224, 229
眼瞼痙攣　293
患者教育・認知行動療法　175
患者自己調節鎮痛法（PCA）　92
眼神経　13
がん性疼痛　59, 65
関節腔内洗浄療法　236
関節腔内注入療法　236
関節リウマチ　234
感染根管治療　199, 200
漢方治療　162
漢方薬　162
漢方薬の有害作用　163
ガンマナイフ　242
顔面神経（第Ⅶ脳神経）　8, 108, 110
寒冷療法　168
関連痛　68, 198, 201
緩和ケア　299

偽アルドステロン症　163
偽円板化　224
機械刺激-感覚受容機構　41
気血水　159
起動電位　14
機能的磁気共鳴画像法（fMRI）　28
基本的緩和ケア　301
灸　165
吸収的骨変化　233
嗅神経（第Ⅰ脳神経）　108
急性冠症候群（ACS）　206
急性ジストニア　296
急性上顎洞炎　205
橋　8
強オピオイド　130
胸神経　10
強制最大開口量　213
協調運動　173, 174
強直　174
恐怖-回避行動　182
恐怖-回避モデル　172, 277

局所性ジストニア　293
局所麻酔薬　140, 248
虚血性心疾患　206
巨細胞性動脈炎　207, 272
筋筋膜性トリガーポイント疼痛　59
筋筋膜性疼痛　182, 201, 203
筋弛緩薬　137
筋持久力トレーニング　173, 174
緊張型口腔顔面痛　285
緊張型頭痛（TTH）　83, 281
筋力増強トレーニング　173, 174

グリア活性　35
グリア細胞　21, 51
グリア細胞由来神経栄養因子
　（GDNF）　211
クリック　224
クレピタス　224, 232
クローズドロック　224
クロキサゾラム　137, 139
クロナゼパム　137
群発頭痛（CH）　83, 158, 205, 281

頸神経　10
形態学的画像診断法　28
経皮的電気神経刺激（TENS）　169
頸部原性頭痛　82
頸部痛　82
経絡・経穴　159
ケタミン　137
ゲノムワイド関連解析（GWAS）　92
ケミカルメディエーター　46
幻肢痛　25
幻歯痛　91

抗ウイルス薬　247
抗うつ薬　135, 139
交感神経ブロック　247
口腔がん　65
口腔顔面痛　112
口腔顔面片頭痛　285
口腔灼熱痛症候群（BMS）　29, 84, 136, 262, 287

広作動域ニューロン（WDRニューロン）　12, 34
拘縮　174
口唇ジスキネジア　292
高親和性受容体（TrkA）　32
合成オピオイド　130
構造化問診　96
抗てんかん薬　133, 139, 241
後頭蓋窩微小血管減圧術（MVD）　242
行動科学的アプローチ　175
行動活性化療法　184
喉頭ジストニア　293
後島皮質　27
広汎性侵害抑制調節（DNIC）　38
抗不安薬　137, 139
咬耗　194
五行説　160
国際口腔顔面痛分類（ICOP）　112, 117, 207, 250, 262, 279
国際疾病分類第11版（ICD-11）　57, 159, 250, 276
国際頭痛学会　279
国際頭痛分類第3版（ICHD-3）　117, 238, 250, 270, 279
国際疼痛学会（IASP）　2, 57, 256
心の痛み　77
コデイン　131
コルチゾール　76
根管充填　200
根管洗浄　200
根管貼薬　200
根尖性歯周炎　194, 196, 197
コンパートメントブロック　147

再分極　141
錯感覚　106
刷掃検査　105
サブスタンスP（SP）　16, 32, 46
三環系抗うつ薬（TCA）　136, 248, 258
三級アミン　136, 140
三叉神経（第Ⅴ脳神経）　8, 108, 109
三叉神経・自律神経性頭痛
　（TACs）　204, 281
三叉神経自律神経性口腔顔面痛　285
三叉神経脊髄路核　19, 51, 55, 69, 80

──中間亜核(Vi)　19
──尾側亜核(Vc)　19, 51, 55, 69
──吻側亜核(Vo)　19
三叉神経節　13, 70
三叉神経節ニューロン(TGニューロン)　19, 79
三叉神経節ブロック　151, 152, 153
三叉神経痛(TN)　83, 133, 238, 288
三叉神経ニューロパチー　106
三叉神経ブロック　150, 151
三次侵害受容ニューロン　69
酸蝕　194

ジェンダー　81
耳介側頭神経ブロック　144, 220
視覚的アナログ尺度(VAS)　102
歯科用インプラント　251
軸索反射　16, 50
シクロオキシゲナーゼ　126
シクロオキシゲナーゼ-2(COX-2)選択的阻害薬　123, 124
ジクロフェナク　124, 139, 236
歯原性歯痛　39, 194
歯根膜痛　39
視床　11, 20
視床下部　147
視床下部室傍核(PVN)　28
視神経(第Ⅱ脳神経)　108, 109
歯髄炎　196
歯髄温存療法　198
歯髄痛　39, 46
歯髄電気診　196
歯髄保存　198
ジスキネジア　273, 290, 291
ジストニア　273, 290
ジセステジア　106
持続性特発性顔面痛(PIFP)　287
持続性特発性歯痛(PIDAP)　136, 207, 287
持続性片側頭痛(HC)　205, 282
歯痛　39
歯痛錯誤　198
自動運動　174
自動介助運動　174
自動介助開口運動　175

シトクロム　130
自発最大開口量　212
社会心理学的因子　219
社会的苦痛　300
斜頸　293
自由神経終末　14
収束説　68
習癖・習慣　212
純運動性神経　109
上位中枢神経　35
上顎神経　13
上顎神経ブロック　151
小脳　10, 27
上部頸髄　19
生薬　162
触診　213
食物アレルギー　164
書痙　293
自律神経　40
侵害刺激　2, 50
侵害受容性疼痛　5, 50, 57, 148, 257
侵害受容ニューロン　13
深径核　10
神経血管性口腔顔面痛　285
神経血管性頭痛　201, 204
神経原性炎症　16, 195
神経障害性疼痛　5, 53, 57, 148, 201, 202, 203, 250, 257, 288
──の診断アルゴリズム　256, 258
神経スプラウト　254
神経成長因子(NGF)　32
神経ブロック　146, 242
神経ペプチド　50
侵襲的治療　198
浸潤麻酔　144
心身相関　181
心臓疾患　270
──による歯痛　201, 206
身体化症状　274
身体症状症　275, 276
身体の苦痛症　276
身体表現性障害　274
診断的局所麻酔　144
深部痛　4
心理社会的要因による歯痛　201, 206

随証治療　161
水痘・帯状疱疹ウイルス(VZV)　244
睡眠時ブラキシズム　221
睡眠時無呼吸症候群　234
睡眠障害　86
睡眠日誌　87
数値的評価尺度(NRS)　102
スタビリゼーションアプライアンス　187, 221, 229
頭痛　279
ストレス　75, 181
ストレス誘発性鎮痛　62
ストレス誘発性痛覚過敏　62
ストレス誘発痛　75
ストレッサー　181
ストレッチング　172, 174
スプリント治療　236

せ

静止膜電位　140
星状神経節ブロック(SGB)　145, 147, 248
精神疾患による歯痛　201, 206
精神疾患の診断・統計マニュアル第5版(DSM-5)　275
精神疾患または心理社会的要因　272
精神的苦痛　300
静的QST　104, 256
性ホルモン　79, 218
精密触覚機能検査　104
舌咽神経(第Ⅸ脳神経)　8, 108, 110
舌下神経(第Ⅻ脳神経)　10, 108, 111
舌痛症　84
セレコキシブ　124, 139
セロトニン　32, 177
セロトニン・ノルアドレナリン再取り込み阻害薬(SNRI)　136
セロトニン受容体　38
セロトニンニューロン　36
全か無かの法則　3
前三叉神経痛　239
全身疾患　270
全身性変形性顎関節症　233
全人的苦痛　299

全帯状皮質　27
前痛覚　39
前庭蝸牛　110
前頭前皮質　27
前島皮質　27

象牙芽細胞　15, 41
象牙芽細胞―機械・静水圧受容モデル　42
象牙細管内液移動　40
象牙質/歯髄複合体　39
象牙質知覚過敏症　194, 196
象牙質知覚過敏処置　198
象牙質痛　15, 39, 40
相反性クリック　223
側坐核　28
側頭動脈炎　272
ソクラテス式問診法　184
阻血性骨頭壊死　233
咀嚼筋痛障害　210
ソフトエンドフィール　213
ソフトレーザー　169

ターンオーバー　233
大後頭神経三叉神経症候群　155
大後頭神経ブロック　145, 155
帯状疱疹（HZ）　244
帯状疱疹関連痛（ZAP）　245
帯状疱疹後神経痛（PHN）　244
帯状疱疹後疼痛　272
体性感覚神経　40
体性痛　4
大脳基底核　11, 28
大脳皮質　10
大脳皮質感覚野　12
大脳辺縁系　12, 77
多型遺伝子マーカー　218
多血小板血漿（PRP）　236
脱髄　253
脱分極　14, 141
他動運動　174
多発性硬化症　272
短時間持続性片側神経痛様頭痛発作（SUNCT/SUNA）　205, 282

弾撥音　224

遅延性応答　41
チザニジン塩酸塩　137, 139
遅発性ジスキネジア　296
遅発性ジストニア　296
中枢神経機構　55
中枢神経障害性疼痛　6
中枢性感作　33, 61, 218
中枢性筋弛緩薬　137, 139
中枢性脳卒中後頭痛　270
中脳　8
超音波療法　170
長期増強（LTP）　34
直観的思考　113
鎮痛補助薬　133, 303
鎮痛薬　123, 302

つ

痛覚　17
痛覚過敏　6, 33, 106
痛覚鈍麻　106
痛覚変調性疼痛　5, 6, 57, 148, 182, 276

て

定位放射線治療　242
定性的感覚検査（QualST）　255, 256
低反応レベルレーザー治療（LLLT）　169
定量的感覚検査（QST）　104, 256
テストステロン　79
デュロキセチン　136, 139
電位依存性チャネル　15
電気療法　169
典型的三叉神経痛　238
伝達麻酔　144

動眼神経（第Ⅲ脳神経）　108, 109
動作性ジストニア　290
動水力学説　15
疼痛構造化問診　96, 113, 202
疼痛構造化問診票　96, 97
疼痛疾患脆弱性　91

疼痛発作を伴う持続性片側顔面痛（CUFPA）　287
動的QST　104, 256
島皮質　11, 27
東洋医学　159
トータルペイン　299, 303
特異的受容体　128
特異的侵害受容ニューロン　12
ドクターショッピング　182
特発性口腔顔面痛　262, 287
特発性三叉神経痛　239
特発性ジストニア　294
特発性歯痛　201, 206
徒手の顎関節可動化療法　230
徒手療法　175
ドパミン　177
ドラッグチャレンジテスト（DCT）　145
トラマドール　131, 139
トリガーゾーン　238
トリガーゾーン浸潤麻酔　144
トリガーポイント注射　144, 152, 203
トレッドミル走　178

内因性オピオイド　35
内耳神経（第Ⅷ脳神経）　108, 110
内臓痛　4
内側侵害受容系　25
内側前頭前皮質　27
内側前腕皮神経損傷　252

二級アミン　136
二次侵害受容ニューロン　68
二次性口腔顔面痛　112
二次性三叉神経痛　239
二次性ジストニア　295
二次性頭痛　285
二次性体性感覚野（S2）　21, 26
二次性変形性顎関節症　233
二次痛　5
二相性ジスキネジア　296
ニューロマトリックス　25, 77
認知行動療法　183

ね

熱感受性イオンチャネル V1(TRPV1) 32

の

ノイロトロピン 137, 139
脳幹 9, 10
脳機能測定装置 28
脳機能的画像法 28
脳血管障害 270
脳磁図(MEG) 28
脳波(EEG) 28
脳由来神経栄養因子(BDNF) 22
ノルアドレナリン 177
ノルアドレナリン/セロトニン経路 36
ノルアドレナリンニューロン 36
ノルフェンタニル 130

は

ハードエンドフィール 213
背外側前頭前皮質 27
破局的思考 182
バスケット形成 54
抜髄 198
発痛物質 32, 211
バラシクロビル 247
鍼治療 164, 170
バルベナジン 297
パレステジア 106
半夏瀉心湯 66

ひ

ピークドーズジスキネジア 296
非オピオイド 303
非感染性顎関節炎 220
非歯原性歯痛 39, 201
非侵害性機械受容体 15
ヒスタミン 32
非ステロイド性抗炎症薬
　(NSAIDs) 123, 139, 215, 235
　——の副作用 124
　——の薬物相互作用 126
非選択的陽イオンチャネル 14
非定型歯痛 206
ヒトゲノム 90, 122

非復位性関節円板前方転位 223, 227
ピボットアプライアンス 187
表在痛 4

ふ

ファムシクロビル 247
フェンタニル 130, 139
不可逆性歯髄炎 39, 194, 195
復位性関節円板前方転位 223, 225
副交感神経 109
副神経(第XI脳神経) 108, 110
物理療法 167, 175
ブプレノルフィン 132
不眠症 87
プラークコントロール 198
ブラジキニン 32
フレア 50
プレガバリン 134, 139, 259
プレコンディショニング 175
プレドニゾロン治療 272
プロゲステロン 79
プロスタグランジン(PG) 32, 123
プロスタサイクリン 126
分界条床核(BST) 28
分極 140
分析的思考 113
吻側延髄腹内側部(RVM) 35, 55
文脈的認知行動療法 185

へ

閉口スパズム 295
閉口抵抗運動 176
米国口腔顔面痛学会 96
米国精神医学会 275
並列情報処理の仮説 17
ペインマトリックス 25
ペーシング 184
ペプチド性侵害受容器 16
変形性顎関節症 221, 232
片頭痛 83, 204, 280
ペンタゾシン 132
扁桃体 12, 28
扁桃体中心核(Ace) 28

ほ

包括的がん医療モデル 299

包括的病歴採取 96, 113
ポジトロン放出断層撮影(PET) 28
ポストコンディショニング 175
補足運動野 27
保存修復治療 198
発作性片側頭痛(PH) 205, 281
ボトックス注射 176
ポリソムノグラフィー検査 87
ポリモーダル受容器 14

ま

マイオカイン 177
マイオモニター 169
マインドフルネス 185
マギル疼痛質問票(MPQ) 103
マッサージ療法 168
末梢神経伝導速度検査 253
末梢性感作 32, 50, 195, 218
末梢性顔面神経麻痺(Bell 麻痺) 148, 257
末梢性神経障害 250
末梢病態生理 54
マニピュレーション 175
麻薬拮抗性鎮痛薬 132
麻薬性鎮痛剤 129
慢性一次性疼痛 57
慢性疼痛 86, 177, 181
慢性疼痛治療ガイドライン 175
慢性片頭痛 280

み

ミクログリア 21, 22, 66
ミノサイクリン 22
ミロガバリン 135, 139, 259

む

無痛最大開口量 212

め

迷走神経(第X脳神経) 9, 108, 110
免疫細胞 70

も

モビライゼーション 174
モルヒネ 129, 139
モルヒネ受容体遺伝子(OPRM1) 81

問題解決療法　184

野　10
薬剤性間質性肺炎　163
薬物感受性　122
薬物動態　122
薬物誘発性ジストニア　295

有酸素運動　177
有痛性三叉神経ニューロパチー　288

翼口蓋神経節ブロック　144, 156
四級アミン　141

ラバーダム防湿　198

理学療法　167
リポジショニングアプライアンス　187
リラクセーション　183
リラクセーションアプライアンス　187
臨床診断推論　113, 114

冷罨法　175
冷水痛　42
レーザー療法　169
レジスタンス運動　173, 174
レジリエンス　178

ロキソプロフェン　124, 139
六病位　160
ロストワックス法　189

ワクシニアウイルス接種家兎炎症皮膚
　抽出液含有製剤　137, 139
腕傍核　20

$α_2δ$ リガンド　134, 139, 258

$α_2$ 受容体　37
$κ$ オピオイド受容体　132
$μ$ オピオイド受容体　35, 129, 130

Ace（扁桃体中心核）　28
ACS（急性冠症候群）　206
ACT（アクセプタンス&コミットメントセラピー）　184
ATP（アデノシン三リン酸）　32
$Aβ$ 線維　19, 39
$Aδ$ 線維　5, 19, 39

BDNF（脳由来神経栄養因子）　22
Bell の口腔顔面痛　96
Bell 麻痺（末梢性顔面神経麻痺）　148, 257

CGRP（カルシトニン遺伝子関連ペプチド）　16, 32, 46
COX-2（シクロオキシゲナーゼ-2）選択的阻害薬　123, 124
C 線維　5, 19, 39

Diagnostic Criteria for Temporomandibular Disorders（DC/TMD）　117, 174, 214, 219
DSM-5（精神疾患の診断・統計マニュアル第5版）　275

EEG（脳波）　28

face rating scale（FRS）　102
FIESTA 法　241
fingerprint　98
fMRI（機能的磁気共鳴画像法）　28

GABA ニューロン　35
GDNF（グリア細胞由来神経栄養因子）　211
Gs-タンパク質結合型受容体　47
G タンパク共役型受容体　14

IASP（国際疼痛学会）　2, 57, 256
ICD-11（国際疾病分類第11版）　57, 159, 250, 276

ICHD-3（国際頭痛分類第3版）　117, 238, 250, 270, 279
ICOP（国際口腔顔面痛分類）　112, 117, 207, 250, 262, 279

LLLT（低反応レベルレーザー治療）　169

MEG（脳磁図）　28
Meige 症候群　297
MPQ（マギル疼痛質問票）　103
MRI　227
MRS（核磁気共鳴スペクトロスコピー）　28
MVD（後頭蓋窩微小血管減圧術）　242

Na チャネル阻害薬　143
neutral cell　37, 63
NGF（神経成長因子）　32
NMDA 受容体　212
NMDA 受容体拮抗薬　137
NRS（数値的評価尺度）　102
NSAIDs（非ステロイド性抗炎症薬）　123, 139, 215, 235

OFF cell　35, 63
ON cell　35, 63
$OPRM1$（モルヒネ受容体遺伝子）　81

PCA（患者自己調節鎮痛法）　92
PET（ポジトロン放出断層撮影）　28
Piezo1　41
pin prick 検査　105
population coding　17
PRP（多血小板血漿）　236
PTSD　148
PVN（視床下部室傍核）　28

QST（定量的感覚検査）　104, 256
QualST（定性的感覚検査）　255, 256

Ramsay-Hunt 症候群　245
Raschkow の神経叢　39
ROM（顎関節可動域）トレーニング　173, 174
ROM 制限　173

rs-fMRI(安静時機能的磁気共鳴画像法)　28
Ruch の収束-投射説　202

Schwann 細胞　41
semantic qualifier(SQ)　113
SGB(星状神経節ブロック)　145, 147, 248
SNRI(セロトニン・ノルアドレナリン再取り込み阻害薬)　136
Stevens-Johnson 症候群　90, 241
SUNCT/SUNA(短時間持続性片側神経痛様頭痛発作)　205, 282

SW テスター　104
SW テスト　104

TCA(三環系抗うつ薬)　136, 248, 258
TENS(経皮的電気神経刺激)　169
TG ニューロン(三叉神経節ニューロン)　19, 79
Tinel 徴候　253
tooth wear　194
TRPV1(熱感受性イオンチャネル V1)　32
TRPV1 陽性ニューロン　20
TRP チャネル　14, 195

VAS(視覚的アナログ尺度)　102
Vc ニューロン　23
verbal rating scale(VRS)　102
voxel-based morphometry(VBM)　28

Waller 変性　253
WDR ニューロン(広作動域ニューロン)　12, 34
WHO 方式がん疼痛治療法　302
wind-up　34

X 型コラーゲン遺伝子　233

口腔顔面痛の診断と治療ガイドブック 第3版
ISBN978-4-263-44684-3

2013年 7 月10日	第1版第1刷発行
2015年 6 月20日	第1版第2刷発行
2016年 9 月25日	第2版第1刷発行
2022年 8 月10日	第2版第3刷発行
2023年 8 月25日	第3版第1刷発行

編 集　日本口腔顔面痛学会

発行者　白　石　泰　夫

発行所　医歯薬出版株式会社

〒113-8612　東京都文京区本駒込1-7-10
TEL. (03) 5395-7638（編集）・7630（販売）
FAX. (03) 5395-7639（編集）・7633（販売）
https://www.ishiyaku.co.jp/
郵便振替番号 00190-5-13816

乱丁,落丁の際はお取り替えいたします.　　　　　印刷・真興社／製本・愛千製本所
© Ishiyaku Publishers, Inc., 2013, 2023. Printed in Japan

本書の複製権・翻訳権・翻案権・上映権・譲渡権・貸与権・公衆送信権（送信可能化権を含む）・口述権は,医歯薬出版(株)が保有します.

本書を無断で複製する行為（コピー,スキャン,デジタルデータ化など）は,「私的使用のための複製」などの著作権法上の限られた例外を除き禁じられています.また私的使用に該当する場合であっても,請負業者等の第三者に依頼し上記の行為を行うことは違法となります.

JCOPY　〈出版者著作権管理機構 委託出版物〉

本書をコピーやスキャン等により複製される場合は,そのつど事前に出版者著作権管理機構（電話03-5244-5088,FAX 03-5244-5089, e-mail:info@jcopy.or.jp）の許諾を得てください.